A HISTÓRIA DE ESTER

A HISTÓRIA DE ESTER

THOMAS NELSON
BRASIL®
Rio de Janeiro, 2016

Publisher	Omar de Souza
Editores	Aldo Menezes e Samuel Coto
Coordenação de produção	Thalita Ramalho
Produção editorial	Luiz Antonio Werneck Maia
Adaptação de roteiro e Edição de texto	Ricardo Alexandre e Vanessa Fófano
Preparação de texto	Daila Fanny
Revisão	Lara Gôuvea e Patrícia Murari
Diagramação	Luciana Di Iorio
Capa	Wesley Mendonça

Os pontos de vista desta obra são de responsabilidade de seus roteiristas e colaboradores diretos, não refletindo necessariamente a posição da Thomas Nelson Brasil, da HarperCollins Christian Publishing ou de sua equipe editorial.

Este livro é uma obra de ficção. Embora seja baseado no relato bíblico e histórico do livro de Ester, este livro não deve ser confundido com a Bíblia Sagrada. O uso da liberdade literária é um recurso para tentar contar e recontar os relatos bíblicos, preenchendo com a imaginação aquilo que a Bíblia não explicita.

Este livro foi impresso em 2016, pela Edigráfica, para a Thomas Nelson Brasil. A fonte usada no miolo é Bembo corpo 12. O papel do miolo é Avena 80g/m², e o da capa é cartão 250g/m².

CIP-BRASIL. CATALOGAÇÃO NA PUBLICAÇÃO
SINDICATO NACIONAL DOS EDITORES DE LIVROS, RJ

S221

A história de Ester / - 1. ed. - Rio de Janeiro : Thomas Nelson Brasil, 2016.
240 p.

ISBN 978.85.7860.836-1

1. Bíblia. N. T. Ester - Comentários. 2. Cristianismo. 3. Histórias bíblicas. I. Título.

CDD: 229.2
CDU: 27-245.34

Rua Nova Jerusalém, 345 — Bonsucesso
Rio de Janeiro - RJ - CEP 21042-235
Tel.: (21) 3882-8200 - Fax: (21) 3882-8212 / 3882-8313
www.thomasnelson.com.br

UM

À procura de uma rainha

Como o calor que vem do fogo ou o aconchego de um abraço, também o sorriso de uma criança é algo que atravessa gerações, culturas, planícies e fronteiras. Aos 10 anos, Hadassa já estava perdendo suas feições infantis, mas seu olhar curioso e seu sorriso traziam a esperança de futuro e orgulho a uma história que, um dia, já havia sido gloriosa.

Havia se passado quase um século desde que Jerusalém fora impiedosamente destruída por Nabucodonosor, e que o povo judeu vivia disperso em pequenas comunidades espalhadas por todo o império persa, fragilizado, exilado, dependente. Os judeus recebiam notícias da vida difícil dos que, depois da libertação promovida pelo rei Ciro, voltaram para a Judeia a fim de tentar a reconstrução da cidade sagrada.

A centenas de quilômetros, Abiail, da tribo de Benjamim, aproveita a brisa fresca que se forma pelos corredores e vielas da vila na próspera cidade de Susã, no sudeste da Pérsia. Ele abre seus rolos com os textos sagrados e se dedica à leitura enquanto sua esposa, Lia, está a fiar. Hadassa cresceu ouvindo as histórias de seu povo e do Deus de Abraão, mas, naquela tarde, foi a menina que tomou a iniciativa.

— O que o senhor está lendo, papai? — disse intrigada, com sua voz repleta de respeito e carinho.

— Estou lendo sobre a nossa terra, filha. Sobre Jerusalém, a terra do nosso povo, o povo judeu.

Lia preparava um lindo tapete de pelo de carneiro, mas percebeu ali a oportunidade valiosa. Sua querida filha Hadassa abria seu coração para manter-se no mesmo caminho que o Senhor havia traçado para toda sua geração, sobre o qual as crianças de sua idade pareciam não se importar. Trocou olhares com Abiail, afastou-se levemente da roca, encheu o peito de ar e soltou um doce suspiro:

— Ah, quem me dera poder voltar para lá um dia...

— Jerusalém deve ser um lugar maravilhoso — Hadassa puxou um banco de madeira entalhada no espaço exato entre os pais e, em movimentos tão resolutos quanto os da moça que estava se tornando, prosseguiu a conversa. — Fale mais sobre Jerusalém, papai.

— Bem, é a nossa casa, filha — Abiail sorriu para Lia, satisfeito e emocionado com o interesse de Hadassa. — Uma cidade sagrada, preparada pelo Eterno para que nosso povo ali vivesse, desde o tempo de Sem, filho de Noé, e Éber, bisneto de Sem, antepassados de Abraão, o pai da nossa fé.

— Como assim, "pai da nossa fé?" — Hadassa parecia realmente intrigada, como se personagens e termos que conhecia desde pequena finalmente começassem a fazer sentido em sua mente.

— Deus prometeu a Abraão que, de sua descendência, faria uma grande nação, tão numerosa quanto as estrelas no céu. Somos nós, minha pequena Hadassa, o povo judeu. De Abraão e Sara nasceu Isaque. De Isaque nasceram Esaú e Jacó. De Jacó nasceram doze filhos, que começaram as doze tribos de Israel, incluindo a tribo de Benjamim, de onde viemos eu e sua mãe.

— Esaú brigou com Jacó? — Hadassa conhecia essa parte da história, e perguntou quase que de forma retórica.

— Eles eram irmãos, mas se odiavam, e seus descendentes também se odiavam e se odeiam até hoje. — Lia mudou o semblante e falou para a filha como jamais havia falado. — A tribo de Amaleque, por exemplo, descende dos netos de Esaú. São gente cruel, desumana e covarde que nos persegue e ameaça até hoje.

— Os amalequitas foram amaldiçoados por Deus — disse Abiail, sem medir as palavras, franzindo as sobrancelhas — por terem atacado Moisés e nosso povo pelas costas quando estávamos fugindo da escravidão do Egito.

— Que horror! — em seu espanto legítimo e em seus olhos de pavor, Hadassa recupera a expressão de criança. Abiail a toma nos braços e lhe dá um beijo. Acariciando seus longos cabelos negros, o benjamita aponta para o texto que lia, sobre a antiga cidade de Jerusalém, sobre o Templo de Salomão no monte Moriá, a Arca da Aliança e tudo o que o Senhor havia feito por seu povo em nome de um pacto de amor.

— Quero muito conhecer a cidade sagrada — Hadassa já está recomposta, com seu lindo sorriso de volta ao rosto e um olhar de esperança que enchia a sala.

— E nós iremos, filha — promete Abiail. — O nosso Deus irá nos ajudar nessa jorn...

Mastigando as sílabas, Abiail não termina seu pensamento. De repente, violentamente, o som característico da louça se partindo vem de fora, engolido pelo barulho de passos apressados, gritos e alarido que se desencadeia em questão de segundos. A voz grave de Mordecai, sobrinho de Abiail e Lia, homem feito e muito justo, irrompe nervosa, alta, desesperada:

— Abre! Abre! Tio! Tia! Corram! — Mordecai avança sobre a porta com o ombro, violentamente. Não há tempo para retomar o fôlego e suas palavras saem atravessadas, mas assustadoramente claras. — Os amalequitas invadiram a cidade... Estão destruindo tudo o que encontram. Matando as pessoas. Rápido! Precisamos fugir!

Quase que por reflexo, Mordecai tomou Hadassa pela mão, enquanto Abiail e Lia deixavam sua casa logo atrás, sem se preocuparem em levar nada consigo.

Pelas ruas da vila judaica, desviaram de animais domésticos, vasos de barro que curavam ao sol, cestos de frutas e roupas estendidas, mas principalmente de outros judeus que corriam em desespero, sem saber exatamente aonde ir. As passagens eram estreitas e, depois de vencerem dois lances de escada a partir do pátio central, Abiail e sua família deram de frente a um grupo de três guerreiros amalequitas sobre seus cavalos. Montados, armados e protegidos em suas armaduras, soberbos e impecáveis em seu porte, os soldados se entreolharam com riso irônico, diante de uma aterrorizada e frágil família de judeus.

—Vá com sua mãe pelo outro lado. Vá! — disse Mordecai, entregando a menina a Lia, enquanto retirava um longo e pesado tronco de madeira de uma pilha de lenha a seu lado.

— Mas, e vocês? — perguntou Lia, chorando.

— Apenas vá! — confirmou Mordecai, enquanto avançava sobre os soldados com o tronco.

Os amalequitas pouco se impressionavam com a coragem do judeu. Um deles apenas puxou as rédeas de seu cavalo, que relinchou enquanto levantava as patas da frente sobre Mordecai. Este se desequilibrou e caiu sobre o ombro direito, batendo a cabeça violentamente numa pedra e recebendo o tronco sobre seu próprio corpo. Pensando tê-lo matado, o soldado mal observou o corpo desfalecido. Junto com seus dois colegas de destacamento, acossou Abiail em um canto da vila. Tudo o que o judeu tinha em mãos era um bastão estreito que servia de haste para uma tenda. Ofegante e desesperado, Abiail girava violentamente o bastão, ameaçando os soldados. Eles gargalharam de volta.

Secretamente, o que o benjamita queria era dar tempo para que Lia e Hadassa fugissem para o mais longe possível. Finalmente, o primeiro soldado desembainhou a espada e, impávido em seu cavalo, derrubou Abiail com sua pesada bota de batalha. No chão, desarmado, o judeu foi atingido impiedosamente no peito por um golpe de espada. Seu sangue tingiu a túnica, enquanto sua mulher e filha perdiam-se na multidão.

Hadassa não conseguia tirar da cabeça as cenas de horror que seu pai lhe lera havia poucas horas, sobre amalequitas atacando o povo judeu no Egito, séculos atrás. Agora ela própria vivia covardia semelhante. Lia a tomou em seus braços, exausta e chorando muito, o que tornou sua fuga ainda mais difícil. Em um beco congestionado, com judeus indo e vindo, se acotovelando em urros, gritos e prantos, um guarda amalequita misturado à multidão conseguiu erguer o braço e levantar seu punhal de cobre, golpeando quem fosse que estivesse à sua frente. Seu movimento acertou Lia à altura do peito. Hadassa percebeu tudo.

— Não foi nada, filha. Continue! Não olhe para trás, continue! — pediu, enquanto colocava a menina de volta no chão.

O corredor terminava numa galeria de túneis. Lia conduziu a filha para o mais escuro e lúgubre deles, porque sabia que ali repousavam os vasos fabricados pela família de Eilá. Andando com dificuldade, se esvaindo em sangue, suando muito, Lia conseguiu agachar-se entre os vasos maiores na parte mais escura da viela. Tomou Hadassa em seus braços novamente, sem se importar com o sangue que manchava o rosto de sua filha.

Hadassa ouvia, ao longe, na via principal a correria de seu povo, o tilintar das armas dos amalequitas, os gritos de pavor e os passos pesados e ameaçadores dos soldados que vinham até a viela e nada enxergavam. O movimento diminui, como se os soldados amalequitas estivessem, finalmente, se cansando da chacina. Por alguns instantes, foi ingênua o bastante para achar que logo tudo voltaria ao normal.

— Filha, preste atenção — disse Lia, segurando a mão da menina. Era a primeira vez que mãe e filha olhavam-se nos olhos desde que a invasão começara. — Você vai ter de fugir sem mim.

— Não, mãe. Vou ficar aqui até você melhorar. — Hadassa sentiu a maior e mais dolorida lágrima que já brotara em seus olhos, enquanto a mão direita de Lia, suja e ensanguentada, repousava sobre seus lábios, como lhe pedindo silêncio.

— Prometa-me uma coisa? Tenha sempre orgulho de seu povo, filha. Sempre. E nunca, jamais, deixe de ser fiel ao Eterno.

Hadassa sentiu a vida de sua mãe deixando o corpo que tinha em seus pequenos braços. O ferimento era profundo demais. A última declaração de amor que ouviu de sua mãe não veio em palavras, que já haviam se tornado custosas demais. Lia acariciou um colar com um pingente de calcedônia que dera de presente à filha. Em seguida, morreu. Nada mais voltaria ao normal.

Apesar do pedido da mãe para que fugisse, Hadassa continuou velando o corpo, chorando baixinho, sussurrando o quanto a amava, até que o silêncio tomou conta da vila judaica. Ter ficado ali foi sua salvação: poucas horas depois, Mordecai recuperou a consciência, levantou-se e pôs a procurar os parentes. Reconheceu o corpo morto do tio Abiail logo que abriu os olhos e temeu pelo pior.

Quando notou que os amalequitas haviam deixado por completo a vila, não teve receio de gritar o mais alto que pode pelo nome de Hadassa e Lia. Não tardou para que Hadassa viesse a seu encontro, trazendo a notícia da morte da mãe.

Durante o funeral dos tios, Mordecai prometeu diante de Deus que cuidaria de Hadassa até sua vida adulta, zelando para que ela jamais se afastasse dos costumes de seu povo, tampouco de seu Deus.

***

Pelos meses e anos seguintes, não raras vezes os sonhos de Hadassa eram invadidos por cenas do ataque amalequita à vila de sua infância, por cenas de seus pais padecendo pela espada inimiga misturadas aos momentos de agonia de seus antepassados fugindo do Egito. Em todos esses sonhos, dos quais acordava abruptamente, não raras vezes aos prantos, estava seu primo Mordecai, por quem a gratidão, o respeito e carinho só fizeram crescer ao longo dos anos.

— O que seria de mim se não fosse o senhor? — ela costumava dizer.

— E o que seria de mim se não fosse você? — ele respondia, sempre com o mesmo sorriso estampado no centro de uma barba cada vez mais branca, numa expressão cada vez mais sábia.

Em certa noite quente de verão, mais uma vez Hadassa irrompeu de um sonho ruim, chorando e chamando pelos pais. Mordecai acordou imediatamente e foi até o quarto da prima para acalmá-la.

— Sinto tanta falta dos meus pais... — disse ela, ainda soluçando.

— Imagino, minha querida. Lia e Abiail eram pessoas realmente maravilhosas.

— Você, Mordecai, é toda a família que eu tenho... — Hadassa voltou a chorar ainda mais forte.

— E você é a filha que o Eterno me deu.

Hadassa se afastou e tentou se recompor, voltando ao assunto que sempre alimentara:

— Vamos para Jerusalém, meu primo. Vamos para o nosso povo, para a nossa terra!

— Prima, ainda não é hora de partirmos. Construímos uma vida em Susã. Eu tenho o meu trabalho, nossa casa...

— "Não é a hora, não é a hora..." — Hadassa esboçou um sorriso nervoso enquanto enxugava as lágrimas —Você sempre pensando mais nos outros do que em si mesmo! O povo de Susã pode achar um novo líder religioso, e nós podemos construir tudo de novo na cidade sagrada!

— Prima, as coisas não são tão simples assim. Você acha que eu também não quero ir? Mas, veja. Você já é adulta. Se este realmente é o seu sonho, eu lhe dou a minha permissão.

Hadassa quase não acreditava no que ouvia.

— Mas... Se eu for, quem vai cuidar do senhor? Fazer sua comida, lavar suas roupas?

— Isso não é importante. A sua felicidade é a minha felicidade — falou, e sorriu com tal amor e generosidade que jamais sairiam da memória dela.

Hadassa voltou a chorar forte, de emoção e alegria.

— Eu vou, primo. Eu quero, eu tenho de ir. Vou por mim, por você e pelos meus pais!

Naquela noite, nenhum dos dois conseguiu dormir. Ele passou as próximas horas em oração, ciente da responsabilidade do que havia dito. Ela, num misto de medo e animação, pensou em toda a vida que tivera até ali, e imaginou tudo o que o futuro podia lhe reservar.

Pensou na escravidão que muitos da geração de seus avós experimentaram, antes que o rei Ciro desse liberdade aos judeus. Pensou nos que haviam voltado a Jerusalém e nos que haviam decidido ficar, como seus pais e seu primo. Por muito tempo, refletiu sobre como reis e rainhas eram peças-chave no complexo tabuleiro das vidas comuns como a sua. Silenciosamente, sentou-se à beira da cama, depois ajoelhou-se e elevou seu pensamento ao Senhor, pedindo por seus próximos dias, meses e anos. No quarto ao lado, seu primo Mordecai também orava, buscando a Voz do Eterno.

***

Na manhã seguinte, bem cedo, Mordecai e Hadassa foram juntos à região da fortaleza de Susã dedicada ao comércio e aos encontros da comunidade. Ela aproveitava o movimento para ensinar às crianças as antigas histórias sagradas de seu povo. Ele tinha missão bem mais prática: falar com Joel, o tecelão. Além de um artesão muito caprichoso, Joel era um grande vendedor, e decidira montar sua tenda na feira de Susã já havia alguns anos. Mordecai serpenteava entre as barracas, vendedores e clientes como que cumprindo uma tarefa fundamental. Naquele ziguezague, o esplendor financeiro de Susã parecia mais exuberante do que nunca. Naquela época, as rotas de comércio de várias das satrapias do império passavam pela cidade e a ligavam às principais regiões do mundo antigo. E pela feira essa efervescência era clara. Havia gente de várias regiões da Ásia Menor e até da Ásia Maior, da África e do Mediterrâneo; havia libaneses vendendo peles, plumas e marfins, egípcio negociando trigo e cevada, gregos oferecendo peças de cerâmica, indianos e árabes comercializando joias. E, finalmente, havia Joel, valorizando tanto seus próprios produtos que, por alguns segundos, Mordecai interrompeu seu passo para melhor observar a cena:

— A senhora fez muito bem! Foi uma excelente escolha! Não vai encontrar tecido melhor do que este em toda Susã, quem sabe em toda Pérsia! — gabava-se, enquanto oferecia o troco e se despedia da cliente. Mordecai se aproximou, sorrindo.

— Com essa simpatia toda, não vai sobrar tecido até o fim do dia!

— É o que espero, amigo, é o que espero! Falta muito pouco para juntar o dinheiro necessário para voltar a Jerusalém com minha família. Não quero perder a próxima caravana. Saímos em dois ou três meses.

—Vou sentir saudade de você e sua família, Joel.

— Então por que não vem conosco? Você sabe que não somos queridos nessa terra. Vamos viver sem medo, longe daqui, em Jerusalém.

— Justamente por não sermos queridos é que preciso ficar. Tenho obrigações com minha gente que mora aqui. Mas queria lhe pedir um grande favor.

— Se estiver a meu alcance.

—Você se importaria de levar Hadassa com vocês? Eu pago as despesas dela, mas queria confiá-la aos seus cuidados.

— Mas é claro que sim! Será uma honra! Cuidarei dela como se fosse minha filha!

Antes mesmo que pudesse agradecer devidamente, Mordecai sentiu o movimento que se agigantava. Os passos tornavam-se mais rápidos, as conversas em tom mais alto, os risos mais eufóricos.

—Acabaram de avisar que o rei Assuero vai passar por aqui com toda a sua comitiva! — disse Rebecca, esposa de Joel, com uma animação quase infantil.

— Era só o que me faltava! — ele respondeu, em contraste proposital ao entusiasmo da esposa. — Um rei querendo se exibir para atrapalhar meus negócios. Agora não vou vender mais nada mesmo!

— Cuidado, amigo — cochichou Mordecai. — Se o escutam falando assim do rei, já sabe!

— É por essas e outras que eu não vejo a hora de ir embora para um lugar em que as pessoas não idolatrem homens de carne e osso.

Rebecca não parecia se intimidar com a má vontade do marido:

— Aproveite que você não vai vender nada e vamos ver o rei mais de perto! — exclamou, e começou, por conta própria a fechar a barraca, no que foi seguida, a contragosto, por Joel.

***

Naquela manhã, Hadassa havia escolhido contar às crianças a história de Davi, o jovem pastor que, antes de tornar-se rei de Israel, havia derrubado um gigante com uma simples pedra. Enquanto seus pais faziam compras na praça principal, elas ouviam, maravilhadas, os antigos feitos de seu povo.

— Puxa! Ele devia ser um rapaz muito corajoso! — interveio Débora, a mais participativa das crianças.

— E era mesmo! — confirmou Hadassa, juntando suas tábuas de barro. — Estão vendo como tamanho não é documento?

Os pequenos explodiram em gargalhadas. Hadassa percebeu a aproximação de sua grande amiga, Ana, filha de Joel e Rebecca, cambaleante, tentando equilibrar um enorme jarro de água sobre a cabeça. Como parecia inevitável que acontecesse, Ana se desequilibrou e o grande vaso se estilhaçou no chão. A aula, que já caminhava para seu desfecho, acabou de vez.

— Bem, meus queridos, por hoje é só — despediu-se Hadassa. — Amanhã, venham no mesmo horário que eu vou contar um pouco mais da história do rei Davi.

Ana tentou reunir os cacos de seu jarro como se aqueles movimentos pudessem recuperar o que se havia perdido:

— Como sou desastrada... Agora tenho de voltar até a fonte...

— Deixe que vou para você. Você não parece bem. Vá para casa descansar.

— Não se preocupe comigo, Hadassa. Não é nada, já estou melhor. Deve ser o calor.

— Tem certeza? Eu não via a hora de encontrá-la para contar as novidades. Ana, você não vai acreditar.

— O que foi? — a curiosidade lhe deu um novo ânimo.

— Mordecai permitiu que eu vá para Jerusalém! E mais: ele disse que falaria com o seu pai, para que eu vá na próxima caravana com vocês! Não é maravilhoso?

— É sim. Claro. — O descontentamento de Ana com a viagem era indisfarçável. Mas antes que pudesse se explicar, um grupo de jovens se depara com os cacos do jarro quebrado, causando um pequeno transtorno na passagem pública.

— Vocês não vêm? — perguntou uma das jovens. — O rei Assuero vai passar com sua comitiva na rua de baixo. Não é todo dia que um grande imperador vem nos visitar!

Ana e Hadassa trocaram um olhar de desconfiança. Ambas aprenderam desde a infância sobre a forma com que os gentios idolatravam seus reis e imperadores, e não se sentiam à vontade numa manifestação como aquela. Hadassa chegou a externar:

— Essas pessoas acham que imperador é deus. Que ignorância. Deve ser um homem como outro qualquer.

— Como outro qualquer, não! — Ana discordou, sacudindo o dedo indicador num tom evidentemente farsesco. — Dizem que é mais lindo e mais forte do que a maioria! E que em uma batalha matou dez inimigos com um único golpe de espada!

A brincadeira de Ana as conduziu ao riso. Animadas, as amigas juntam-se às outras jovens à procura de um bom lugar à beira da via onde Assuero vai passar dentro de alguns minutos.

De fato, os feitos de Assuero eram quase tão impressionantes quanto as lendas em torno de si. Sua fama de estrategista o antecedia desde a juventude quando, nomeado pelo rei Dario, seu pai, comandava exércitos e soldados no campo de batalha. Educado nas artes da guerra e da cavalaria, a cada nova ofensiva militar se revelava mais preciso e arrasador. Com a morte de Dario, Assuero continuou expandindo os domínios da Pérsia até que seu império se transformasse na maior potência de então. A partir da mesma Susã em que viviam Ana e Hadassa, Assuero governava as 127 províncias de seu império — o que, naquela época incluía Assíria, Arábia, Babilônia, Báctria, Cítia, Fenícia, Carmânia, Pártia, Sagatia, Índia, Cilícia, Ecbátana, África, Hit, Média Macedônia, Israel, Etiópia, Núbia, Frígia, Cária, Lícia, Lídia e Egito. Não havia homem mais poderoso no mundo conhecido de então. Era compreensível a alta empolgação dos que moravam ao redor da fortaleza de Susã com a passagem de Assuero por sua vielas e ruas.

***

A euforia e a correria não eram exclusividade de adolescentes sonhadoras ou senhoras curiosas. O eunuco Simion, copeiro real, também passava apressado e apreensivo pelas ruas da fortaleza. Ele conhecia o rigor da equipe real e, por causa da aglomeração, já estava atrasado para o trabalho — e que trabalho! Uma de suas principais atribuições era provar toda comida e bebida destinadas ao rei, oferecendo-se em caso de envenenamento. Simion teria muito trabalho, e muito risco, naqueles dias. Para celebrar o terceiro ano de seu mandato, Assuero decidiu oferecer um banquete a todos os seus nobres e oficiais. Estariam presentes os líderes militares da Pérsia e da Média, os príncipes e os nobres de todas as suas províncias. Durante cento e oitenta dias, Assuero pretendia exibir a enorme riqueza de seu reino e o esplendor e a glória de sua majestade. Para demonstrar sua generosidade, decidiu estender as festividades a todo o povo de Susã.

Entre as centenas que se espremiam pela cidadela, Simion acabou encontrando o amigo Ruben. Mas ele não o viu. Havia avistado Hadassa em meio à multidão que esperava pela passagem da comitiva. Ficou ali, paralisado pelo amor que cultivava secretamente por ela, e, entre tantos rostos conhecidos, só tinha olhos para ela. Simion interrompeu seu andar apressado, cutucou o amigo pelo ombro e o provocou.

— Por que não se declara logo? — Simion sabia da paixão de Ruben.

— Eu tento, mas minhas pernas tremem, minha voz não sai.

— Melhor criar coragem antes que outro peça a mão dela em seu lugar.

— Tem razão, Simion. Quem sabe hoje eu não consigo? Vamos lá falar com elas?

— Ficou louco? Tenho de correr para o palácio, e é já!

Enquanto Simion retomava sua corrida, Ruben venceu a timidez e se aproximou de Hadassa, sem muita confiança no que deveria dizer. Ele cumprimentou as garotas, tomou coragem e decidiu tratar do assunto mais óbvio que lhe viera à mente:

— Também ficou curiosa pra ver o rei?

— Você acredita que eu nem sabia que o imperador ia passar pelas ruas de Susã? — respondeu Hadassa.

Mesmo Hadassa, em seu pouco interesse nos assuntos da realeza, e Ruben, cuja paixão obscureceria qualquer monarca, não conseguiam fugir do *frisson* que a imagem do rei causava. Todos queriam ver aquele que possuía uma reputação que o precedia. O povo o reverenciava e se sentia privilegiado por sua presença nas ruas da cidade. Todos queriam acompanhá-lo e ter a oportunidade de avistar o grande Assuero, mesmo que de longe.

Ana também queria garantir que veria a comitiva passar. Ela agarrou o braço de Hadassa e se apressou em direção à multidão. Temendo perder sua amada de vista, Ruben a seguiu por entre o povo.

Hamã, conselheiro do rei, fazia parte da comitiva. Hamã era filho de Hamedata e descendente de Agague. Era casado com Zeres, com quem tinha dez filhos: Parsandata, Dalfom, Aspata, Porata, Adalia, Aridata, Farmasta, Arisai, Aridai e Vaizata. Hamã era ambicioso, esperto e estava sempre em busca de benefício próprio. Um dos filhos de Hamã, Aridai, era apaixonado por Ana, filha de Joel — um romance perigosamente proibido, pois uma família judia jamais aceitaria uma relação com um amalequita. Hamã odiava o povo judeu conforme sua tradição, e Aridai, se quisesse ser um verdadeiro amalequita, deveria seguir os passos do pai. Aridai e Dalfom estavam sempre com o pai, acompanhando-o em seu trabalho como servo do rei, e naquele desfile não era diferente.

Ana aproveitou a movimentação para se afastar de Ruben e Hadassa — na tentativa de encontrar-se com Aridai. Ruben gostou, porque sentiu-se sozinho com Hadassa. Desceram alguns degraus e conseguiram um lugar mais privilegiado para ver a comitiva passar, bem próximo de Assuero, quando este atravessou os arcos da rua acenando para a multidão.

— É ele. Não imaginei que ele fosse tão... — Hadassa buscava as palavras em sua mente.

— Tão o quê?

— Tão... tão... real.

A visão periférica de Hadassa encontrou Débora, uma das crianças as quais ensinara algumas horas antes, tentando atravessar a rua para juntar-se aos amiguinhos que assistiam à parada. Sem perceber o perigo, a menina correu para o outro lado da rua no exato momento em que o rei Assuero estava passando com seu cavalo.

Temendo que a menina pudesse ser pisoteada pelo animal que se aproximava, Hadassa seguiu seu instinto: correu em direção a Débora para tirá-la do meio da rua, ou, no mínimo, proteger o corpo infantil com seu próprio corpo adulto. Num sobressalto, o rei interrompeu seu curso, puxando as rédeas do cavalo. O animal se assustou, relinchou e empinou saindo da marcha por alguns segundos. Tudo estava, felizmente, sob controle. O rei olhou para Hadassa, num misto de admiração e surpresa. Ela lhe retribuiu o olhar, agradecendo. Naquele instante o tempo parou, e toda a festa e sons vindos do povo não os alcançava mais. O rei Assuero, percebendo sua distração, voltou a si e fez sinal aos soldados para que contornassem Hadassa e continuassem a marcha. Eles haviam se aproximado com lanças devido ao gesto abrupto de Hadassa ao ir ao encontro de Débora.

Os oficiais do rei jogavam joias e objetos de valor para o povo, estavam todos muito animados. Memucã era o primeiro ministro, o homem de confiança do rei, e bradava ao povo:

— Recebam estes presentes do piedoso e supremo rei Assuero! O rei dos reis! Senhor dos senhores! O escolhido dos deuses! Imperador de todo o mundo! São tesouros das nações vencidas! As vitórias do poderoso rei são também conquistas do pródigo povo da Pérsia! Curvem-se diante do grande deus Assuero!

Joel, Rebecca e Mordecai acompanhavam a comitiva do rei juntos e davam as suas opiniões:

— Que empáfia. Em cima daquele cavalo com ares de dono do mundo.

— Não deixa de ser dono de boa parte dele, Joel.

— Pois, para mim, é apenas um homem com mania de grandeza.

— Pelo menos ele divide os espólios de guerra com o povo. Não é qualquer líder que faz isso — Mordecai tentou contemporizar, se despedindo do casal amigo para ver a comitiva mais de perto.

Joel avistou a filha caminhando sozinha do outro lado da rua.

— É a Ana ali? — perguntou à esposa.

— É ela mesma.

— Mas o que essa menina está aprontando? — murmurou, antes de fazer-se ouvir por sobre o alarido da multidão. — Filha? Onde você está indo?

— Que susto o senhor me deu. — Ana se aproximou.

— E para que essa pressa toda?

— Estava... procurando... a mamãe. O senhor a viu?

— Está bem aqui.

— Ah! Que bom! — Ana respondeu, tentando disfarçar a decepção.

— Assista ao desfile com a gente, filha. Ou você tem coisa melhor para fazer? — provocou Rebecca, desconfiada.

— Não, claro que não! Não tenho nada para fazer.

— A verdade é que já estou farto desse exibicionismo do rei. Melhor irmos embora, todos nós! — concluiu Joel.

Havia música no ar, palmas e ovação se misturando à conversa pelas calçadas. O conselheiro Hamã marchava orgulhoso pelas ruas estreitas de Susã, acompanhado pelos dois filhos. Seu ar de superioridade é maior que o do próprio imperador. Com olhar ameaçador, arrancava dos populares a reverência que o insuflava ainda mais. Os assessores do rei haviam ordenado que todos os súditos se curvassem diante de Hamã, como sinal de respeito. Mordecai, próximo à via principal onde a comitiva passava, sabia que essa reverência era muito maior do que respeito. Era uma veneração religiosa ao "rei dos reis", ao autoproclamado "senhor dos senhores". E, como diziam as Escrituras sagradas, toda fama, glória e honra deviam ser reservadas ao Deus Eterno. Quando Hamã passou com seu lindo cavalo diante de Mordecai, todos os súditos se curvaram diante do conselheiro amalequita. Era impossível que Mordecai não fosse visto, de pé, respeitoso, mas irredutível.

— Por que não está curvado? — perguntou Hamã.

— Não me curvo diante de homens.

— Estou mandando! Ande! Ajoelhe-se!

— Só Deus é digno da minha adoração. Você é homem como eu.

— Seu insolente! — disse Hamã, enquanto desembainhava sua lança.

— Calma, pai — disse Aridai, enquanto se aproximava com seu cavalo perto de Hamã e lhe tocava o ombro.

— Calma?! Esse judeu imprestável me desafia dessa forma e você me pede calma?!

— Ajoelhe-se logo! — interveio Dalfom que, diferentemente do irmão, odiava os judeus tanto quanto Hamã. Suas palavras saíam como em busca da aprovação do pai. — Ande! Ou há de se arrepender!

— Vamos, judeu. Faça o que ele está mandando ou ele vai matá-lo! — aconselhou Aridai, tentando evitar derramamento de sangue.

— Pois que seja — respondeu Mordecai, conformando-se com o destino que lhe cabia, mas certo de que não se curvaria diante de Hamã. Seria o mesmo destino de tantos de seus irmãos diante do ódio e da violência amalequita.

— Ora, seu maldito! — Hamã partiu para cima de Mordecai com o cavalo, acertando Mordecai na testa com a haste do bastão. Com o golpe, Mordecai caiu no chão, sangrando.

— Pronto! Aí está! Não foi tão difícil assim se curvar um pouco. Foi, judeu?

Joel e Rebecca, que já estavam longe, ouviram a confusão voltaram para socorrer Mordecai.

— Mordecai! Mordecai! — chamou Joel, como que para revelar que o judeu não estava sozinho.

— Eu estou bem, amigo.

— Amalequita maldito! — disse Joel, entredentes.

— Enquanto existir um amalequita no mundo, nosso povo não terá sossego, meu amigo. Eles nos odeiam.

Ana aproveitou a confusão e separou-se dos pais. Era uma excelente oportunidade para encontrar-se com Aridai. A moça sabia que jamais conseguiria levar seu romance adiante, mas a paixão falava mais alto. Era preciso aproveitar as raras oportunidades em que eles podiam se ver, se falar, se abraçar, beijar e matar a saudade um do outro.

***

A comitiva real já havia deixado a cidadela de Susã. Enquanto a multidão dispersava, outro casal travava uma conversa numa temperatura completamente inversa da de Ana e Aridai.

— O que foi, Ruben? — quis saber Hadassa. —Você está quieto, há minutos não dá uma só palavra.

— Eu sou assim mesmo.

— Não é não, eu sei. E então, gostou do desfile? — perguntou Hadassa, tentando puxar conversa com o tímido rapaz.

— Nada demais. Quer dizer...Você foi muito corajosa de ter salvo aquela menina.

— Ah, que é isso... Qualquer um faria o mesmo!

— Mas foi você que fez. Arriscou a própria vida!

— Fiquei surpresa com a atitude do rei Assuero. Ele foi muito misericordioso, não acha?

— É, foi— respondeu Ruben, desanimado e enciumado ao ver a empolgação de Hadassa ao falar do rei.

Não havia mais multidão nas ruas, mas a alguns metros adiante um grupo de judeus parecia manter-se junto, cuidando de algo sério que a distância não lhes permitia ver bem o que era.

— Mordecai! — exclamou Hadassa, vendo que o objeto do cuidado do grupo era seu primo, sentado no chão e sangrando, recostado à parede no mesmo local em que foi atacado por Hamã.

— Hadassa, minha menina.

— O que aconteceu? O senhor se feriu?

— Não se preocupe comigo. Vou sobreviver.

— Aquele Hamã, o amalequita, quase parte a cabeça de seu primo em dois pedaços — disse Joel, ainda furioso.

— Que coisa horrível! Eu não falo para o senhor? Nós temos de ir embora de Susã — Hadassa voltou ao assunto, nervosa.

— Um absurdo! É revoltante! — Ruben se solidarizou.

— Deixe, Ruben. Chega de confusão por hoje. Leve-me para casa, filha!

— Claro. Venha comigo. Farei um curativo para o senhor.

Com a partida do grupo que cuidava de Mordecai, finalmente as ruas voltaram a seu movimento normal. Era a melhor situação possível para que Ana e Aridai se encontrassem em uma viela silenciosa próxima às tendas de cerâmica das famílias egípcias. Como que dando vazão às horas e horas de ansiedade, eles se beijaram ardentemente. Numa excitação que misturava o receio de serem flagrados e a alegria de se entregarem nos braços um do outro, Ana e Aridai aproveitassem com incrível intensidade o breve momento a sós.

— Se descobrem que nós estamos juntos... Se meu pai souber... Eu nem sei! — sussurrou Ana, caindo em si.

— Eu falo com ele. Vamos nos casar, Ana! Você é a mulher da minha vida! A mulher que eu amo!

— Meu pai nunca vai permitir, Aridai. Menos ainda o seu! Você sabe bem disso. Hamã prefere mandá-lo para a forca a vê-lo casado com uma judia como eu.

— Sonhar não custa nada. — respondeu ele, insistindo em manter o encontro no terreno do desejo.

— E o pior é que meu pai resolveu ir embora. Em poucos meses vamos para Jerusalém. Nunca mais vamos nos ver, meu amor.

— Isso nunca! Isso não vou permitir!

— Não há escolha.

— Vamos embora de Susã, apenas você e eu.

— Fugir?

— Se for o único jeito de ser feliz ao lado da mulher que amo, que assim seja. Fugimos juntos, sem olhar para trás.

Surpresa e feliz com a declaração de Aridai, ainda que incerta de que fosse o correto a fazer, Ana sequer notou a sombra que se agigantava à sua direita, projetando o braço familiar de sua mãe, Rebecca.

— Tire suas mãos imundas de cima da minha filha! — exigiu a mãe, empurrando o amalequita com força, enquanto tomava a filha com a outra mão.

— Por favor, a culpa foi minha. Deixe me explicar! — pediu Aridai, preocupado ao ver a amada sendo arrastada para fora da viela pela mãe, imaginando a repreensão que a esperava em casa.

— Cale-se! Não quero ouvir uma palavra! Ana, vamos!

— Mãe, a senhora está me machucando!

— Quieta. Vamos ter agora com o seu pai. Só pode ter perdido o juízo para se envolver com esse rapaz! Um amalequita! Inimigo do nosso povo! Beijando na boca ainda por cima, feito uma qualquer. Que vergonha! — Rebecca transformava a vontade de chorar em raiva.

— Por favor, não fale nada para o pai. Estou suplicando à senhora!

— Mas é óbvio que vou falar! Mesmo sabendo que Joel vai morrer de desgosto!

— Por favor, mãe! Tenha pena de mim! Perdoe-me, pelo amor do Eterno! Eu faço o que a senhora quiser!

Rebecca interrompeu seus passos duros. Colocou-se diante da filha e procurou naqueles olhos familiares a confirmação ou negação da sinceridade do que a garota lhe falava.

— Faz mesmo? — perguntou Rebecca.

— Qualquer coisa.

— Pois muito bem. Eu só não conto com uma condição, Ana. Se você prometer que nunca mais vai encontrar esse rapaz amalequita.

— Mas mãe... — tentou intervir Ana na decisão da mãe, mas foi ignorada.

— Nunca mais! Prometa isso e eu poupo o seu pai desse aborrecimento.

— Tudo bem. Eu prometo — Ana abaixou a cabeça, chorando, finalmente vencida.

***

Muitos metros acima dali, nos aposentos do palácio de Assuero, a rainha Vasti repousava em sua enorme cama coberta de linho, lânguida e entediada. Uma serva massageava seus pés com óleos aromáticos, mas ela logo se irritou com a moça e a mandou embora. Vasti era conhecida por sua beleza incomparável. Ela sabia que seu poder de persuasão morava exatamente ali, e não hesitava em usá-lo.

A prestativa Quinlá, uma das criadas de Vasti, a mais próxima da rainha, puxou conversa.

— Minha rainha está precisando é de uma boa diversão... Está muito entediada nesse palácio, não é mesmo?

— O tédio desses corredores é um veneno lento, Quinlá.

Embora não poupasse Quinlá de sua arrogância e prepotência, Vasti reconhecia os cuidados da criada, que tratava a rainha como faria uma mãe.

— Majestade, o rei deseja vê-la imediatamente. — anunciou um dos oficiais particulares de Assuero, a partir da antecâmara dos quartos reais.

— O que o poderoso Assuero deseja? — perguntou, autorizando-o a se aproximar um pouco mais.

— Infelizmente o rei não me informou sobre o assunto, apenas ordenou que viesse buscá-la.

— Está bem. Vou terminar de me arrumar. Aguarde lá fora.

— Já não era sem tempo... — comemora Quinlá, sorrindo.

— Cuidado com seus comentários, Quinlá... Eu sabia que ele ia acabar mandando me chamar! Afinal de contas, sou a rainha Vasti, a mulher mais bela de todo esse reino!

***

Era um dia movimentado no palácio, e não necessariamente porque se aproximava o grande banquete real. Hamã atravessou os umbrais de seus aposentos ainda furioso com "aquele judeu" que lhe havia desafiado algumas horas antes. Era inadmissível para alguém tão ambicioso e tão seduzido pelo poder que alguém vindo das ruas se recusasse a se curvar diante dele. Hamã queria ser respeitado. Mais do que isso: queria ser temido.

— O senhor deveria pedir a sentença de morte desse judeu, meu pai — disse Dalfom diante da murmuração do pai, sempre buscando bajulá-lo.

— É isso mesmo que vou fazer! Caso contrário, outros judeus também vão começar a me desrespeitar. Já pensou se todos resolvem ficar de cabeça erguida?

Ouvindo o tom áspero da conversa, Zeres, esposa de Hamã e mãe de Dalfom se aproximou, já interferindo.

— De que adianta matar Mordecai, meu marido?

— Como de que adianta? Sua morte tem de servir de exemplo para os outros!

— Se quer apenas que eles se prostrem, isso vai servir. Melhor seria que nem um deles vivesse para se curvar, não acha? — Zeres sugeriu, com seu sorriso maldoso nos lábios.

— Está dizendo em matar a todos? — Dalfom fingiu não haver entendido o que a mãe dizia.

— Como vou fazer isso, mulher? Assuero mantém os judeus livres desde que Ciro os tirou do exílio babilônico!

— Quando chegar a primeiro-ministro, terá mais força junto ao imperador, Hamã.

— Memucã é o primeiro-ministro! O homem de confiança do rei.

— Por enquanto... — cantou Zeres, deixando a sala e revelando, como sempre, ser tão ambiciosa quanto o próprio Hamã.

***

A cada hora que passava, a proximidade do grande banquete tornava o ar tenso e as conversas agitadas por todo o palácio. Simion sentia-se intimidado pela presença constante, ameaçadora e vigilante de Harbona, homem leal a Assuero, que era encarregado de verificar se todos os preparativos corriam dentro do esperado.

— Os príncipes das províncias do reino já chegaram para o banquete real. O rei mandou servir tudo do bom e do melhor a seus convidados!

— Já providenciei tudo direitinho, meu senhor. — respondeu, Simion, quase gaguejando.

— Lembre-se de que o rei ordenou que seja dado de beber em taças de ouro, e em taças diferentes umas das outras. E que se sirva muito vinho real, para que todos possam beber o quanto desejarem.

— Sim, senhor.

— E você, rapazinho, fique bem atento. Toda a comida e a bebida do rei devem ser provadas antes por você — disse Harbona, sabendo o quanto isso desestabilizava Simion.

— Claro, não se preocupe. Essa é a parte de que eu não gosto em ser o copeiro real. E se estiverem contaminadas? Envenenadas?

— Se estiverem contaminadas ou envenenadas, você morrerá, não o rei. É justamente essa a ideia! Inclusive agora mesmo: leve o vinho para que o rei possa brindar com a rainha. Prove tudo antes, não se esqueça.

— Pode ficar tranquilo, senhor.

Simion chegou aos aposentos de Assuero enquanto ele conversava com o nobre Memucã, outro conselheiro real. Fez um gesto de reverência ao rei e ficou por ali aguardando ser chamado. O rei conversava com Memucã sobre o sucesso de sua passagem pelas ruas de Susã. Memucã, homem íntegro e sempre disposto a servir ao rei, sentia-se feliz em celebrar o terceiro ano do reinado do grande Assuero. Apesar de sua satisfação com as festividades, o rei tinha outra pauta em mente ao pedir a presença de Memucã:

— Quero falar de guerra. — disse Assuero, em tom grave

— Sim, meu rei, estou às suas ordens.

— Tenho planos de atacar a Grécia logo após os festejos. Preciso de revanche pelo conflito com os helenos em Salamina, nas Termópilas.

— Nobre Assuero, se me permite dizer, a Pérsia já é tão vasta. O senhor sozinho já conquistou os frígios, os cários, os lícios e tantos outros povos. Deixe os gregos para futuros governantes, aconselho que aproveite o reino que já possui.

— Não, Memucã. Meu pai, o grande Dario, faleceu desejando arduamente aquelas terras. A morte de meu primo-irmão, o general Mardônio e de tantos outros persas em solo grego não pode ter sido em vão.

O rei estava disposto a iniciar uma guerra que, para ele, significava muito mais do que expansão de território. Era a memória e a honra de seus familiares que estavam em jogo. Assuero acreditava que assim honraria seu pai, conquistando a terra que ele tanto desejou. Para o rei, a Grécia estava em débito com ele, e o sangue dos persas ali derramado ainda clamava por vingança.

Mais importante do que as comemorações era a guerra. Mais importante do que a guerra, naquele momento, era a chegada da rainha Vasti, que em todo o seu esplendor, cumpria o que ele ordenara. A rainha parecia estar mais bela do que nunca. E conseguiu a atenção que queria: Assuero pediu para que Memucã se retirasse. Eles continuariam a conversa em momento mais oportuno.

— Mandou me chamar?

— Vasti! Bela como sempre!...

— Minha rainha. — saudou Memucã, encaminhando-se para a saída dos aposentos reais.

Por um instante o rei e a rainha se encaram com frieza quase coreografada. Se analisaram mutuamente, como se quisessem descobrir as verdadeiras intenções um do outro. Ele fitava a beleza radiante de Vasti, mas sabia como ela podia ser escorregadia, persuasiva. O homem mais poderoso do mundo devia manter-se atento, pois não queria correr o risco de sentir-se dominado.

Vasti, sutil e elegante, por sua vez, não queria transparecer a alegria que na realidade sentia de estar novamente com o rei. Enterrava em seu coração o ciúme que sentia em relação a todas as mulheres que eram mantidas no harém para satisfazer as vontades do rei. A mulher mais bela do mundo queria passar a impressão de estar muito acima disso, devia transparecer segurança, e sua presença diante do rei devia fazê-lo enxergar o quanto ela era superior a qualquer mulher que o poder dele pudesse amealhar.

No seu íntimo, a rainha não queria apenas cumprir as ordens do rei. Sentia uma ponta de frustração ao comparecer à sua presença apenas quando fosse chamada. Ela sabia que ele se divertia com outras em sua ausência e, embora se sentisse valorizada cada vez que Assuero mandava buscá-la, seu íntimo clamava por ter seu amado para além das enfadonhas conversas formais sobre reinado, povos, territórios e diplomacia. Meros comunicados, quando tudo, na realidade, já estava decidido, concordasse ela ou não.

Vasti usava, no entanto, seu direito de discordar. Ainda que o rei não mudasse de ideia, ele a veria como alguém com personalidade e opinião. A ideia de aborrecê-lo um pouco parecia boa, seria o preço por deixá-la esperando tanto tempo para ser chamada aos aposentos reais.

— Soube que você também vai oferecer um banquete hoje à noite para as mulheres dos príncipes — Assuero começou o estranho flerte real.

— Sim, é verdade. Mas imagino que o assunto não seja apenas este. Faz tanto tempo que não me chama...

— O rei chama quem deseja, na hora que deseja. Chamei você num sinal de paz. Quero que celebremos juntos o terceiro ano de meu reinado.

— Será um prazer. Afinal, trata-se do meu reinado também.

Simion, que estava aguardando um sinal do rei para que pudesse servir o vinho, finalmente foi solicitado. Entrou solenemente na sala e então provou do vinho que serviria ao rei — gesto que, desde sempre, poderia se repetir pela última vez. Aliviado, Simion terminou bem sua tarefa e se retirou rapidamente, reconhecendo a urgência em deixar o rei e a rainha a sós.

— Ao meu reino — propôs o rei, erguendo sua taça.

— Ao seu reino, que se tornou tão próspero graças à aliança com o meu povo, devo lembrar, os medos, segundos em importância depois dos persas...

— Bem lembrado, Vasti. Mas se não fosse essa aliança, seu povo teria sido destruído.

— Que bom que nós dois saímos ganhando.

— Que bom! E que a nossa aliança seja duradoura!

O banquete oferecido pelo rei estava fazendo com que muitas coisas acontecessem por toda Susã. De fato, muitas coisas aconteceriam naquela noite — e por causa daquela noite.

***

Como um dos oficiais do palácio, Mordecai achava que sua ausência seria notada. Em casa, o judeu se preparava para comparecer ao banquete. Hadassa dava os últimos retoques em um discreto curativo na testa do primo.

— Não vá a esse banquete, por favor — insistia a moça, mais uma vez. — Depois de tantos dias de festa os homens estarão bêbados... Já pensou se aquele amalequita, Hamã, encontrar o senhor por lá? Pode agredi-lo de novo, ou coisa pior.

— Já disse, Hadassa, nada vai me acontecer. Aliás, nem sei se vou conseguir entrar no palácio. É mais provável que participe da festa do lado de fora, com o povo. No palácio devem entrar apenas os nobres. O rei vai mandar comida e bebida para os súditos.

— Mesmo assim...

— Não se preocupe, querida. Sei muito bem me defender.

— Estou vendo como sabe! Acertaram sua testa e não pôde fazer nada!

Embora tivesse consciência de que Mordecai era seu primo, Hadassa reconhecia nele a figura de um pai. Seu amor por ele era imenso, e sua preocupação também. Ela queria muito cuidar dele, tentar retribuir um pouco que fosse de tudo aquilo que ele fizera por ela. Todas as vezes em que ela precisou, ele esteve por perto, pronto para ajudá-la, guiá-la da forma mais gentil e amorosa pelos difíceis caminhos da vida de quem cresceu sem a presença dos pais. Não podia suportar a possibilidade de perdê-lo também.

Distraída em seus pensamentos e desapontada por não conseguir convencer o primo a desistir do banquete, Hadassa foi trazida de volta à realidade pela batida na porta. Antes que pudesse imaginar quem batia, ela abriu e se deparou com Ruben.

— Hadassa...

— Olá, Ruben.

— Passei para ver se o senhor está bem — disse o jovem, com a gentileza de sempre — e se deseja companhia para ir à festa do rei.

— Será um prazer, Ruben. E obrigado, meu filho, estou bem sim. A lança de Hamã mal encostou em mim.

— Que alívio! E você, Hadassa? Parece contrariada.

— E estou mesmo — ela confirmou, cruzando os braços e franzindo a testa. — Meu primo insiste em ir a esse banquete e eu preferia que não fosse. Fico tão preocupada que até esqueço a alegria que ele me deu ao consentir que eu vá para Jerusalém com a família de Joel.

— Como? Você vai embora? — Ruben empalideceu.

— Sim, por que a surpresa? Você sabe que sempre sonhei com isso! Finalmente vou conhecer minha terra! A terra dos judeus!

Ruben planejara tudo: ia aproveitar os momentos a sós com Mordecai e contar-lhe sobre seu interesse em Hadassa. Agora, desolado, se entristecia profundamente ao pensar na possibilidade de perder Hadassa de vista.

— Muito bem, Hadassa, já está na hora. Ruben, é melhor irmos para conseguir um bom lugar. A rua do palácio vai estar muito cheia esta noite.

— Claro! Até mais, Hadassa.

— Até, Ruben. Cuidado, meu primo, por favor!

Hadassa se despediu de Mordecai e ficou na porta observando-o se afastar cada vez mais. Sentiu um aperto no peito, como se estivesse numa despedida definitiva. Em sua mente, imaginava o quão difícil seria se despedir de Mordecai quando finalmente partisse para Jerusalém. Era doloroso demais só de pensar.

Ainda à porta da casa, perdendo o primo de vista, Hadassa fez o que costumava fazer nos momentos em que os pensamentos ruins pareciam não sumir. Tomou o colar que sua mãe lhe havia dado e pressionou a pedra de calcedônia contra o peito. Apesar da pouca idade que tinha quando ganhara o presente, ela se lembrava de cada pequeno detalhe daquele dia tão especial.

— Uma surpresa?! — disse a menina, com os olhos brilhantes.

— Isso mesmo. Algo que seu pai e eu estamos guardando há muito tempo, com muito carinho para você! — Lia se sentia feliz por finalmente poder passar à filha algo tão especial.

— Que lindo! — Hadassa mal podia conter a alegria ao ver que seu presente brilhava tanto.

— Esse colar está na nossa família há gerações, Hadassa... Foi passado de mãe para filha desde a época em que nosso povo saiu Egito para a Terra Prometida.

— Foram quarenta anos de caminhada, filha, até chegarem a Canaã — completou Abiail, para mostrar à filha a importância do presente que estavam lhe concedendo.

— Quanto tempo! — disse a menina, surpresa.

— Tudo por causa de um sonho. De um ideal. Sustentado unicamente pela fé que tinham no Altíssimo.

— Nosso povo sempre passou por muitas lutas não é, papai? Dá para ver pelas histórias que o senhor conta.

— É verdade, filha. Mas também sempre fomos muito abençoados.

— E a cada luta, saímos ainda mais fortalecidos — acrescentou Lia, sorrindo para a filha e abraçando o marido.

— Obrigada pelo colar! Foi o melhor presente de aniversário que ganhei na minha vida!

Com seus braços pequenos a menina abraçou o pai e a mãe ao mesmo tempo. A alegria daquele momento parecia eterna, mas, ainda que não fosse, ela estava decidida a eternizá-la em sua memória. Guardou com amor cada detalhe daquele dia e, com as lembranças, guardou também o colar sempre junto de si.

***

As luzes do grande banquete real iluminavam a noite de Susã e favoreciam a nostalgia de Hadassa. No palácio, os convidados comiam, bebiam e se alegravam com a festa oferecida pelo rei Assuero. Príncipes de diversas regiões estavam presentes, extasiados com as dançarinas em trajes sensuais que entretinham os convidados, mantendo-os ainda mais animados e satisfeitos com a comemoração. O rei queria garantir que ninguém tivesse do que reclamar. Comida e bebida com fartura, e diversão para alguns dos homens mais poderosos de sua época.

Mordecai e Ruben já haviam chegado por ali e observavam de longe toda a movimentação no palácio.

— Hadassa vai ficar brava quando souber que eu consegui entrar no palácio para dar uma espiada na festa. — disse Mordecai, com um tom de criança levada.

— E que festa! Nunca imaginei que pudesse haver tantas riquezas em um mesmo reino!

— O grande rei Assuero gosta de exibir seu poder. Mas, em minha opinião, não é apenas de riquezas que se faz um reino!

— O senhor agora parece até Hadassa falando: "Um rei deve se preocupar com seus súditos, ajudar os necessitados!" — Ruben caricaturou.

— Sim, Hadassa é muito justa! — Mordecai afirmou, orgulhoso do caráter da prima.

— Gosto muito de sua sobrinha, senhor. — Ruben entendera que provavelmente não haveria conversa mais oportuna e, finalmente, venceu o receio de falar a Mordecai sobre seus sentimentos em relação a Hadassa.

— Já percebi, Ruben! Observo o jeito como olha para a minha menina.

— Sempre olho com respeito, senhor! — ele se adiantou. — Gostaria muito de ter Hadassa por esposa.

— Ora, ora, ora... Pois saiba que faria muito gosto nesse casamento! Mas quem resolve isso é Hadassa, não eu!

— Mas, os costumes! Se o senhor me escolher, ela terá de...

— Quero que minha prima se case por amor, Ruben. — Mordecai nem lhe deu oportunidade de pensar o contrário. — Apesar dos costumes, quero que Hadassa escolha seu marido, não eu. Se ela o quiser, terei muito gosto neste casamento.

— Pois então farei de tudo para conquistá-la, senhor!

A voz potente e solene do eunuco Harbona irrompeu no salão anunciando o rei. De um lugar discreto, Mordecai e Ruben se equilibravam para enxergar a entrada grandiosa de Assuero.

— Curvem-se para receber o piedoso Assuero, rei dos reis, rei dos quatro cantos, filho de Dario, o Grande, e o de Ahura Mazda. Curvem-se para o grande rei Assuero, imperador do mundo!

E todos se curvaram — ao menos todos os que estavam à vista da comitiva real. A presença do rei causava grande comoção no meio do povo, que o reconhecia como um líder justo e bom. O imperador caminhou até o trono real e sentou-se.

Príncipes vindos da Núbia, Macedônia, das Arábias e da Mesopotâmia se curvaram diante do rei para entregar-lhe presentes. Ele os recebeu com um sorriso e alegria verdadeira no coração. Assuero parecia realmente satisfeito em ver todo o seu povo festejando. Melhor que isso era ter seus feitos reconhecidos por aqueles vindos de outras regiões.

— Silêncio para o discurso do rei! — ordenou Harbona, sempre firme em suas palavras.

E logo o rei começou a falar.

— Estou muito feliz com a presença de todos os meus príncipes e servos nesse lauto banquete na fortaleza de Susã, que coroa cento e oitenta dias de festejos para comemorar os três anos de meu reinado. Eu, Assuero, imperador do mundo, reino sobre cento e vinte e sete províncias, desde a Índia até a Etiópia. E aqui estão presentes perante mim os maiores senhores das províncias, para que eu possa mostrar as riquezas da glória de meu reino, o esplendor de minha grandeza. Portanto celebrem e divirtam-se! Que bebam em vasos de ouro! Faça-se conforme a vontade de cada um!

Hamã, que estava na parte mais alta do palácio, perto do trono do rei, decidiu brindar também com os filhos Dalfom e Aridai.

— Um brinde à minha futura nomeação como primeiro-ministro do rei! — Hamã levantou sua taça com a certeza de que a nomeação viria em um futuro breve.

— Que meu pai consiga logo esta promoção! — bajulou novamente Dalfom.

—Vida longa a Hamã! Vida longa ao imperador! — brindou Aridai, o único dos três com o coração livre da cobiça e do orgulho.

— Não tão longa, espero... — respondeu Hamã, baixinho, ao se retirar para propor um brinde junto ao rei.

— Eu, Hamã, conselheiro do rei, proponho um brinde a todas as riquezas do rei!

O povo gritava ainda mais, e erguia suas taças.

— E agora um brinde à maior de todas as riquezas deste reino! A maior aquisição do rei Assuero é, sem dúvida, a rainha Vasti, de beleza incomparável. Viva Vasti! — acrescentou Hamã.

Todos respondem com grande animação, clamando pela presença da rainha e de sua famosa beleza.

— Pois então que venha a rainha Vasti! Queremos conhecer a mais formosa de todas as rainhas! — diziam os príncipes.

— Que venha a rainha Vasti! — completou Hamã

— Mande chamar Vasti, Harbona. Quero mostrá-la a todos os príncipes — ordenou o rei.

— Imediatamente, senhor.

A rainha oferecia um banquete às mulheres, em uma ala distinta do palácio. Deitada, Vasti sentia-se entediada com a apresentação de teatro a que assistia. Ao seu lado estava Zeres, esposa de Hamã, que fingia interesse na apresentação.

— Minha rainha está de parabéns. A peça foi deslumbrante!

— Pois achei terrivelmente enfadonha! Esses artistas estão cada vez mais repetitivos!

— Sabe que, pensando bem, minha rainha tem razão? Não tinha percebido o quanto são enfadonhos esses artistas — a habilidade de Zeres mudar de opinião era proporcional à sua ambição.

— Estou cansada, Zeres. Será que vou passar o resto de meus dias trancafiada nesses aposentos?

— Se a rainha quiser, posso jogar a sorte para ver seu futuro. É um dom de minha família, passado de geração para geração.

— Jogar a sorte? Interessante. Ótimo, Zeres, jogue para mim — Vasti inclinou-se na direção da amiga, versada em artes da feitiçaria.

— Claro, minha rainha. Só vou precisar de vaso com terra — satisfeita, Zeres pensou que as coisas não poderiam sair de um jeito melhor naquela noite.

— E então? O que está vendo?

— Vejo claramente, minha rainha! O que está parado se desdobrará em reviravoltas. O tédio dará lugar a fortes emoções!

— Verdade? — perguntou a rainha, animada.

— Para isso, os deuses mandam que siga a intuição. Ela será sempre sua aliada contra o horror da mesmice.

— Que bom ouvir isso!

— A terra é a ligação de homens e deuses! Ela não mente, jamais!

A conversa foi interrompida pela chegada de Harbona, que cumpria as ordens do rei de buscar a rainha Vasti.

— Com licença, minha rainha. Perdão por interromper a festa que a senhora está dando, mas venho informar-lhe que o rei Assuero quer vê-la imediatamente.

— O que o imperador quer comigo agora? Ele sabe que estou oferecendo um banquete! Seria indelicado deixar minhas convidadas!

— A fama da beleza de nossa rainha correu o mundo, senhora — respondeu Harbona. — O poderoso rei Assuero prometeu aos príncipes mostrá-la a todos. O mundo quer conhecer a principal propriedade do rei.

— Propriedade? Desde quando a rainha é um objeto que o rei mostra? Que afronta! — nessas palavras, Vasti deixou vir à tona toda sua insatisfação com o rei, a qual fora treinada para ocultar.

— O grande Assuero a aguarda, senhora! — insistiu Harbona.

— Pois diga a ele que não vou!

— Como assim, rainha? Vai recusar uma ordem do rei?

— Sim! Pode voltar para o seu rei e dizer a ele que a grande rainha Vasti a partir de agora só fará o que quiser!

— Pois não, senhora.

Cientes da gravidade do que estava acontecendo, as mulheres ao redor comentavam a atitude da rainha Vasti em tom de espanto. Ela, encorajada pelas previsões de Zeres, finalmente se viu capaz de enfrentar o rei e seus caprichos. Vasti se recusava a continuar vivendo uma vida monótona de obediência a um rei que pensava somente nas próprias vontades.

***

— Como assim não vem? O que significa isso?

— A rainha manda dizer que a partir de agora só fará o que quiser. — disse Harbona, diante dos convidados, com o cuidado de ser literal.

— Mas isso é uma afronta ao rei!

Hamã, traiçoeiro que era, estava por perto e escutou a conversa. Em seguida, dirigindo-se a Memucã, mas falando alto suficiente para que todos os convidados ouvissem, disse:

— A rainha se recusa a vir! A rainha se recusa a atender um pedido do rei!

— Que ultraje! Ninguém pode desafiar o rei, nem mesmo a rainha! — afirmou Memucã revoltado.

A notícia de que a rainha não respeitava o rei fez com que os convidados ficassem agitados. Todos aguardavam para ver qual seria a atitude de Assuero.

— Meu rei, o senhor foi desonrado na frente de todos! Nenhuma mulher pode negar a vontade do marido, principalmente se o marido for o imperador do mundo! — Hamã provocou, em tom de conselho.

— Hamã tem razão! Não posso permitir que minha rainha me afronte dessa forma!

— Não pode mesmo, senhor — concordou Memucã. — A rainha Vasti não somente ofendeu ao rei, mas também a todos os príncipes e todos os povos que há nas províncias!

— Caso o imperador não tome providências, a notícia deste feito da rainha vai influenciar outras mulheres! Todas passarão a desprezar o marido também! — ameaçou Hamã.

— Sim, é verdade. Tenho de impedir que isso aconteça.

— Aconselho o rei a destituir Vasti do trono imediatamente! E que isso sirva de exemplo para todas as mulheres. Só desta forma ficará claro que quem manda no reino é o rei, e todas as mulheres darão honra ao marido! — afirmou Memucã.

Assuero colocou as mãos no joelho e levantou-se, dirigindo-se para o local em que anunciava grandes decisões. Em pé, declarou aos convidados e a seu povo:

—A partir deste instante, não existe mais rainha na Pérsia! A partir de agora, Vasti nunca mais poderá estar em minha presença! Levem-na do palácio! Devolvam-na à sua terra! E que nunca mais se fale o nome desta mulher em minha frente! Guardas! Cumpra-se!

E cumpriu-se o desejo do rei imediatamente. O banquete da rainha Vasti foi invadido abruptamente por guardas determinados a expulsá-la do reino o mais rápido possível. Eles reviraram o local, reunindo todas as coisas pertencentes à rainha para que fossem levadas com ela. Harbona chegou logo em seguida.

— Mas o que é isso? — perguntou a rainha, com voz autoritária, mas assustada e sem entender a situação.

— O grande rei Assuero, senhor dos senhores, destituiu a rainha do trono por ter se recusado a ir até ele.

— Como assim? Ele não pode fazer isso! Eu sou a rainha!

— São ordens do rei. A senhora não é mais rainha e deve ser devolvida imediatamente à sua terra.

A raiva imediata de Vasti voltou-se contra Zeres.

— Sua mentirosa! Você me disse para seguir a intuição e agora, isso!

— Como disse, rainha, o tédio deu lugar a fortes emoções! A terra não mente jamais.

— Saia! Saia já daqui! Você e todas as outras! Agora! — e as convidadas se retiraram uma a uma, apavoradas com a situação. Na verdade, Zeres já havia se retirado, com um sorriso irônico que contrastava com o desespero da rainha destituída.

Vasti ainda tentou argumentar com Harbona, dizendo-se arrependida, propondo voltar atrás. Mas um rei não poderia voltar atrás em seus decretos, ainda que Assuero quisesse. Não havia mais nada que pudesse ser feito. Harbona ordenou que os guardas continuassem recolhendo os pertences de Vasti. À antiga rainha restava agarrar-se em seu orgulho. Mantendo-se firme, deixou o palácio, dizendo a si mesma que havia sido a única pessoa em todo o império persa capaz de negar um pedido do arrogante Assuero.

***

No salão, em meio aos cochichos dos convidados que se entretinham mais com o escândalo que com as dançarinas e o vinho, os conselheiros rodeavam o rei, propondo soluções para o acontecido.

—Vasti foi longe demais! Ninguém pode enfrentar o imperador da Pérsia e ficar impune — disse um deles.

— Que se dê o lugar dela a outra que seja melhor, meu grandioso rei. É preciso procurar outra rainha imediatamente para que não fiquem dúvidas sobre sua capacidade de dominar uma mulher! — aconselhou Memucã.

— Concordo. Mas não é tão fácil conseguir uma rainha da noite para o dia! — afirmou Assuero.

— Pois sugiro que busquem para o rei todas as moças virgens e formosas do reino — interveio Hamã. — Que o poderoso Assuero ponha comissários em todas as províncias, e que todas essas virgens sejam trazidas para Susã. E aquela que agradar ao rei ficará no lugar de Vasti!

— Isso me parece bom. Que seja feito! — se animou o monarca.

— Então que se tragam todas as virgens de todos os reinos para o grande rei Assuero! A nova rainha será escolhida entre elas! — ordenou Harbona a todos os comissários.

Assim que o sol nasceu, a ordem começou a ser cumprida. Em todas as vilas de Susã havia destacamentos imperiais entrando nas casas para levar moças virgens para o palácio. Mordecai, que esteve no palácio durante a negativa da rainha Vasti, entendeu rapidamente do que aquela busca se tratava.

— Ordens do rei! Ordens do rei! Aquele que se opuser será morto! — ouviu Mordecai ao longe, enquanto corria de volta a casa.

Vencendo o pouco fôlego, ele correu e correu. Pensava em sua menina, sua filha de coração. Ele orava a Deus, implorava para que Hadassa estivesse ainda em casa quando ele chegasse. A ideia de perdê-la lhe ardia no coração.

Entre as moças que foram levadas ao palácio estava Ana. Como de costume, seus pais, Joel e Rebecca, estavam na rua dos comerciantes trabalhando na tenda da família. Vendo o tumulto, ficaram aterrorizados e, antes que tivessem tempo para voltar para casa e tentar proteger Ana, eles a avistaram perto dali, sendo levada por um soldado.

— Mas o que está acontecendo? Larguem minha filha! — Rebecca gritou ao soldado, desesperada.

— Ana! Esperem! Ninguém vai levar minha Ana! — Joel tentou intervir.

O soldado que levava Ana apontou a lança para Joel, pronto para atacá-lo por haver tentado impedir o trabalho de uma comissão real.

— Eu imploro senhor, ele não fez por mal. Poupe a vida do meu marido — Rebecca chorava por Ana e por Joel.

O soldado finalmente seguiu seu caminho, levando Ana consigo. Ficou claro para aquela família judia que já não havia mais nada a ser feito.

— Covardes! Covardes! — chorava Joel.

— Larguem-me! Eu não quero ir! Socorro! — os gritos de Ana misturavam-se aos do pai.

Mordecai conseguiu chegar em casa, chamando pelo nome da prima, correndo de um canto a outro. Ela surgiu do jardim, alheia ao que acontecia na cidade. Ele não tinha tempo sequer de lhe explicar:

— Vamos, Hadassa! Precisamos sair daqui, urgente!

— Mas sair daqui agora? — surpreendeu-se Hadassa, cada vez mais confusa.

Ouviram os batidos na porta e o tilintar das armas dos guardas.

— Abram, em nome do rei!

— Querida, você tem de se esconder — sussurrou Mordecai.

Hadassa fez o melhor que pôde, agachando-se no vão destinado à lenha do fogão. Fechou a visão com uma esteira de palha e ali ficou, apreensiva. Ela sabia que o primo queria protegê-la e, exatamente por isso, agora temia pela segurança dele..

— Onde está a virgem, velhote? — perguntou um dos guardas, forçando a entrada da casa de Mordecai.

— Olhe o que estão fazendo! Meus documentos! Arruinados! — Mordecai tentou disfarçar, fingindo se importar com seus pertences.

— Entregue a moça e nós vamos embora. Sem mortos.

— Que moça? Estou sozinho, não percebe? — ele mal conseguia disfarçar a respiração ofegante depois de tantas quadras corridas em desespero.

— Uma sobrinha. A que mora aqui com você. Não adianta mentir. O vizinho já me disse tudo.

Mordecai sentia-se acossado, e não sabia mentir.

— Na verdade é minha prima, mas a criei como uma filha.

— Onde ela está?

— Partiu para longe de Susã algumas semanas atrás.

O guarda se impacientou com a história improvisada por Mordecai. Num golpe rápido, rendeu-lhe e colocou a espada contra seu pescoço.

— O senhor está começando a me irritar de verdade.

— Então terá de me matar, porque não há ninguém aqui além de mim.

— Que seja.

O barulho inconfundível do metal riscando a bainha chegou até Hadassa, embaixo do fogão.

— Espere! Não o machuque, por favor! É a mim que vocês querem!

— Hadassa! Não! — suplicou Mordecai.

— Deixe, meu primo. Minha liberdade não vale a sua vida.

— Eu morreria mil vezes para protegê-la!

— E eu me entregaria outras mil para salvá-lo.

— Chega dessa conversa! Levem logo essa mulher antes que eu perca minha paciência! — esbravejou o soldado.

Os guardas começaram a conduzir Hadassa para fora. Mordecai não conseguia se conformar com aquela situação. Não conseguia conceber sua vida sem a menina que havia criado como filha.

— Por favor, deixem-me pelo menos me despedir de minha prima! — Mordecai implorou aos guardas. Eles concordaram com a cabeça e, por alguns segundos, deixaram os dois a sós.

Mordecai se aproximou de Hadassa e, tomando-a pelo braço, falou junto a seu ouvido.

— Preste muita atenção, prima — cochichou Mordecai, com tom solene, como se estivesse dando o conselho mais importante de sua vida. — Nunca, em hipótese nenhuma, revele sua origem. De agora em diante, seu nome será Ester, entendeu? Ester!

E o soldado da guarda imperial puxou a moça pelo braço, para fora da casa.

DOIS

Encarando os fatos

Em meio à dor e às incertezas que se agigantavam diante de seus olhos, Hadassa só fez seguir os guardas, deixando-se ser levada sem resistir. Ela se agarrava de todo coração à fé de que existia uma razão maior para que tudo aquilo estivesse acontecendo. Hadassa depositava no Eterno toda a sua confiança, e, assim, conseguiu manter-se minimamente calma para lidar com a situação.

Hadassa fora deixada pelos guardas junto com dezenas de outras moças selecionadas para o harém do rei. Era um pequeno e assustado grupo, vigiado atentamente por ameaçadores soldados. De tempos em tempos, novas comitivas chegavam vindas de outras províncias, com mais meninas. Depois de divulgado o decreto do rei Assuero, todas as moças virgens e belas foram levadas para a fortaleza de Susã. Segundo o decreto, uma delas seria coroada a nova rainha da Pérsia e reinaria no lugar de Vasti.

No meio de tantos rostos desconhecidos, Hadassa viu sua amiga Ana, e imediatamente correu para abraçá-la. Acolheram-se num abraço, quando Ana, que tinha os olhos inchados, desabou a chorar ainda mais junto da amiga que, ela sabia, teria destino semelhante ao seu.

— Não chore, Ana! Precisamos ter fé! — disse Hadassa, enxugando as lágrimas dos olhos da amiga.

— Mas... e agora, o que vai ser de nós?

Hadassa abraçou Ana mais forte — era tudo o que poderia "dizer". Seu primo Mordecai repetiu o mesmo gesto longe dali, na vila judaica, diante do desespero do jovem Ruben.

— Mas como assim, foi levada? O senhor não ia fugir com ela? — perguntou Ruben, desesperado.

— Sim, mas não podíamos partir à noite. Hoje cedo não consegui chegar a tempo para tirar Hadassa de casa! Ela se escondeu, mas acabou se entregando quando viu que os guardas do palácio queriam me matar!

Emocionado, Mordecai se senta para continuar conversando com Ruben, as palavras saíam fracas de seus lábios, as pernas não sustentavam bem seu corpo, pesado pelos anos vividos e, muito mais, pela tristeza que pesava sobre seus ombros.

— Não se desespere, Mordecai! — Ruben inverteu os papéis, e agora procurava transmitir calma. — Vou pedir a ajuda de Simion para descobrir se ela está bem. Ele trabalha no palácio, deve ter algum tipo de acesso ao harém!

Os olhos de Ruben se assombram com sua própria ideia. O jovem queria dar esperança a Mordecai, mas encheu a si mesmo de alegria com a possibilidade de rever sua amada Hadassa.

— Acho difícil, Ruben. Eu mesmo trabalho no palácio, mas como oficial e escriba tenho acesso apenas até certo ponto — respondeu Mordecai, em tom desanimador. — De qualquer maneira, também vou tentar saber notícias de minha prima.

— Mas Simion trabalha diretamente com o rei! Fique tranquilo, senhor! Eu vou dar um jeito de tirar Hadassa daquele harém e trazê-la de volta para casa! — insistiu Ruben com a valentia e a empolgação dos apaixonados.

— Admiro sua coragem, Ruben — disse Mordecai sorrindo, alegre por ver a devoção do rapaz por Hadassa. — Mas não faça nenhuma bobagem. Pode ser perigoso mexer com as mulheres do rei.

— Por Hadassa eu arrisco tudo! Até a vida! — Ruben deixou a casa sorrindo como um herói, movido pela paixão, e desaparece na noite escura.

No dia seguinte, Susã amanheceu triste e silenciosa. Nem mesmo a rua mais movimentada pelo comércio era capaz de devolver à cidade seu tom alegre. As vozes típicas de vendedores, animados, oferecendo seus produtos, se calaram. O dia não tinha cor, os rostos refletiam apenas o desânimo. As mesmas ruas que transpiravam empolgação por causa da comitiva do rei e por causa da generosidade de seu banquete agora calavam-se assustadas com a violência contra suas filhas.

Joel e Rebecca chegaram mais cedo à sua barraca de tecidos. Não haviam dormido por toda a noite e decidiram trabalhar, menos por coragem ou profissionalismo do que pela esperança de receber ali alguma notícia sobre o destino das moças levadas para o harém do rei, onde também estava sua filha Ana.

— Meu tesouro foi levado pelo rei... — lamentava Rebecca, com uma expressão abatida.

Joel, deprimido, levantou as mãos para o céu e questionou o Senhor.

— Ah, meu Deus! Por que permitiste tal infortúnio? — ele olhou para o céu buscando uma resposta, esperou alguns segundos e voltou-se para a esposa. — Preciso levar essa encomenda na rua de baixo, mas não tenho nem cabeça para trabalhar — ele pega vários cortes de tecido, mas os deixa novamente sobre a mesa.

— Melhor você ir, Joel. Estão esperando esses tecidos. Eu cuido da barraca — disse Rebecca, levantando e recompondo-se para dar força ao marido.

— Está bem. Volto em um instante — Joel despediu-se para cumprir seu dever de vendedor.

O decreto do rei atingiu muita gente. E não eram apenas os pais que sofriam. Muitos rapazes tiveram suas prometidas levadas, e vagavam desolados e raivosos pelas ruas de Susã. Numa ironia do destino, essa desolação estava prestes a atingir um dos filhos do próprio Hamã. Naquela manhã, Aridai rumou até a rua dos comerciantes de Susã, encheu-se de coragem e foi à tenda da família de Ana. Ele temia que também ela tivesse sido levada para o harém do rei e precisava confirmar sua suspeita.

— Senhora... — sussurrou Aridai, com respeito e temor, a Rebecca.

— O que está fazendo aqui? Vá embora! — disse Rebecca, enxugando o rosto e movimentando as mãos como se pudesse espantar o amalequita como um inseto.

— Por favor, me escute! Onde está Ana? Não me diga que ela foi levada para o harém junto com as outras moças!

— Foi — Rebecca chorou baixo. — E eu não pude fazer nada...

— Não acredito...

— Por favor, vá embora antes que meu marido volte! Vá embora! Não contei a ele sobre você e Ana porque tinha esperança de que se afastassem! E agora que ela foi para o harém é melhor que ele nem saiba. Tudo está perdido mesmo...

— Nem tudo. Amo muito sua filha, senhora, e vou ajudá-la a sair do palácio!

Finalmente, Rebecca enxerga a sinceridade nas palavras de Aridai.

— Você acha que consegue? — a esperança reacende em seu peito, numa chama muito maior que o receio de o marido voltar ou que a desconfiança de que tal ajuda viesse de um amalequita.

Entretanto, antes que Aridai pudesse contar a Rebecca seu plano, Joel retornou para a barraca.

— Mas o que significa isso? O que o filho de Hamã faz em minha barraca? — perguntou Joel, indignado e curioso.

— Vim comprar alguns tecidos — foi a desculpa mais rápida em que Aridai conseguiu pensar.

— Você não é bem vindo aqui, filho de Hamã! Inimigo dos judeus! — Joel disse, deixando transparecer toda a sua raiva e desprezo pelo povo amalequita.

— Calma, Joel! — Rebecca pediu ao marido.

— Como, calma?! Espanta-me ver você dando conversa para esse sujeito! — Joel levantou a voz, desconfiado.

— Eu não sou como meu pai, senhor! Não odeio os judeus, não sou seu inimigo! — Aridai tentou contemporizar.

— Boa coisa não deve querer, bisbilhotando nossa barraca. Fora daqui! Agora!

— Mas, senhor, eu... — Aridai tentou se defender novamente.

— Fora! — Joel escorraçou o príncipe de sua barraca. Em mais uma demonstração de respeito, o jovem abaixa a cabeça e volta por onde veio. — Por que você foi dar conversa a ele? — a raiva de Joel, por um instante, voltou-se para a esposa.

— Desculpe... Acho que estou muito abalada com o sequestro de nossa filha. Não estou raciocinando direito — disfarçou Rebecca.

***

Enquanto o harém era motivo de revolta em boa parte do reino, a ambiciosa Zeres conseguiu enxergar nele mais uma oportunidade para manter-se próxima ao poder. Com o consentimento de seu esposo, Hamã, ela conseguiu que uma jovem de sua confiança fosse selecionada. Seu objetivo era manter a moça ali e, com suas artimanhas e sua influência junto a Assuero, fazer de sua protegida a mais forte candidata ao trono. Em seu raciocínio maquiavélico, nada mais útil do que uma rainha em dívida permanente a ela.

Foi seu filho o Dalfom que sugeriu a moça ideal para ser infiltrada no harém do rei. O nome dela era Tafnes, egípcia de traços belos e marcantes, e de uma sensualidade à flor da pele. Os faiscantes olhos de Tafnes revelavam não apenas seu poder de sedução, mas sua ambição que não conhecia escrúpulos. O beberrão Dalfom havia conhecido a garota egípcia em uma das muitas festas de que participara nos últimos meses e imediatamente se encantou por ela. Naquele dia, o jovem guerreiro amalequita mostraria, para quem ainda tivesse dúvida, parte de seu caráter e ambição, aprendidos com os pais, levando Tafnes ao palácio para oferecê-la aos planos de sua mãe Zeres.

— Gostei da sua casa. Bonita, rica... Digna do conselheiro do rei! — ronronou Tafnes, bem baixinho, para Dalfom, ao entrar com ele na casa do amalequita.

— Pois se você for esperta, pode ter muito mais do que está vendo aqui! Tudo do bom e do melhor. E se trabalhar direito pode até chegar a rainha! Minha rainha! — Dalfom respondeu com autoridade e soberba, puxando a egípcia para perto de si e beijando-a de forma ardente. Tafnes retribui as carícias de Dalfom, excitada muito mais pela possibilidade de poder e riqueza do que exatamente pelo soldado que beijava. O casal só é interrompido pela chegada de Zeres:

— Mas isso não são modos para a futura rainha da Pérsia! — Zeres dirigiu-se irônica a Tafnes, que se afastou imediatamente de Dalfom, limpando os lábios molhados.

— Minha mãe, esta é Tafnes, a moça de quem lhe falei.

Zeres analisa Tafnes desde os pés até a cabeça como a uma mercadoria. Toca seus cabelos, cheira sua pele, verifica seus dentes. Finalmente, vem a sentença:

— Muito bem. Ela serve.

— Só tem um problema — interferiu a moça rindo, irônica, buscando parceria com os olhos de Dalfom. — Para entrar no harém, não preciso ser... donzela?

— Deixe que cuido disso — Zeres respondeu em tom malicioso e com um leve sorriso nos lábios.

***

No palácio, as moças que chegavam ao harém eram recepcionadas por Quinlá, cuja simpatia e atenção quase conseguiam quebrar a jornada de horror e medo a que haviam sido submetidas até ali:

— Por favor, sentem-se por aqui e aguardem. Logo logo nós vamos cuidar de vocês — Quinlá dizia, tentando deixá-las à vontade.

Algumas já conseguiam abrir um sorriso. Outras se deslumbravam com a beleza do palácio. Muitas, como Ana, ainda choravam, temendo pelo seu destino. Por sua vez, Hadassa superava a imensa tristeza com revolta, e dali encontrava energia para consolar a amiga.

— Precisamos ficar firmes, Ana. Não podemos baixar a cabeça às dificuldades da vida! Ou você esqueceu as lições de nosso povo, que tanto nos ensinam a ser persistente?

— Não esqueci, Hadassa, claro que não. Só tenho medo do que pode nos acontecer! — desesperada, Ana chorava muito.

— Não adianta ter medo do que ainda não existe, minha amiga. Fique calma. Tenho certeza de que logo esse pesadelo vai passar e nós vamos voltar para casa!

— Não seja ingênua, Hadassa! Nós nunca vamos voltar para casa! Vamos ter de dormir com o rei, uma a uma, e depois seremos suas concubinas para sempre! Nunca mais veremos nossa família! Nunca mais!

Hadassa apertou a amiga junto de si, discordando dela com a cabeça. No fundo de seu coração, entretanto, ela também sabia que as chances de Ana estar certa eram reais e enormes.

Entre todas as moças indignadas e amedrontadas, havia ainda aquela que queria estar ali. Tafnes havia sido cuidadosamente preparada para isso. Zeres mandou que suas criadas vestissem a egípcia conforme deveria se vestir uma donzela, com roupas simples e comportadas. Em seguida, Dalfom seguiu pessoalmente com ela até a parte do palácio que cercava o harém real.

O amalequita já havia combinado com um dos eunucos, Bigtá, para assegurar tratamento diferenciado para sua protegida. Bigtá era tão corrupto e ambicioso quanto o próprio Dalfom e rapidamente se entenderam na linguagem do suborno.

— Está bem interessado, hein? — disse Bigtá, curioso, verificando a quantia generosa que Dalfom se dispôs a pagar pelo favor.

— Muito. E haverá mais moedas se você realmente colocar Tafnes junto com as moças do harém.

— Ótimo. Não se preocupe. As moças acabaram de chegar, vai ser fácil colocar mais uma lá dentro sem que ninguém perceba.

— Perfeito.

Dalfom arqueou a sobrancelha pedindo privacidade ao eunuco, arrogantemente. Era hora de despedir-se de Tafnes.

— Tudo certo, minha "virgenzinha"... Trate de fazer cara de donzela para convencer o rei!

— Assim está bom? — respondeu a egípcia, com sua melhor imitação de pureza no olhar.

— Ah, ótimo. Agora, quando você for rainha não pode se esquecer de mim, hein? Senão entrego ao rei tudo o que você já fez comigo.

— Pode deixar.

O casal então selou sua cumplicidade num beijo carregado de lascívia. Bigtá interrompeu com um pigarro. Era hora de conduzir Tafnes ao harém real.

Apesar de tentar misturar-se às outras garotas, Tafnes despediu-se do eunuco com atitude totalmente oposta a de suas companheiras. Olhou confiante para Bigtá e prometeu recompensá-lo quando chegasse ao posto de rainha.

— Vou me lembrar da promessa — devolveu o eunuco.

Apressando-se, Tafnes compôs sua personagem e adentrou ao harém temendo ser vista. Correu com os olhos o ambiente em busca do grupo de meninas mais bonitas. Sentou-se próxima de Ana e Hadassa.

Tafnes mal se acomodou e todas as moças foram solicitadas a ficar de pé. Hegai, o eunuco responsável pelo cuidado das virgens, entrou no harém acompanhando por Quinlá. Grande e sorridente, ele atravessou o salão com seu andar delicado. Um assistente trouxe um banco para que Hegai subisse e fizesse seu pequeno discurso.

— Sejam muito bem vindas! Meu nome é Hegai e sou o responsável pelas senhoritas no palácio. E vocês, se estão aqui, é porque são as mais formosas do império. Daqui sairá uma rainha!

O próprio Hegai puxa o aplauso. Sua animação e simpatia — e seu ar um tanto efeminado — ganham a simpatia das moças. O ambiente, que era silencioso e triste, enche-se de agitação com a possibilidade de uma daquelas humildes camponesas transformar-se em rainha da Pérsia.

— Si-lên-cio! — Hegai ordenou, marcando bem as sílabas, tentando dissipar o zunzum. — Parecem um bando de moscas zunindo na minha orelha! Esqueçam esse passado que tiveram! Se uma de vocês será rainha, todas deverão se portar como tal! — disse, com firmeza.

— Não seja tão duro com elas, Hegai — interveio a doce Quinlá. — As moças estão afoitas, é muita novidade, coitadinhas. Ih! Vão dar um trabalhão. Essa aqui até está com piolho!

Como que por reflexo, uma grande roda se abriu em volta da moça apontada, e a confusão ficou ainda maior. Hegai chamou a atenção com seus címbalos. Agora ele estava irritado de verdade:

— Silêncio! Já falei! Esses gritinhos são insuportáveis! Façam fila! Quero dar uma boa olhada em cada uma de vocês!

As moças, nervosas com tanta novidade, tentaram se organizar numa fila, mas tudo o que conseguiram foi criar um desengonçado corredor de mulheres que, sem querer, destacava Hadassa, um tanto assustada, mas atenta, ao fim dele. Hegai chamou-a para que pudesse vê-la de perto.

O trajeto até o eunuco era curto, mas enorme. Encabulada, Hadassa caminhava firme sob o olhar invejoso e atento das outras moças. Seu caminhar gracioso foi interrompido quando alguém, disfarçadamente, aproveitou-se da desorganização e pisou em seu manto. Hadassa desequilibrou-se e, por pouco, não caiu diante de todas. Tafnes foi a responsável pelo tropeço de Hadassa, com agilidade suficiente para que ninguém notasse sua responsabilidade.

— Hihihi, que desajeitada... Cuidado para não se machucar! — Hegai divertiu-se, tomando Hadassa pelas mãos. — Esta é justamente a primeira lição que vocês terão: como andar com elegância.

Hegai tocou o rosto de Hadassa com delicadeza, retirou o lenço que envolvia os cabelos negros da moça. Observando-a atentamente perguntou:

— Interessante... Qual o seu nome, moça?

Hadassa hesitou por um segundo. Era difícil habituar-se com um novo nome, mas lembrou-se do conselho de seu primo Mordecai. Não tinha dúvida alguma de que ele só poderia aconselhá-la para o bem.

— Meu nome é Ester. Ester de Susã. — respondeu, confiante.

Naquele momento, o Deus de Abraão e Isaque, o Deus de seus pais Abiail e Lia, o Deus de seu primo Mordecai, o Eterno, começava a escrever na jovem Hadassa a história de Ester, Ester de Susã.

***

Longe dos muros do harém, distante das aulas de etiqueta e das belas mulheres escolhidas para satisfazer o rei, Ruben lutava para rever Hadassa e tirá-la dali. Exatamente como havia prometido a Mordecai, Ruben procurou Simion para pedir ajuda em sua missão de resgatar a moça.

— Não, não e não! — esbravejou o copeiro, tentando dar de ombros à proposta de Ruben.

— Faça isso por mim, Simion! Pelo amor de Deus!

— Não coloque Deus nessa história! Você vai acabar se matando!

— Mas tenho de salvar Hadassa! Preciso entrar naquele lugar e tirar nossa amiga de lá o quanto antes!

— Ruben, preste atenção: ninguém jamais entrou escondido no palácio do poderoso Assuero e sobreviveu! A fortaleza de Susã é a mais bem guardada de todo o império! Ainda mais a casa das mulheres! Tire isso da sua cabeça, meu amigo.

Movido pela paixão, Ruben não conseguiu entender as boas intenções de Simion:

— Você deveria ter vergonha de não me ajudar! Conhecemos Hadassa desde criança! Ela é uma de nós, do nosso povo! Merece ser feliz, casada comigo, em Jerusalém. Você não concorda?

— Concordo, mas o que você acha que eu posso fazer? — Simion dividia-se entre o coração e a razão.

— Não é nada demais, Simion! Você só precisa me ajudar a entrar no palácio, deixe que eu cuido do resto.

Ruben estava decidido a se arriscar por Hadassa, em nome do amor que sentia por ela. Já Simion temia que seu velho amigo não conseguisse sair do palácio com vida.

***

Os soldados do rei precisavam estar sempre prontos e treinadíssimos para o caso de serem chamados para algum novo combate. Dalfom e Aridai preparavam-se diariamente para os treinos, ao lado do pai. Naquela tarde, entretanto, Hamã notou que algo estava errado com o filho mais novo e aproximou:

— Que cara é essa, Aridai?

— Bem, essa é *minha* cara, meu pai — disfarçou o jovem.

— Você está mais sério do que de costume. Aconteceu alguma coisa?

— Não é nada. Eu estou bem.

Hamã fingiu dar-se por satisfeito com a resposta do filho. Voltou os olhos para suas armas por um instante e então perguntou ao mais velho.

— E então, Dalfom? Tudo certo com a futura rainha?

— Tudo, pai. A esta hora, Tafnes já deve estar à vontade na casa das mulheres.

— Tafnes? — Aridai arregalou os olhos, incrédulo — Enlouqueceu, Dalfom? Tafnes pode ser tudo, menos virgem!

— Sua mãe vai cuidar disso. — Hamã respondeu com calma, tentando tranquilizar o filho, mais deixando-o ainda mais nervoso. — Ela conhece poções, feitiços. Será muito providencial ter uma aliada no harém do rei para nos favorecer.

— Sua amada misteriosa deve estar no harém também, Aridai — ironizou Dalfom.

— "Amada misteriosa?" — Hamã surpreendeu-se.

— Pois é, pai. Aridai sempre sai para se encontrar com uma moça da cidade. Se ela é virgem e formosa, deve estar no harém a essa hora.

— Pouco me importa — Aridai tentou disfarçar, sem muita convicção. — É apenas mais uma de minhas conquistas.

— Conheço você, meu irmão. Não é muito dado a aventuras. Deve se importar sim. Já pensou se ela vira rainha?

Hamã sorriu, de pé, entre os dois filhos, imaginando que as chances de manter-se próximo do poder haviam duplicado. Se o plano de Zeres fracassasse com Tafnes, talvez funcionasse com a amada misteriosa de Aridai.

— Imagine só, compartilhar sua mulher com o próprio rei... Você pode até ganhar alguns favores, Aridai! — ambicioso, Dalfom se voltou para o irmão com tom malicioso.

— É verdade. Quem sabe os deuses não me presenteiam com essa sorte? — Aridai se esforçou ao máximo para disfarçar seus sentimentos.

— Vamos! Diga logo — Dalfom tentou manter o tom de brincadeira, mas, inquisidor, agarrou o braço do irmão. — Diga. Quem é a moça?

Aridai franziu a testa e, já irritado com a insistência de Dalfom, simplesmente soltou o próprio braço das mãos do irmão. Recolheu suas armas e seguiu rumo ao pátio do palácio.

Incapaz de repreender Dalfom pela brincadeira de mau gosto, Hamã simplesmente deixou a sala de armas e rumou ao encontro do rei Assuero. Como sempre, o imperador se mostra pronto para o treinamento de logo mais.

— Preparado para o duelo de hoje, Hamã?

— Sim, supremo rei, sim! Mas antes, gostaria de dar-lhe um presente, meu senhor. Os deuses permitam que seja um regalo útil e do seu agrado.

Hamã adiantou-se, reverente, e depositou nas mãos de Assuero um rolo lanoso, branco e sedoso, de pele de carneiro sem mancha e da mais fina qualidade.

— Uma pele de carneiro? Muito bonita. Agradeço muito, Hamã — sorrindo, o rei acariciou o presente que acabara de ganhar.

— Vai agradecer-me muito mais pela informação que está contida nele. Por favor, abra.

Intrigado, o rei Assuero compreendeu que a lã apenas revestia a pele usada como tela para uma importante inscrição. O rei estava ladeado por Memucã, e a expressão de assombro dos dois foi evidente:

— Mas isso aqui é...

— O mapa das terras inimigas — Hamã concluiu a frase do rei. — O mais completo já encontrado. Com essas informações, a vitória contra os gregos é certa!

— Enfrentar os gregos novamente é loucura — interveio Memucã. — Mesmo com esse mapa, nossos exércitos serão trucidados!

— Esse pensamento negativo não vai levar o império a lugar nenhum. Pensando assim, não expandiremos nosso território! A Pérsia ficará emperrada na história! — encarando Memucã e com os olhos brilhando uma luz turva, Hamã defendeu seu ponto de vista.

— É melhor ficar emperrada na história do que extinta! — Memucã subiu o tom, e a discussão tornou-se mais agressiva.

— Melhor perder a vida do que a honra! — Hamã devolveu.

Memucã percebeu que não conseguiria debater com o outro conselheiro real. Como um homem sábio que era, já não sabia se sua antipatia pessoal por Hamã obscurecia sua capacidade de discutir suas ideias. Decidiu, então, apelar para o bom senso de Assuero.

— Senhor, não permita que tamanha desgraça recaia sobre nossa vida outra vez!

— Você sabe que era o desejo de meu pai conquistar aquelas terras. Você mesmo, Memucã, ajudou o grande Dario a planejar o ataque aos gregos.

— Realmente, foi uma lástima ele ter morrido antes da batalha — recomposto e com a voz mais branda, Memucã tentava conduzir o rei à razão. — Mas, senhor, o grande e nobre Assuero, substitui o pai com louvor!

— Não o suficiente. Eu falhei, precisei recuar. Só que, dessa vez, terei êxito. Vou terminar o que meu pai começou.

— Iremos tratar desse assunto logo depois de seu treino. Precisamos refletir com calma — Memucã queria ganhar tempo, ainda na esperança de fazer com que o rei mudasse de ideia, levado pela reflexão.

— Quero tratar desse assunto agora mesmo Memucã! Pode cancelar o treino! E você Hamã, quero que reúna os outros conselheiros.

— Sim, senhor! — impondo seu ar triunfal sobre Memucã, Hamã disfarçou o sorriso e, embora não dissesse palavra, seu rosto resplandecia toda a sua alegria.

***

Em um mesmo palácio, as coisas aconteciam em ritmos e urgências diferentes. No harém, as moças estavam acomodadas, ouvindo o discurso de Hegai a respeito de postura e elegância. Algumas continuavam de pé para não perder uma só palavra do que o eunuco ensinava. Ana, mais afastada, tem outras dúvidas a resolver:

— Que história foi essa de "Ester, de Susã", Hadassa?

— Foi Mordecai quem falou para não revelar minha origem. Ele sabe que no palácio há muita gente que odeia o povo judeu.

O som metálico e agudo do pequeno címbalo de Hegai reverberou pelo salão, conclamando a atenção de todas as moças:

— Os vários dias que passarão aqui na casa das mulheres não serão de preguiça. Aprenderão a intrincada etiqueta palaciana. E não devem ficar cochichando pelos cantos. Uma esposa real, não deve se entregar às fofocas, jamais! Ela deve ser altiva, vivaz e elegante, assim como eu. Cada uma de vocês deve saber se portar, saber segurar um cálice de vinho da maneira correta.

— Hegai, o carregamento de óleo de mirra e especiarias já chegou ao palácio — interrompeu Quinlá, sorridente.

— Maravilha! Poderemos começar os rituais de embelezamento agora mesmo! — a empolgação de Hegai era tamanha que quase o fez derrubar o cálice que segurava. —Vamos começar com uma purificação total de óleo de mirra! Depois, deverão ser tratadas com especiarias para finalizar o ritual de limpeza!

Àquela altura, a tristeza e o medo havia sido substituído pela empolgação. Muitas das garotas já não se importavam sequer em servirem com concubinas do rei pelo resto da vida, desde que pudessem usufruir do conforto e do luxo que o harém lhes proporcionaria. Ana e Hadassa, entretanto, pouco se importavam com riquezas e ostentações e continuavam tristes, embora mais serenas.

***

Qualquer notícia já aplacaria a angústia de Joel e Mordecai, longe dali em todos os sentidos.

— Mordecai?! Está em casa? — perguntou Joel batendo à porta do velho amigo, a velha voz num tom grave e crispado pela tristeza e pelas noites sem dormir.

— Entre, meu amigo.

— Descobriu alguma coisa sobre as meninas?

— Nada, Joel. Não consegui chegar nem perto da casa das mulheres. — disse Mordecai, desanimado, ao amigo. De fato, a área próxima ao harém havia se transformado em uma das mais vigiadas de todo o castelo.

— Minha filha, prisioneira! Que dor, meu Deus! — murmurou Joel.

— Vou tentar outra entrada do palácio. Seja como for, hei de conseguir notícias de Ana e Ester.

— Quem é Ester? — indaga o amigo, surpreso.

— Pedi a Hadassa para não revelar sua origem. E dei a ela esse nome persa, Ester.

— Mordecai? Não esperava isso de você. Tem vergonha do nosso povo?!

— Ela correrá menos riscos assim. Somos odiados por muita gente, principalmente dentro do palácio!

— Surpreende-me você, um homem que não se curva a Hamã, mandando sua prima ter uma atitude covarde, fingir que não é judeu! — Joel não aceitava a forma de agir do amigo.

— Podem me matar se Deus assim quiser, Joel. Mas a Hadassa, eu não suportaria! Você devia era ter alertado Ana também! — emocionado, Mordecai chorou mais uma vez, diante da lembrança da prima e dos perigos que ela corria.

— Não tive nem tempo de me despedir da minha filha! Nem de segurar a sua mão!

— Não podemos nos desesperar, Joel. Tenha calma.

— Que velho estúpido eu sou! Antes tivesse ido logo embora para Jerusalém! Poderia estar com Ana agora.

— Nada é por acaso, Joel. Para tudo há um propósito debaixo do céu. — apesar de tudo, Mordecai mantinha a fé em Deus, como havia feito o seu povo em tempos difíceis.

— Como você pode conservar a calma uma hora dessas? Sabendo que nunca mais vai ver o rosto de sua prima?

— Mas o que podemos fazer a não ser confiar em Deus?

— Confiar, confiar... Deus parece que nos desamparou!

Joel perdeu qualquer prurido e, diante do ombro amigo de Mordecai, desaba de desesperança. Talvez aquele fosse do qual nunca escapasse durante toda a vida.

***

Para Assuero, todas as honrarias e conquistas não se comparavam à vergonha pessoal de não haver tomado as terras que seu pai morreu desejando.

A discussão entre seus conselheiros Memucã e Hamã lhe havia trazido ainda mais gana de avançar sobre as terras gregas. Agora, recaíra sobre si o dever de mostrar que sabia decidir entre estratégias e que era, afinal, um mestre nas artes da guerra.

Assuero, então, convocou toda a sua equipe de conselheiros. O assunto agora era traçar os planos para atingir seu objetivo.

— Com a Lícia e Lídia sob o nosso domínio, podemos transportar os mantimentos para essas cidades antes do ataque — explicou o rei. — Dessa forma, teremos como abastecer o nosso exército enquanto durar a guerra.

— Usaremos os exércitos de todas as satrapias? — espantou-se Memucã.

— Sim, claro. Quero reunir os guerreiros mais habilidosos de todas as províncias do reino. Devemos mandar um destacamento por terra e um pelo mar. E eles se encontram neste ponto — indicou Assuero no mapa.

— Muito bem pensado, senhor dos senhores! Os gregos se renderão ao império! Mesmo a Ática não poderá oferecer resistência! — Hamã sentia o rei a seu lado e tornava-se ainda mais bajulador que de costume.

— Não podemos ser atacados em mar aberto — advertiu Memucã ao imperador. — As embarcações gregas são superiores às nossas. E as águas salgadas são reduto de puro mal. Não se lembram da derrota esmagadora em Salamina, quando os navios persas afundaram?

— Não tínhamos passagem para navegar, Memucã. A bacia era muito estreita. Agora o caso é diferente. — obstinado, o rei Assuero não via outra possibilidade além da vitória.

— Podemos fazer como o imperador ordenou no primeiro confronto contra a Grécia — Hamã propôs. — Amarrar os navios para formar uma ponte por onde as tropas e a cavalaria possam passar pelo Helésponto.

— Não. Temos de pensar numa nova estratégia para surpreendê-los. Mas não tenho medo das águas entre nós e os inimigos. Que país chega aos pés do meu império? Que exército poderá contra os dez mil imortais de Assuero?

O rei estava tão confiante que agora tratava a si mesmo na terceira pessoa. Hamã aproveitou mais essa oportunidade para jogar suas peças políticas.

— Não é por nada, grande rei, mas o senhor Memucã tem uma visão um tanto pessimista de seu exército.

— Meu pessimismo é em relação à guerra, Hamã.

— A guerra é inevitável, Memucã. Não há nada que você possa fazer para impedi-la — vaticinou o rei, ciente de que não haveria argumento que dissuadisse seu conselheiro.

— Infelizmente, senhor — Memucã, triste, confirmou as palavras do rei.

— De qualquer forma, rei Assuero, enquanto estiver fora, no campo de batalha, é prudente deixar para trás uma rainha que mantenha o reino unido — disse Hamã, tentando ser prudente, mas, como sempre, sendo guiado por seus próprios interesses.

— As moças já foram trazidas para o palácio, Harbona? — o rei dirigiu-se ao seu súdito, em tom de cobrança.

— Sim, meu senhor. Já estão na casa das mulheres sob os cuidados de Hegai — respondeu, com reverência.

Suspirando, Assuero diz para si mesmo.

— Não consigo imaginar outra mulher ao meu lado no trono. Vasti ainda assombra meus pensamentos.

— Dizem que as moças egípcias são belíssimas! — Hamã opinou, malicioso.

— É mesmo muito difícil substituir alguém com a beleza de Vasti. — disse Memucã, desinteressado.

***

Era cada vez menor o tempo do eunuco Hegai para transformar aquelas moças humildes em rainhas em potencial, para que, além de belas, fossem encontradas pelo rei bem cuidadas e sabendo se portar.

— É bom prestar atenção que não vou repetir! Percebem como eu faço? Pé ante pé, como se deslizassem com graciosidade pelo chão. — Hegai mostrava na prática como as moças deveriam caminhar.

— Nenhuma das moças tem mais graciosidade do que você, Hegai. — Quinlá sorriu para o eunuco. As moças riram discretamente do comentário.

— Estão rindo de quê?! Quinlá está certa! Para chegarem ao meu patamar de graciosidade, terão de se esforçar muito! Continuando! Na presença do rei, devem se curvar delicadamente, baixando os olhos e voltando a olhar o grande Assuero apenas quando ele lhe dirigir a palavra.

— Quando o rei me vir, não vai querer que eu pare de olhar para ele nunca mais. Confio nas minhas qualidades — Tafnes murmurou, tentando não se deixar ouvir.

— Pois eu queria era estar na minha casa — disse Ana, nervosa e trêmula, pensando alto sem que percebesse o som de sua voz.

Hegai ouviu. Ele já havia deixado claro o quanto o irritava ser interrompido. Ana, que havia sido apanhada enquanto falava, foi o alvo da impaciência do eunuco. Hegai mandou que ela se levantasse e se aproximasse, para que checasse o quanto aprendeu durante toda a aula:

— Suponha que sou o rei Assuero — propôs. — Venha até mim, mandei chamá-la! Pense que esse é o trono.

Hegai senta-se em uma cadeira e espera, com expressão avaliadora, que sua Ana caminhe até ele.

Ana aproximou-se tímida e sem charme algum. Ela não se sentia uma concubina, mas uma prisioneira e transpirava essa condição por cada músculo de seu corpo.

— Mas que deprimente! Xô! Xô! Suma da minha vista! Quem pode mostrar a essa sonsa como é que se porta na presença do rei?

Tafnes se dispôs a demonstrar qual seria a maneira correta de portar-se na presença do rei. E caminhou, confiante e altiva, até Hegai, curvando-se quando chegou perante a ele, gestos precisos, olhar sedutor.

Quinlá reclinou-se em direção a Hegai para compartilhar sua impressão ao ouvido.

— Parece mesmo uma pantera. Pronta para saltar em sua presa.

O eunuco apontou o dedo indicador para Tafnes:

— Você é virgem mesmo, moça?

— Claro, senhor Hegai! — respondeu Tafnes, fingindo indignação — O que estaria fazendo aqui se não fosse?

— Você tem um passo firme, experiente.

— No Egito, de onde venho, toda moça sabe andar direito.

— Sei... Próxima! — ordenou o eunuco quando lembrou-se do nome que ouvira pela manhã. — Ester de Susã! Vamos ver como você se sai. Eu sou o rei. Pode entrar!

Apesar de surpresa com o pedido de Hegai, Ester fez o que lhe foi pedido. Sua simplicidade e cordialidade lhe faziam ainda mais bela. Curvou-se diante de Hegai e, ao levantar-se, olhou-o nos olhos.

— Isso! Muito bem, Ester querida.

—Você tem leveza! Classe! — observou Quinlá.

Ester, com um sorriso tímido e belo no rosto, limitou-se apenas a responder baixinho com um "muito obrigada" e se afastou.

***

Mordecai estava de volta ao palácio, dentro de suas funções de escriba, mas sua grande ocupação seria obter informações da prima Ester. Ansioso por saber se a menina que criara como filha estava bem, em seu peito se misturavam saudade, dor, preocupação e a confiança de que o Eterno cuidaria de tudo, afinal.

Como seu trabalho lhe dava trânsito livre por boa parte do palácio, Mordecai conseguiu caminhar até a entrada do harém. Entretanto, os eunucos Bigtá e Teres o barraram, exigindo explicações sobre o que um escriba responsável pelo registro das armas do exército fazia em uma área tão próxima ao harém real.

— Eu queria saber de uma moça, muito linda. — Mordecai fingiu um ar cafajeste — O nome dela é Ester. Vocês não a viram na casa das mulheres?

O desempenho do judeu não teve grande resultado. Na verdade, os eunucos que guardavam as portas do harém estavam mais do que acostumados a evitar funcionários velhacos do palácio enveredando por ali. Ríspidos, Bigtá e Teres o expulsaram. Enquanto perdia-se nas vielas que circundavam o palácio, cabisbaixo, Mordecai foi abordado por Ruben.

— Senhor Mordecai! Como foi no palácio? Alguma novidade sobre Hadassa?

— Nenhuma, Ruben... Os eunucos não me deixaram passar do corredor que dá acesso à casa das mulheres.

— Também não consegui entrar no palácio, senhor. Simion não quis me ajudar — reclamou para Mordecai, igualmente frustrado.

— Não o culpo. É muito arriscado, Ruben. Talvez seja melhor desistir de tentar chegar até o harém.

— De jeito nenhum! Tenho de salvar Hadassa!

Mesmo diante das circunstâncias, Ruben mantinha a determinação de tirar sua amada do harém do rei. Entretanto, previu infortúnios ainda maiores ao avistar Hamã e seus filhos atravessando a vila com seu tradicional ar de superioridade e empáfia.

— Mas que dia de sorte enferma. Não bastasse tudo o que nos preocupa, agora somos obrigados a nos curvar diante dele.

— Não, Ruben! — Mordecai toma o moço pelo braço, e fala com tom grave e experiente. — Curve-se somente perante o Senhor, seu Deus. Não se esqueça disso jamais!

Como ensinava à prima desde a infância, Mordecai falava com Ruben agora, nos poucos segundos que lhe separava do encontro com Hamã. O velho judeu sabia que curvar-se diante do amalequita representava muito mais do que uma saudação respeitosa, mas estaria dando reverência à quem se autoproclamava "o divino conselheiro do rei."

Quando Aridai, Dalfom e seu pai finalmente cruzaram seu caminho, Ruben titubeou e ameaçou prostrar-se. Mordecai então segurou o amigo pelo ombro, impedindo-o de curvar-se.

— Mas que insolentes! — adiantou-se Dalfom, sempre pronto a defender os caprichos do pai.

— Vocês devem se curvar perante ele como é a vontade do imperador — Aridai tomou a palavra, mais em tom de conselho do que de ameaça, diferentemente do irmão.

Mordecai manteve-se firme, segurando Ruben pelo ombro, solidário ao amigo mais moço. Encarava Hamã de forma serena e altiva.

— Poderia mandar prender você, Mordecai, mas seria pouco — pronunciou-se Hamã, com fala tão segura que dispensou volume. — Vou é pedir a sua cabeça ao rei. Você pagará com a própria vida.

O conselheiro deu de ombros, mudou seu curso e deixou a vila com seu rastro de vingança iminente pairando no ar. A mão no ombro com a qual Mordecai segurava Ruben transformou-se em apoio fraternal.

Por onde quer que olhassem, inclusive para dentro de si, era visível o momento de indefinições e mudanças. A promessa e a espera por uma nova rainha, rumores de guerra, expectativas quanto a um rei considerado benevolente, mas que ordenara o sequestro das mais lindas moças de Susã.

Na verdade, a turbulência do reino refletia que atravessava o próprio rei. Nos aposentos imperiais, Assuero agora passava as noites sozinho. O brilho da lua lhe roubava o sono e, embora conseguisse enxergar da janela milhas e milhas de seu poder terreno, ele preferia fitar a imensidão do céu estrelado e refletir sobre o próprio destino e sobre o destino de seu reinado, que lhe era tão importante.

Tomado por suas preocupações, Assuero debruçou-se na sacada de seu quarto e, por um instante, permitiu que a sua mente divagasse para longe das obrigações, dos horários rígidos e dos cerimoniais. Lembrou-se da espontaneidade e da coragem da linda moça que se meteu diante de seu cavalo dias antes, para proteger a frágil garotinha que cruzara sua comitiva. Lembrou-se daquele rosto, do brilho em seus olhos e de como sua mente se distraiu dos protocolos reais perante tanta beleza.

No harém, as mesmas imagens que Assuero desenhava com a mente na tela da noite escura passavam pelos olhos fechados de Ester. Naturalmente, seu coração ainda doía com sua condição de prisioneira na casa das mulheres do rei, mas a possibilidade de estar novamente frente a ele mexia com o seu coração.

Todas as moças repousavam num mesmo quarto, grande o suficiente para acomodar a todas. O ambiente era confortável, perfumado e muito calmo — embora ainda houvesse muita agitação e certa perturbação e até desconforto no ar. Uma das últimas obrigações de Quinlá era passar pelos aposentos das moças, para certificar-se de que tudo estava bem.

— Ester?

A jovem levou um susto, pois estava muito distraída em seus pensamentos.

— Não tenha medo. Sou eu, Quinlá.

— Oi, Quinlá. Estava distraída... Não consigo dormir.

— A primeira noite é assim mesmo. Muita novidade, um mundo completamente novo que se abre.

— Um mundo novo que me apavora — admitiu Ester.

— Não precisa ter medo. Você parece ser uma boa moça, educada. Não há nada o que temer aqui.

— E o rei, Quinlá? Como é o rei Assuero? — Ester inclinou-se de lado e apoiou a cabeça com a mão, como se falasse com uma velha companheira de quarto. Ela queria saber se a imagem rápida que havia criado em sua memória correspondia à verdade.

— Ah! O poderoso Assuero é um homem forte, honrado. Um pouco temperamental, mas qual rei não o é? Muito melhor que o pai dele, pobre e piedoso rei Dario, que os deuses protejam sua alma — Quinlá faz uma expressão séria e saudosista.

— Se o rei Assuero é honrado, por que raptou tantas moças de suas casas? Por que ele nos obriga a ficar aqui? — questionou, revoltada.

— O povo serve ao rei, Ester. Assim como o rei serve a seu povo. Sempre foi assim, desde o princípio dos tempos — explicou Quinlá, paciente.

— Pois eu acho um absurdo.

— Ah! Vai me dizer que não tem nem um pingo vontade de conhecer o rei?

— Não mesmo — Ester voltou a deitar-se, encarando o teto, sem olhar Quinlá nos olhos.

***

Havia sido um dia tenso para todo mundo. Nos aposentos do conselheiro Hamã, era uma noite que encerrava um período de vitórias. E o alívio para aquele corpo grande e pesado vinha das mãos pequenas e habilidosas de sua mulher, Zeres. Mais do que uma simples massagem, era quase um ritual místico para que os deuses o guardassem. O ambiente era escuro e soturno, iluminado por poucas velas. Com um punhado de ervas, ela tocou o corpo de Hamã em pontos que, ao menos para ele, não faziam sentido, sempre murmurando algumas palavras aos espíritos. Depois de mais de uma hora, somente então, começou uma massagem com óleos especiais.

— Seu toque é melhor do que a de qualquer escrava desta casa!

— São anos de treino para agradar meu marido...

A própria Zeres decide conduzir a conversa para um assunto mais cotidiano.

— Quer dizer então que nosso filho Aridai está de namorico com uma moça misteriosa? Ele não disse quem é?

— Não. Mas percebi que ele ficou incomodado quando Dalfom sugeriu que a namorada poderia estar no harém do rei.

— Se é bela e virgem, deve estar, sem dúvida. Seja como for, logo ele esquece essa paixão. Os jovens são tão volúveis...

— Não sei não, Aridai é um eterno romântico — disse Hamã, com certo ar de reprovação. — Já Dalfom... Ah, esse puxou ao pai. Prático, decidido, sabe o que quer. Já até colocou a tal de Tafnes dentro do harém.

O conselheiro via no filho mais velho uma versão rejuvenescida de si próprio. Vaidoso, não escondia o orgulho, que a mulher Zeres também notava:

— Isso me deixa muito confiante! Tenho certeza de que Tafnes tem chances enormes de ser a escolhida do rei. Aquela garota é tão ambiciosa! — o adjetivo veio acompanhado de um grande sorriso de aprovação.

— Tomara que você esteja certa. Se realmente ela conseguir conquistar Assuero, nós teremos ainda mais poder no palácio! E então... Ai dos judeus! — o tom de voz de Hamã abandonou o tom suave, soando agora como se estivesse numa conferência de generais. — Principalmente aquele tal Mordecai! Como odeio aquele homem! Preciso encontrar um jeito de esmagar esse verme!

Zeres para sua massagem, encolhe os ombros e sinaliza com a cabeça como se não entendesse tal preocupação:

— Mas isso é muito simples, meu querido! Não precisa nem esperar Tafnes virar rainha. Basta construir uma forca e mandar enforcar o judeu — satisfeita com a própria ideia, Zeres sorria com ainda mais vontade.

— Uma forca?! — Hamã franziu a testa, envergonhado que o ódio tivesse lhe impedido de enxergar o óbvio.

— Claro. Mande fazer uma forca de 20 metros de altura e peça ao rei que enforque Mordecai! Motivo não lhe falta, não é?

— Sim, claro! Certamente o rei Assuero vai me atender — ambos agora sorriam com a brilhante ideia de Zeres.

— Claro que vai! Se o próprio imperador ordenou que todos os súditos se prostrassem diante do nobre Hamã, quem é Mordecai para desobedecer-lhe? — Zeres envenenava ainda mais o coração já sombrio de Hamã contra Mordecai.

— Fazem sentido suas palavras, mulher. Afinal, o poderoso Assuero me exaltou, sou o favorito do rei! O seu melhor conselheiro! — a ideia da esposa fazia todo o sentido para Hamã, o êxito seria certo.

— Por enquanto, meu querido, por enquanto. Porque em breve será o primeiro-ministro! — Zeres almejava muito mais para o marido. Ela desejava todo o poder do mundo para Hamã, e ela o ajudaria a consegui-lo.

— E quem sabe, imperador da Pérsia?! Sim, porque o rei Assuero não tem herdeiros. Eu sou príncipe e posso reivindicar o trono caso ele venha a falecer. O problema é que ele ainda é jovem, e não morrerá tão cedo

A massagem estava definitivamente terminada. Nada parecia excitar mais o casal do que a ambição e a busca pelo poder.

— Ah, mas isso não quer dizer nada — disse Zeres, nos braços no marido. — Ele pode morrer de forma repentina. Se ele tomar um vinho envenenado, por exemplo.

Zeres olhou o marido nos olhos, cheia de malícia, enquanto lhe acariciava o rosto. Ele correspondeu, tomando-a nos braços e beijando-a ardentemente. Eles se completavam e encontravam um no outro a força e perspicácia necessárias para aguardar o momento certo para a ascensão de Hamã.

***

Seu primogênito, Dalfom, cresceu assistindo à estranha relação de seus pais. Naquela mesma noite, ele revelaria o quanto se espelhava neles e o quanto era movido pela busca pelo poder. Ajudado por Bigtá, no silêncio da madrugada, caminhou até o harém e conseguiu alguns instantes a sós com Tafnes, seu próprio passaporte para o sucesso.

— Sabe que fico mais excitado com a possibilidade de sermos flagrados? Já pensou se o rei me encontra com uma de suas virgens? — Dalfom se divertia com o perigo enquanto beijava Tafnes avidamente.

— Você é louco! — Tafnes ria da situação e correspondia às carícias de Dalfom.

— Sou louco sim. E fico mais louco ainda quando estou perto de você! Minha futura rainha!

— Pois saiba que tenho muita chance de ser a rainha da Pérsia! Sou a melhor daquele harém! — Tafnes olhou Dalfom nos olhos e contou vantagem.

— Disso eu não duvido! — e voltou a beijá-la.

— Preciso levar Tafnes de volta. — Bigtá sussurrou para o casal, interrompendo-o. — Antes que alguém descubra vocês aqui!

O eunuco conduziu Tafnes à porta, e recebeu um saco de moedas.

— Continue nos ajudando e você terá muito mais! — disse Dalfom.

— Pode contar com os meus serviços. — Bigtá respondeu com uma rápida reverência e um malicioso sorriso nos lábios.

Pé ante pé, Tafnes chegou aos aposentos do harém, enquanto todas as moças já dormiam. Temendo fazer algum barulho, Tafnes tateava à procura de sua cama, quando, iluminada por uma fresta de luz da lua, ela se surpreendeu com alguém que, aparentemente, também caminhava pelos aposentos das moças.

— Passeando na madrugada?

— S-senhor Hegai! O s-senhor não dorme?

— Pelo jeito, você também não, Tafnes — respondeu, irônico.

— Estou com insônia — foi a única desculpa que conseguiu pensar, ainda sob o impacto do flagra. — E quando estou com insônia, não posso ficar deitada que é pior.

— Pior mesmo será se os guardas a atacarem no escuro, achando que se trata de algum ladrão. Só vão perceber o erro depois que a virem morta! Deite-se e feche os olhos, para sua própria segurança. Se dormir, tanto melhor. Boa noite, *Tafnes!* — Hegai pronunciou com clareza cada sílaba daquele nome, como que num aviso de que está atento a seu comportamento.

— Sim, senhor, boa noite— desconcertada, Tafnes ajeitou-se rapidamente em sua cama e permaneceu quieta.

Quinlá, atraída pelo barulho da conversa, chegou a tempo de assistir ao final da cena a partir da porta do quarto. Quando Hegai atravessou os umbrais, ouviu dele um pedido:

— Tem alguma coisa de errado com essa moça egípcia, mas ainda não sei o que é. Quero que fique de olho nela por mim.

Quinlá, severa, consentiu com a cabeça.

***

Os aposentos eram grandes o bastante para que numa outra extremidade, Ana chorasse baixinho, temendo ser ouvida. Ester, que preparou sua cama ao lado da amiga, não pôde evitar ouvir os soluços.

— O que foi? Eu posso ajudá-la? — disse Ester, ajoelhada ao lado de Ana

— Eu... eu não quero morrer.

— Do que você está falando? Ninguém vai nos fazer mal.

— Tem uma coisa muito séria que eu preciso contar — entre soluços e lágrimas, Ana virou-se e finalmente encarou Ester nos olhos, pronta para revelar seu segredo.

— Você está me assustando. O que foi, Ana? Fale logo, por favor.

— Não sou mais virgem — Ana desabafou, e as lágrimas escorreram violentamente por seu rosto.

— O quê?! — Ester, assustada, não sabia o que dizer.

—Entreguei-me a Aridai, filho de Hamã. Mesmo sendo inimigo do nosso povo, é ele que amo e sempre amarei.

— Não posso acreditar no que estou ouvindo! Como você pôde fazer isso, Ana? Ainda mais com ele? — Ester levou as mãos diante dos lábios denotando assombro.

— Eu não sabia o que estava fazendo! Ninguém nunca me contou nada sobre o amor! Quando vi, eu e Aridai já éramos um só — Ana chorava desesperada diante da própria situação.

— Um amalequita, meu Deus.

— Aridai é diferente dos outros! O pior é quando eu for chamada para me deitar com o rei, ele vai perceber que não sou virgem e me mandará para a forca! Tenho certeza!

— Ana, minha querida. Não sei o que dizer — triste, Ester buscava palavras para tentar confortar a amiga.

— Ele virá me buscar, tenho fé que sim. Aridai tem fácil acesso ao palácio. Ele vai me tirar daqui — o rosto de Ana mudou, se iluminou e, mesmo entre lágrimas, ela sorriu, tentando extrair de dentro de si uma dose de esperança.

— Se tentar fugir, vão matar você, Ana! — Ester aconselhou, cheia de dor e pesar no coração.

— Ai minha amiga! Certamente serei morta se ficar, quando descobrirem que não sou digna do rei — Ana voltou a chorar, amargando a dor de se ver num caminho aparentemente sem volta.

***

Definitivamente, aquela era uma noite atípica. As pedras do palácio sentiam os ventos impetuosos que sopravam por toda parte: tramas de poder, amores impossíveis, mentiras, arrependimentos. Assuero mandou chamar o leal Harbona.

— Meus pensamentos não me deixam dormir — disse o rei ao eunuco.

— Como posso ajudar, senhor?

— As moças que chegaram ao palácio. Fale-me um pouco sobre elas.

— Ainda é cedo para saber qual é mais apta a reinar a seu lado, escolhido dos deuses. Mas são todas muito belas e formosas. Com certeza encontrará uma rainha à sua altura.

— Existe uma moça, Harbona. Uma moça especial. Eu a vi no dia do desfile. Uma moça do povo, humilde. A imagem daqueles olhos não me sai da cabeça.

Consumido pelos seus próprios pensamentos, o poderoso Assuero decide dividir com Harbona sua inquietação.

— Senhor, eu sei que é contra os costumes reais, mas se quiser posso tentar descobrir se a tal moça está no harém e trazê-la até aqui. As mais belas virgens de Susã estão.

Assuero se levantou, e descartou a oferta.

— Nem eu mesmo, senhor dos senhores, posso desrespeitar os costumes. Não quero atrair a fúria dos deuses para o meu palácio.

— Perdoe-me, senhor, não me castigue pela sugestão infeliz — Harbona curvou--se pelo ato que julgou como insolente.

— Não se preocupe. Sei que no fundo só quer me agradar, Harbona.

— O que posso falar para reconfortar o coração do meu senhor é que se a moça é bela, virgem e de Susã, certamente está na casa das mulheres. Meu senhor, mais cedo ou mais tarde, os deuses a indicarão a Hegai, e logo ela estará aqui, a seu lado

— Tenho esperança que sim, Harbona — o rei Assuero sorriu com o efeito das palavras honestamente carinhosas de um de seus criados mais fiéis.

***

Na vila judaica, Mordecai reuniu-se a seus companheiros Joel e Rebecca para orar e dividir o duro fardo que carregavam.

—Sinto-me como se meu coração houvesse sido arrancado e lançado naquele maldito palácio — disse Joel, tentando definir sua dor.

Mordecai procurava trazer o amigo à serenidade, lembrando dos cuidados de Deus para com os seus. Seu conselho recorrente era para que Joel orasse com intensidade ainda maior, jejuasse e esperasse providências divinas.

— Pelo menos no harém, Ana não se mete em confusão — comentou Rebecca, sem se dar conta da dureza de suas palavras, tampouco de como despertaria a curiosidade do marido.

— O que você quis dizer com isso? — desconfiou Joel.

— Nada... Só imaginei que ela pode estar mais segura do que se estivesse aqui fora.

O nervosismo de Rebeca a traiu tanto que até Mordecai aproximou-se.

— Desculpe, Joel, já é muito tarde, o cansaço e o sono estão me pregando peças — saiu-se a mulher.

— Rebeca, olhe para mim. Eu a conheço há mais de trinta anos. O que você está me escondendo?

Por mais que tentasse esquivar-se, Joel insistia. Pressionada e cada vez mais nervosa, Rebecca admitiu.

— A nossa filha, Joel. Ela estava se interessando por um rapaz persa. Talvez tenha sido melhor...

— Um rapaz persa? Que rapaz? Eu o conheço? — Joel encarou Rebecca. Mordecai se aproximou ainda mais.

— O de nome Aridai, filho de Hamã. — Rebecca murmurou, olhando para o chão, envergonhada.

— Um amalequita?! — a raiva de Joel tornou-se visível em seus olhos.

— A Ana? Não pode ser! — Mordecai arregalou os olhos, igualmente surpreso com a revelação de Rebecca.

— Eu ia contar, Joel. É que pensei que, indo para Jerusalém, podíamos recomeçar...

— Nossa filha envolvida com um amalequita! — Joel sentiu mais uma vez o chão sumir sob seus pés. Não bastasse a dor pelo rapto da filha, agora tinha de lidar com a decepção de saber que ela esteve envolvida com um rapaz que pertencia a um povo inimigo do seu.

— Joel? Querido? — Rebecca tentou consolar o marido, mas ele estava cego de raiva e decepção.

— Não encoste em mim, Rebecca! Você me traiu!

Furioso, Joel saiu de casa num rompante. Ele precisava se acalmar, refletir diante de Deus sobre as ruínas em que havia se transformado todo o seu mundo.

***

Eram horas extremas, propícias a atitudes extremas. Quando o silêncio finalmente tomou conta do aposento das moças do harém, uma voz familiar acordou Ester, chamando-a baixinho pelo nome que seus pais lhe deram.

— Hadassa! Hadassa!

Por alguns segundos, em seu sonho, Ester imaginou seu primo Mordecai sussurrando com doçura, querendo acreditar que tudo o que vivera não passara de um sonho. Ao abrir os olhos, entretanto, viu Ruben, suado e nervoso.

Ele havia aproveitado a distração de dois guardas, escalado as grossas paredes de pedra do palácio pelo lado de fora, e alcançado uma de suas grandes janelas. O receio de ser apanhado e morto era nada perto de seu amor e do desejo de livrar sua amada do aprisionamento.

Uma vez dentro do palácio, Ruben procurara seu amigo judeu, Simion, que dormia na cozinha, vencido pelo cansaço do trabalho pesado. A bravura do amigo não impressionou o copeiro, muito pelo contrário. Depois de muito tentá-lo convencer do perigo de seu plano, Simion percebeu que Ruben invadiria o harém com ou sem a sua ajuda e decidiu ajudá-lo, com discrição. Após andarem até as proximidades da casa das mulheres, Simion apontou uma passagem usada apenas pelos funcionários. Advertiu-o pela última vez e voltou para a cozinha, desejando-lhe que tudo saísse bem.

Havia guardas e corredores que poderiam traí-lo, mas Ruben conseguiu chegar até os aposentos — para sua própria surpresa. Que tivesse encontrado a amada na escuridão da noite lhe enchia de certeza de que estava fazendo o que havia de mais correto.

Entretanto, Ester não o recebeu como o libertador que se imaginava. Antes, ao abrir os olhos, sua expressão foi muito mais de pavor do que de gratidão:

— Ruben! O que você está fazendo aqui?

— Fale baixo. Há guardas por todo canto. — Ruben pediu, temeroso.

— Você é louco de entrar aqui. Vá embora! — Ester não podia acreditar que Ruben estava diante dela, e sabia que ele teria um final muito trágico se o descobrissem ali.

— Venha comigo. Rápido!

— Não, Ruben. Não posso fugir. Vão matar nós dois!

A conversa de vozes familiares acordou Ana.

— Ruben?! — ela estava tão surpresa com a presença do amigo que nem se deu conta do tom de sua voz, que acordou outras moças à sua volta. A reação imediata foi de gritarem por socorro diante de um homem desconhecido, de pé, no meio do harém.

— Ah, meu Deus! — Ruben percebeu sua situação e paralisou de pavor.

Imediatamente Hegai e Quinlá apareceram no quarto. Hegai gritou, chamando a presença dos guardas, que não demoram a chegar. Rapidamente, imobilizam o invasor diante de uma estarrecida Ester.

Os olhares se cruzam. Hegai exigiu esclarecimentos. Tafnes não perdeu a oportunidade.

— Ester trouxe um homem para o harém do rei!

— Ester, isso é verdade? Ele veio atrás de você? — perguntou Hegai em tom de decepção, olhando Ester nos olhos.

Ester não sabia o que dizer.

— Vamos, Ester! Responda! Quem é esse moço? O que ele estava fazendo aqui com você? — Hegai perguntou aos berros, enquanto caminhava em sua direção, ameaçador. Ele já não mantinha a mesma calma de quando perguntou pela primeira vez. Como o principal eunuco do harém, sabia que de sua postura dependia não apenas a apuração da invasão, mas a confiança naquela que poderia ser a rainha da Pérsia.

Ester buscava alguma saída nos rostos ameaçadores e assustados à sua volta. Antes que pudesse falar, entretanto, Ruben se adiantou:

— Não conheço nenhuma Ester. Perdoem-me, por favor! Eu me confundi. Pensei que minha noiva estivesse aqui no harém.

— Noiva? — perguntou Quinlá, cada vez mais confusa.

Experiente e desconfiado, Hegai detecta o nervosismo em Ruben e resolve testá-lo:

— E como se chama essa sua noiva?

— Chama-se Hadassa. Mas pelo jeito, ela não foi trazida para cá com as outras virgens.

— Que história mais mal contada! — Tafnes continuou intervindo. — Ele estava conversando com a Ester, eu vi!

— Guardas! Levem esse traste daqui! — Hegai ordenou, com uma violência na voz como ainda não havia deixado transparecer.

— Não! Por favor! Foi um engano! Deixem-me ir embora! — Ruben tentou justificar-se, já sendo arrastado pelos guardas.

— Não há engano nenhum. Você invadiu a casa das mulheres e, por isso, será punido com a morte.

TRÊS

O encontro

Um coração amargurado não consegue perceber o tempo passar. A única coisa a fazer é esperar pacientemente que o dia seguinte renove as esperanças, que mude o curso das coisas.

A primeira noite no harém havia sido longa, confusa e triste para Ester. Ruben fora levado pelos guardas e, que dolorido, ela deveria esconder seu choro no peito — para não despertar a desconfiança de que, afinal, ela conhecia o invasor. Ester clamava ao Senhor que seu amigo tivesse uma chance de sobreviver. Doía-lhe saber que ele esteve no palácio por ela e, como paga por tanto carinho, agora caberia a ele um destino tão trágico.

Ao menos Ester podia contar com a amiga Ana, que a consolava e por ela era consolada e, juntas, tentavam a disfarçar as lágrimas.

Estava no harém havia poucas horas, mas a vida de Ester já mudara muito. Embora ela não entendesse qual o sentido do que se passava, confiava na justiça de seu Deus, no Seu cuidado e amparo. Em todos os momentos de dúvida e medo, a fé que Ester nutria pelo Deus de Israel, o Deus do seu povo, a impediu de cair em desespero. Então esperava, pois tinha certeza de que, em algum momento, as coisas à sua volta seriam esclarecidas.

A manhã já era plena e a notícia de que um invasor havia conseguido incomodar o sono na casa das mulheres já corria o palácio. Tão logo soube pela boca de Harbona e ouviu os muitos comentários a respeito da ousadia do jovem, Simion soube tratar-se de Ruben. E o copeiro tremia só de pensar no que aconteceria com o amigo — mas, diante de Harbona, soube conter-se, disfarçar sua preocupação e tristeza. Desvencilhou-se do eunuco tão rápido quanto pôde e seguiu para a sala do trono, onde o próprio rei Assuero haveria de interrogar Ruben. Simion teria acesso ao encontro, pois deveria servir ao imperador.

A ousadia de Ruben era mais do que o descumprimento de uma lei — era praticamente uma afronta pessoal a um governante que nem havia ainda se encontrado com suas próprias mulheres. Assuero acomodou-se em seu trono para receber o prisioneiro. Entre ele, para ajudá-lo a julgar, estavam seus principais conselheiros.

— Tragam o prisioneiro!

A ordem se cumpriu imediatamente. Ruben foi trazido. Seus passos eram tensos, amedrontados, frágeis como os de quem sabe que anda ao encontro da morte.

Mesmo que caminhasse de cabeça baixa, Ruben foi reconhecido por Dalfom que o apontou ao pai:

— Lembra-se dele? É aquele judeu, amigo do tal Mordecai.

Hamã achou a situação bastante interessante. Assim que sua memória foi reavivada pelo filho, tentou disfarçar o sorriso maquiavélico, mas soube imediatamente que conselho daria ao rei.

— Ajoelhe-se na presença do grande rei Assuero, imperador de toda a Pérsia! — Harbona ordenou.

Ruben foi lançado pelos guardas diante do rei, indo ao chão mais por exaustão do que por temor. Ainda de cabeça baixa, tomou a iniciativa.

— Perdoe-me, piedoso Assuero. Não tive intenção de lhe fazer mal algum... — implorou.

— Cale-se! O rei ainda não lhe dirigiu a palavra — ordenou Memucã, firme.

— Olhe para mim, rapaz — Assuero finalmente resolveu falar com Ruben após observá-lo por um longo período. — Diga-me, como se chama?

— Meu nome é Ruben, meu rei.

—Você foi flagrado na madrugada, invadindo a casa das mulheres — disse Assuero, com voz firme, mas serena, como se quisesse lembrar o réu de seu crime, enquanto procurava rastrear no rosto do acusado qualquer traço que pudesse interpretar.

— É verdade, senhor. E muito me arrependo disso — não havia outro jeito para Ruben, senão admitir o seu erro.

— Meu palácio é muito bem protegido. Ninguém entra com facilidade. Isso me leva a crer que alguém, aqui de dentro, o ajudou nessa empreitada...

Naquele momento estava clara a intenção de Assuero em convocar aquela reunião com seus principais conselheiros: além de punir o invasor, queria encontrar eventuais focos de traição dentro de sua corte. Simion, que estava servindo o vinho, dividindo-se entre sua função e a atenção ao que se tratava, não resistiu à fala do rei. De nervosismo, desequilibrou-se e deixou desastradamente que sua bandeja fosse ao chão. Sob o olhar de reprovação de todos, Simion desculpou-se pelo mau jeito e agachou-se para recolher o que havia derrubado. Ruben percebeu a enrascada em que havia metido o amigo e tomou a palavra.

— Não tive ajuda alguma, meu senhor. Fiz tudo sozinho. Esperei a troca de guardas. Foi como entrei na fortaleza e cheguei até a casa das mulheres.

— E o que você estava fazendo no meu harém? Quem é a jovem que o encantou a ponto de arriscar sua própria vida?

— Ela não está aqui, senhor.

— Você quer que eu acredite que invadiu a casa das mulheres atrás de uma noiva que não está lá? — o rei encurralava Ruben cada vez mais.

— Essa é a verdade, supremo rei. Ela deve ter escapado dos guardas e não foi trazida para o harém como eu pensava.

— Pois acho que você está mentindo descaradamente para seu rei, rapaz. Quem é a moça? — insistiu.

— Ela não está em seu palácio, dou minha palavra. Por favor, perdoe a minha falta, grande rei, e deixe-me voltar para minha casa. O que fiz foi sandice! Perdi a cabeça. Prometo que jamais isso voltará a acontecer.

Com as mãos trêmulas e os lábios doloridos de tensão, a mente de Ruben vagueava entre o cuidado com cada palavra, o medo do que as horas seguintes lhe reservava, a responsabilidade pelo destino de Simion, a prisão de Hadassa e os olhares impiedosos dos presentes.

— E não voltará a acontecer mesmo. Não permitirei. Sua afronta, quer tenha sido por amor a sua noiva ou por ódio a seu rei, não ficará impune.

— Não tenho ódio, mas apreço pelo meu rei. Se quisesse fazer mal ao imperador, não teria iria ao harém. Por favor, acredite. Fiz essa loucura por amor.

Assuero sentiu que o interrogatório começava a girar em círculos e que aquele jovem a sua frente jamais admitiria outro participante em seu crime. Pediu para que seus conselheiros se aproximassem para ouvi-los.

Embora o tom de voz fosse se tornando mais reservado, a discussão se deu diante dos olhos de Ruben, de Simion e dos outros funcionários do palácio. O que deveria ser uma sessão de aconselhamento se transformou rapidamente em mais uma das discussões entre Hamã e Memucã:

— Com certeza, ele inventou a história toda, poderoso rei — afirmou, impacientemente, Hamã, enquanto seu filho Dalfom concordava com a cabeça. — Mande logo esse invasor para a morte, agora mesmo.

— Eu vejo sinceridade nos olhos do jovem. — interrompeu Memucã. — Acredito que ele está dizendo a verdade.

Dalfom decide falar, naturalmente, reforçando a opinião do pai:

— Ele invadiu o palácio e deve ser morto.

— Ele invadiu o palácio, sim, mas não foi para tramar contra a vida do nosso rei — observou Memucã. — Ele é inofensivo. Deve mesmo pensar que está protegendo a namorada.

Hamã deu um passo em direção ao colega e levantou o queixo farto de uma misericórdia que, em sua avaliação, não passava de fraqueza:

— Como pode ter tanta certeza disso, Memucã?

— Eu não tenho certeza de coisa alguma, Hamã. Estou apenas dizendo que, ainda que a moça esteja no harém, este jovem não representa ameaça alguma ao nosso rei.

Diante de um desnorteado Dalfom, os dois conselheiros mais velhos subiram mais uma vez o tom de voz, digladiando-se com as palavras, mas dirigindo suas falas a Assuero.

— Este invasor é um judeu, meu senhor. Só os deuses sabem do que essa raça ardilosa é capaz.

— Senhor, o garoto está desesperado. Ele deve ser punido, mas não ceife uma vida tão jovem. A pena de morte é excessiva.

O rei interrompeu a discussão que, esta também, começava a lhe soar como improdutiva.

— Basta. Já cheguei a minha decisão — disse o rei, antes de levantar-se e descer os degraus de seu trono em direção a Ruben. — Tem algo a falar antes da sentença?

— Clemência, piedoso Assuero! Clemência! Deixe-me viver! — sem olhar o rei nos olhos Ruben implorava por sua vida. A cabeça baixa e o mundo girando à sua volta.

— Pouparei sua vida, rapaz — de tão imprevistas, as palavras do imperador demoram a ser assimiladas, tanto por Hamã, inconformado, como por Memucã e especialmente pelo próprio Ruben. Mas o rei ainda não havia concluído sua sentença. — Mas já que ansiava tanto estar na casa das mulheres, é lá que deve ficar. Você será eunuco do palácio. Sua vida fora daqui não existirá mais. Levem-no para a castração.

Com um gesto de sua mão, os guardas entraram e arrastaram Ruben, que se debatia e urrava desesperado.

— Não! Não! Tenha pena de mim, imperador! Não! — seus gritos soaram pelos corredores do palácio até que se transformaram em uma massa indistinta de som de pânico e dor à distância.

Foram precisos diversos guardas para contê-lo até os aposentos em que, amarrado e sedado, teve os testículos removidos. Tornar-se eunuco e usufruir da vida farta do palácio, para muitos, era uma honra, um privilégio. Nobres ofereciam seus filhos ao rei em busca de aliança. Entretanto, quando essa condição é imposta e forçada, não há castigo pior. Naquela incisão, Ruben imaginava, perderia muito mais do que sua força sexual. Perderia, quem sabe, a própria vontade de viver.

Deitado em um quarto frio e mal iluminado, sozinho e transformado em um eunuco do rei, Ruben ardia em mal-estar e delirava, buscando em suas ataduras a esperança de que tudo não passasse de um pesadelo.

Horas depois, fraco e com o corpo dolorido, teve a impressão de ver surgir um homem grande e ameaçador por entre as sombras. Teve certeza quando sentiu ser erguido por um par de braços fortes, e depositado com firmeza, sobre uma cadeira. Ruben sentiu um toque em seus cabelos para, logo em seguida, sentir a navalha cortá-los, enquanto tudo que ele podia fazer era gemer baixo. O desespero que causara estardalhaço já havia passado. Agora era mais profundo, a ponto de calar-lhe a voz.

***

A notícia da punição impingida sobre Ruben espalhou-se pelo palácio com a mesma rapidez que sua fama de invasor. Se Assuero pretendia enviar um aviso para outros jovens do reino, ele havia obtido sucesso.

Aridai, entretanto, acreditava que sua familiaridade com a fortaleza e o fato de ser filho do conselheiro Hamã, lhe assegurariam tratamento diferente. Naquele mesmo dia, dirigiu-se ao saguão do harém, disposto a tirar Ana dali, mesmo que tivesse que buscar a ajuda de outras pessoas.

— Bigtá? Teres? Eu gostaria de falar com vocês — disse Aridai aos dois eunucos que atravessavam a sala, distraídos.

— Como podemos servi-lo, senhor? — Bigtá respondeu, com ar delicado e prestativo.

Aridai olhou para os lados para certificar-se que ninguém o ouvia.

— Preciso muito encontrar uma moça que está no harém. Vocês sabem em que momento elas saem para o passeio?

— Mas esta é mesmo uma informação valiosa, meu senhor... — Bigtá olhou malicioso para Teres, reforçando em sua fala o sentido de "valor".

— Mas se fores tão generoso quanto o seu irmão, podemos chegar a um acordo, senhor — explicitou Teres, julgando que Aridai e Dalfom pudessem ser parecidos em sua queda pela corrupção.

— Não vim comprar os serviços de ninguém, só queria saber em que momento e como chegar lá, só isso — Aridai deu de costas ao perceber a ambição dos eunucos e começa a ir embora.

— Senhor, o acesso ao jardim das moças é proibido aos oficiais — Bigtá o advertiu.

— Mas se o senhor quiser, podemos levá-lo próximo, bem próximo. O senhor só precisaria nos conceder algumas moedas — Teres tinha um sorriso largo no rosto ao falar em dinheiro.

— Não, obrigado — Aridai, que tinha voltado para ouvi-los, deu de costas definitivamente.

— Senhor! Não vai conseguir sozinho! — Bigtá disse, quase ofendido.

— Tem certeza que quer dispensar nossos serviços senhor? Poderíamos pedir um valor justo! — Teres não desistia de tentar convencer Aridai.

— Esse tipo de serviço eu dispenso — convicto de sua decisão, Aridai voltou-se para trás, olhou-os firmemente nos olhos e seguiu seu caminho de vez.

Bigtá ironizou disse ao colega, dizendo alto o suficiente para que fosse ouvido por Aridai.

— Teres, a moça não deve valer o esforço!

Os eunucos continuaram seu caminho, divertindo-se com sua própria esperteza, sem notar que Aridai estava escondido, esperando para segui-los até o harém.

***

A casa das mulheres voltava a ser o ambiente de alienação e beleza protegida de dias atrás. As outras moças sequer desconfiavam, por exemplo, do destino do invasor que lhes havia tirado o sono. Secretamente preocupada, entretanto, Ester decidiu arriscar-se. Fingindo casualidade, fez com que seus passos cruzassem com os de Hegai e, com ar desinteressado, perguntou-lhe:

— Por acaso o senhor sabe o que aconteceu com o rapaz que prenderam de madrugada? — disse Ester, medindo cada palavra, temendo a reação do eunuco.

— Ele foi interrogado pelo rei, e o bondoso Assuero ordenou que não o matassem... — Hegai sorriu altivo, orgulhoso da nobreza de seu rei.

— Ainda bem! — Ester suspirou aliviada, mas logo se corrige. — O rapaz parecia de bom coração. Fico feliz que o rei o tenha poupado.

— Sim, mas ele foi sentenciado a ser eunuco do palácio.

— Eunuco?! Isso quer dizer... — Ester arregala os grandes olhos negros de tanto susto.

— Ele foi castrado. Como eu fui, como os outros eunucos do palácio. É sempre um trauma, ainda mais para um rapaz na idade dele. Mas depois que a ferida fechar, ele supera — reflexivo, Hegai parecia recordar a própria história.

— Não podiam deixar simplesmente que fosse embora? — o choro se represava em sua garganta de forma insuportável.

— Nenhum homem pode ver as mulheres do rei, Ester. Se ele se torna eunuco, deixa de ser homem, e está resolvido o problema — Hegai explicou em tom professoral, já se afastando.

Ester caminhou pálida até a amiga Ana, em passos inseguros, a tristeza estampada no rosto.

— E então? Ele sabe algo sobre o Ruben? — perguntou Ana, estranhando os gestos lentos de Ester.

— Transformaram o Ruben num eunuco — nem mesmo Ester parecia acreditar no que dizia.

— Pobre Ruben... — Ana buscava no infinito do olhar algum sentido positivo para o que julgava ser uma crueldade imensa. — Mas ainda bem que o rei poupou a vida do nosso amigo.

— Mas você imagina o que o espera?

— Acho que não faz sentido você se preocupar com isso. Inclusive porque o senhor Hegai está olhando para cá e não pode sonhar que você e o Ruben se conhecem.

Ester percebeu os olhares de Hegai e conseguiu esboçar um sorriso para disfarçar sua dor. Agora ela tinha que engolir seu choro ou poderia ela mesma ser morta. Tinha de se ocupar de outras coisas com suas colegas de harém e se preocupar com sua aparência e seus bons modos para quando fosse encontrar com o rei.

Longos e minuciosos rituais de embelezamento, óleos de mirra, especiarias vindas de todo o oriente, perfumes e unguentos. Era uma manhã típica no harém, com céu ainda mais limpo e sol ainda mais forte, em que muitas das mulheres alternavam seus tratamentos de beleza com um providencial banho no lago. Em seguida, recebiam massagens, miravam a própria beleza nos muitos espelhos, relaxavam e deixavam que as escravas cuidassem dos afazeres. Na vez de Ester, quem foi destacada para massageá-la foi Quinlá, cuja simpatia pela jovem judeu só fazia crescer. Com palavras doces, a serva se oferecia para se tornar sua maior confidente no palácio.

— Diga-me, Ester, o que achou das aulas de hoje?

— Para falar a verdade, pensei que seria um tanto diferente... Achei que a gente fosse aprender sobre poesias, falar outras línguas — enquanto falava, os olhos de Ester vagueiam com o pensamento longe.

— Acesso a esse tipo de conhecimento só a que for escolhida rainha poderá ter — Quinlá respondeu sorrindo para Ester, com um tom de esperança na voz.

A conversa das duas foi interrompida por Ana que passou correndo ao lado delas, em tamanha velocidade e descuidado que era impossível que não se preocupassem. Ana parecia estar sentindo-se mal. Imediatamente, Ester pediu licença e foi atrás da amiga. Foi uma reação em cadeia: Quinlá deixou seus afazeres e seguiu Ester; Hegai, que cuidava de outras moças, viu o movimento e se aproximou:

— Que movimentação é essa?

— Não sei, Hegai — disse Quinlá, apontando para o matagal do jardim do harém, para onde Ana havia corrido. — Sei que a moça estava sendo cuidada e sentiu-se mal.

Alguns minutos depois, Ester voltou, trazendo Ana pela mão. Esta parecia recomposta, mas ainda titubeante. Hegai tocou com carinho em seu rosto:

— Menina Ana, o que é que está acontecendo com você? Não é a primeira vez que a vejo sem forças... Se estiverem doentes, precisam nos informar.

— Acho que comi alguma coisa ruim pelo desjejum — Ana respondeu, olhando para o chão.

— Deixe que eu cuido da Ana, senhor Hegai, nós não queremos incomodá-lo — disse Ester, tomando novamente a amiga pela mão.

Hegai concordou com a cabeça, sorrindo.

— Que boa amiga a Ana tem — comentou Quinlá.

— Ester é um doce mesmo — o eunuco concordou.

Mais alguém ouviu aquele comentário. Tafnes estava próxima o suficiente para perceber a simpatia crescente de Hegai e Quinlá para com Ester, e não gostou nada daquilo. Pelo contrário, entendeu que tinha uma rival oficial para seus planos de tornar-se rainha.

Tafnes passaria a ser movida pelo mesmo misto de ambição e raiva que movia a família que a havia enviado ao harém. De fato, o ódio de Hamã aos judeus era tamanho que, seguindo o conselho de sua esposa, de fato mandou construir uma forca ao judeu mais insolente que conhecia, Mordecai.

E dedicava-se aquele projeto como que a uma realização pessoal, a ponto de fiscalizar ao lado de Zeres cada encaixe e trava daquela obra. A forca seria construída numa das ruas de Susã, para que servisse de lembrete e ameaça a cada cidadão que ousasse se comportar como Mordecai.

Era inevitável que Mordecai passasse por ali, especialmente agora que, sem a querida prima por perto, ocupava os dias aconselhando outros judeus e oferecendo ajuda a quem precisasse. Naquela manhã, entretanto, ele voltaria a cruzar com Hamã:

— Mordecai! Que bom que está aqui, para apreciar o início dos trabalhos. Essa construção está sendo feita especialmente para você!

— Especialmente pra mim Hamã? Que construção é essa? — notando o tom irônico, Mordecai respondeu da mesma forma.

— Logo você verá aqui uma forca memorável! E quando terminarem é lá que você vai morrer, judeu!

— Mas que prepotência! Somente Deus pode decidir o dia de minha morte.

— Acha mesmo que esse seu Deus o salvará da minha forca? — perguntou Hamã, intrigado com a convicção de Mordecai.

— Se bem lhe aprouver, assim será. Ao contrário, que seja feita a soberana vontade dEle — Mordecai estava verdadeiramente calmo, apesar das perguntas de Hamã. Sua fé em Deus era muito maior que a perturbação que um inimigo pudesse causar, por mais poderoso e obstinado que fosse.

— Quer dizer que não se importa de morrer?

— Se esse for o plano do meu Deus...

— Seu Deus! — Hamã ria alto da afirmação de Mordecai, então Zeres resolveu tomar o partido do marido na conversa.

— Sabe qual o problema com vocês, judeus? A sua pretensão de achar que existe um único Deus. E os outros tantos deuses pelo mundo que habitam nas nuvens, que correm nos rios?

— Esses deuses não me dizem respeito. Creio em apenas um Deus, o grande Deus de Israel — Mordecai sentia-se orgulhoso ao falar do Único e Verdadeiro Deus. Sua satisfação estampada no rosto era involuntariamente provocativa. Os amalequitas sentiram-se profundamente irritados.

— Seu Deus vai desaparecer! — Zeres encarou Mordecai demoradamente enquanto dizia estas palavras.

— Ninguém vai se lembrar dEle! Porque todos do seu povo que O adoram estão como você, judeu: com os dias contados! — Hamã prometeu, antes de explodir numa grande e ameaçadora gargalhada.

***

A vida começava a tomar contornos de normalidade para os cidadãos comuns. Joel e Rebecca abriram sua barraca como haviam feito nos últimos anos e se colocaram dispostos e simpáticos para com os clientes, embora as coisas entre eles ainda não estivessem resolvidas.

—Vai continuar sem falar comigo, Joel? — Rebecca estava aflita com a frieza do marido.

— Você traiu minha confiança, Rebecca — ele respondeu, com voz grave e dolorida, enquanto arrumava os tecidos na barraca.

Rebecca queria poder buscar em sua mente palavras para convencer seu marido que não havia acobertado a filha. Pelo contrário, havia exigido que parasse de se encontrar com o amalequita Aridai. Mas antes que tentasse se explicar novamente, Mordecai surgiu na barraca, com passos duros e solenes:

— Joel, você nem imagina o que o Hamã fez desta vez!

— E o que foi? Algo diferente de insultá-lo, como sempre faz?

— Ele mandou construir uma forca pra mim! — apesar de inconformado, Mordecai se mantinha calmo.

— Uma forca? Será que ela não falou isso apenas para amedrontá-lo, meu amigo?

— Infelizmente, não. Eu mesmo vi os homens trabalhando e construindo uma forca de vinte metros.

— Que horror! Esse Hamã é um monstro! — Rebecca revoltou-se.

— Pois é — Joel pareceu concordar. — E é justamente o filho desse monstro que estava rondando nossa filha. E com sua permissão!

— Eu não permiti! Quando você vai entender, homem?

A expressão no semblante e nas mãos mostravam o coração devastado de Rebecca, onde nem o sentimento de culpa podia encontrar espaço para crescer. Mordecai resolveu intervir, carinhosamente:

— Meu amigo, não seja tão duro com a Rebecca. Filhos nessa idade são como cavalos do deserto. Difíceis de domar.

— Para mim é imperdoável, Mordecai. A decepção é grande demais.

— Bom, ao menos pense a respeito. Eu vou tentar saber notícias da minha menina. Se eu souber alguma coisa de Ana, venho lhes contar.

— Ah não, não se preocupe meu amigo. Essa moça não é mais minha filha. Caso você descubra algo sobre ela, por favor, guarde para você.

Isolada no harém, Ana não podia imaginar que, além de tudo o que havia passado, agora era renegada pelo pai. Durante as aulas ao ar livre, próximas ao pomar, mais uma vez sentiu-se tonta, mas amparou-se em uma árvore e, desta vez, conseguiu recompor-se discretamente. Ester percebeu.

— De novo passando mal, Ana? Você deve estar com algum problema de saúde.

— Não é nada, já disse. Está tudo bem comigo!

Sempre atenta, Quinlá, que observava de longe, aproximou-se, intrigada com a estranha cena.

— O que as duas tanto confabulam, posso saber?

— Estou muito preocupada com esses mal-estares de Ana, Quinlá! — respondeu Ester.

—Tenho observado você, Ana. Será que foi mesmo alguma coisa que comeu que a deixou assim?

— Só pode ter sido — Ana sinceramente acreditava no que dizia.

— Diga-me uma coisa: quando vieram seus sangramentos pela última vez? — agora Quinlá precisava averiguar suas suspeitas.

— Sangramentos? Mas por que está me perguntando isso?

— Porque não nasci ontem, mocinha. Agora me diga, você é mesmo virgem, Ana?

— Quinlá! — Ester levou a ponta dos dedos à altura da boca, assustada com a pergunta.

— Pode se abrir comigo — embora trabalhasse para o palácio, Quinlá tinha bom coração e compadeceu-se da moça.

— Quinlá, você desconfia que Ana pode estar...

— Grávida. Exatamente.

— Eu? Grávida? Não, claro que não! Eu... — Ana caiu aos prantos, incapaz de sequer concluir seu pensamento.

— Quinlá, por favor, essa acusação é muito grave! — Ester também estava muito assustada.

— Se a moça tem medo da possibilidade, é porque ela existe. Você já se deitou com um homem, não é mesmo Ana?

Ana pôde apenas baixar a cabeça e ser confortada pela amiga. Quinlá ao confirmar sua suspeita ficou muito preocupada com o que poderia acontecer a ela. Se alguém descobrisse que ela não era mais virgem, a moça teria um destino trágico e, se estivesse grávida, seria ainda pior.

— Por que ela está chorando? — perguntava-se Aridai, equilibrando-se sobre o muro oeste, sem desconfiar de sua participação direta no que se discutia no jardim. O rapaz conseguiu chegar até os muros do harém seguindo os eunucos Bigtá e Teres. Não conseguiu acesso pela entrada principal para o jardim, mas conseguiu escalar o muro pela parte externa, e assim, escondido lá de cima, ele rastreou toda a cena com os olhos, até encontrar Ana. Seu coração encheu-se de alegria por vê-la tão bonita, mas seu sorriso transformou-se em dor ao vê-la chorando, no exato momento em que Quinlá a pressionava. Era impossível escutar o que diziam àquela distância, e a dúvida lhe doía quase que fisicamente.

Ana temia que Quinlá dissesse algo e, assim, fosse punida com a morte. Porém Ester a consolava, e tentava lhe convencer da sinceridade de Quinlá, quando dizia que não contaria nada a ninguém.

A serva sugeriu que as amigas fossem até a mesa principal do jardim, onde a refeição estava sendo servida. Ao se aproximarem, viram o prato principal: um grande porco assado. Ester, que, distraída, já havia apanhado o prato de metal para servir-se, continuava conversando com Ana e, como que por reflexo, recolocou o prato na pilha de onde o havia tirado.

— A Ana eu sei que não come carne de porco, mas você também, Ester? Não come por quê? — Tafnes, maliciosa como sempre, queria encontrar um motivo para importunar Ester.

— Porque não estou com vontade. — a resposta de Ester foi simples e curta.

— Que eu saiba, só os judeus não comem essa carne — provocou.

— Tafnes, cuide de sua vida! — disse Ana, defendendo a amiga, já sem paciência para as implicância da egípcia.

— Se você acha que tem alguma chance de chegar a rainha, está muito enganada, Ana. Jamais uma judia de segunda categoria como você, descendente de escravos poderia ser rainha da Pérsia. No máximo, vai divertir o rei por uma noite, e só!

— Não tenho pretensão de ser coroada, pode ficar tranquila. Por mim, nem estaria aqui!

Desta vez foi Ester quem defendeu a amiga.

— Tafnes, por que você parece estar sempre disposta a arrumar confusão?

— Quero que você coma essa carne e prove que não é judia como Ana.

— Eu não tenho de provar nada a você!

— Você é judia ou não é? — Tafnes tentava pressionar Ester até o limite.

— O que eu sou, ou deixo de ser, diz respeito somente a mim!

— Pois acho que é judia sim! E aposto que todo mundo gostaria de saber que você pertence a essa raça imunda!

Perversa e cruel em suas palavras, Tafnes, finalmente conseguiu tirar Ester de seu estado de calma.

— Tafnes não tem o que fazer na vida e se põe a reparar o que comemos ou deixamos de comer!

Era impossível que Hegai não ouvisse os gritos de Ester, e se aproximou para dissipar a confusão e entender o que se passava.

— Mas o que é isso? O que está acontecendo aqui? — Hegai não gostou de ver que as moças estavam se desentendendo.

— Diga ao senhor Hegai, Ester, diga o seu segredo.

— Segredo? Que segredo, Ester querida?

— Não tem segredo algum, senhor Hegai.

— Eu vou descobrir quem você é de verdade, pode esperar — Tafnes disse, com ar imponente e ameaçador.

— Basta, Tafnes! — Hegai chamou a atenção da egípcia, que se afastou da mesa com a arrogância inabalada.

Foi só então que, olhando para seu lado, não viu Ana. A discussão mal havia começado, e ela havia avistado Aridai acenando de cima do muro. Quando seus olhos finalmente se encontraram, o amalequita fez sinal para que Ana o esperasse numa parte mais afastada do jardim.

Ana entendeu que o calor da discussão entre Ester e Tafnes entreteria a atenção de todos por tempo o suficiente para que pudesse se afastar por entre as árvores até os braços de seu amado.

— Ana! Que saudades! — disse o soldado em meio às lágrimas de alegria.

— Você é louco! Como entrou aqui?

— Dei o meu jeito! Não podia deixar de vê-la! Como você está meu amor?

— Estou bem. — respondeu, fazendo questão de deixar entrever a insinceridade do que dizia.

— Ana... Vi você chorando. Por quê?

— Porque não quero viver nesse harém para sempre como concubina do rei! — Ana não podia colocar o peso da possibilidade de uma gravidez no coração de Aridai, mesmo porque ela ainda não tinha certeza de nada.

— Meu amor, eu vou tirá-la daqui, fique tranquila. — ele segurou o rosto de Ana com carinho, olhando-a em seus olhos.

— Ah, meu amor... no fundo, tinha tanta esperança que você viria me buscar... — Ana chorava e sorria ao mesmo tempo.

— Pois então pode esperar, eu venho.

Eles se olhavam um ao outro como se quisessem registrar aquele momento. Queriam ter certeza que ele não se perderia, mas que estaria sempre vivo na memória para que, nos momentos difíceis, eles pudessem tirar forças daquela lembrança.

—Vou esperar, Aridai! Mas agora acho melhor voltar para junto das outras moças antes que deem por minha falta!

O casal se despediu então com um beijo quente e apaixonado, selando o compromisso de se reencontrarem em breve.

***

Na sala do trono, depois de muito, discutia-se novamente questões triviais da administração do reino. O clima, entretanto, não era dos melhores. Assuero convocara Memucã para investigar por que tantos tributos estavam em atraso. Este explicou que, na vastidão do império, muitas províncias haviam sido castigadas com geadas e pragas e haviam tido suas plantações arruinadas. Mas garantiu que havia homens sob sua responsabilidade percorrendo cada território em busca do que faltava.

— Eu quero deixar claro — disse Hamã, com o pé direito repousado sobre o primeiro degrau da escada, mãos na cintura e ar arrogante — que nenhuma das províncias governadas por meus dez filhos está com os impostos atrasados. O rei sabe, como todos sabem, que por lá não se atrasam pagamentos. Não é verdade, Dalfom?

Era a deixa para que o filho bajulasse, ao mesmo tempo, o pai e o rei, enquanto colocava a competência de Memucã sob suspeita:

— Sem dúvida, meu pai. Fazemos de tudo para recolher as taxas em dia, para não deixar o tesouro do rei desfalcado.

Se por um lado, como todo imperador, Assuero tinha um ego sensível a afagos, por outro era um homem inteligente e sabia reconhecer um jogo de vaidades diante de si. Entre um sentimento e outro, preferiu simplesmente avançar na pauta da reunião. Perguntou sobre Demerato, soldado grego expulso de seu próprio país, com quem Dalfom mantinha contato na intenção de conseguir informações para um eventual ataque à Grécia. O informante lhe havia revelado que havia um plano de enviar o general Temístocles para o que se chamava "ostracismo" — uma punição política equivalente ao banimento ou exílio.

— Hamã, este Temístocles não é o mesmo que liderou as tropas gregas contra nosso exército?

— Ele mesmo, Memucã.

Assuero entusiasmou-se.

— Se isso vier mesmo a ocorrer, ofereça a Temístocles terras e um império. Contar com o apoio de um valioso general traído como este seria excelente!

— Suas ordens serão cumpridas! — prometeu Dalfom, exultante como uma criança que recebe um elogio do professor.

O entusiasmo ainda corria a sala, mas antes de os presentes saírem, Hamã pediu permissão para tratar de um assunto fora da pauta. Assuero apenas levantou a mão direita, concedendo a ele o direito de falar:

— Se me permite, o rei já escolheu sua nova rainha?

— Ainda não. Não tive cabeça para pensar nisso — Assuero, de fato, apesar de pensar frequentemente na moça que encontrou nas ruas de Susã, não havia conseguido se concentrar nas donzelas no harém que o esperavam.

— Pois deveria, meu rei. Ouvi dizer que há moças belíssimas aguardando seu chamado no harém — o rei ficou pensativo e olhou para Harbona, homem da sua confiança, que transmitia suas ordens à Hegai.

— É verdade, meu senhor. As mais belas moças de todas as províncias de seu reino foram recolhidas para servi-lo — Harbona disse, satisfeito.

— Hamã tem toda razão. Está no tempo do nosso querido rei buscar uma nova rainha para Pérsia — Memucã também concordou.

Os conselhos e testemunhos surtiram efeito.

— Harbona, diga a Hegai que prepare uma das moças para esta noite!

Começava ali a busca pela nova rainha da Pérsia.

***

Num quarto escuro e acompanhado apenas da própria dor, Ruben sentia o desespero encher seu coração, ao mesmo tempo em que sua alma parecia ter partido, e largado ali apenas uma carcaça vazia, mutilada, esquecida e prestes a deixar de existir.

Simion entrou disfarçadamente no quarto e teve dificuldade em reconhecer o amigo, com a cabeça raspada e enrolado num cobertor de pelo de camelo, algo incompreensível numa temperatura daquelas. Ruben parecia querer diminuir-se dentro do próprio corpo, o que revelava o que passava em seu interior.

— Ruben, como está se sentindo? — perguntou Simion, com fala fraternal, enquanto puxava uma cadeira para perto da cama do amigo.

— Eu... quero... morrer — disse Ruben num fiapo de voz entre goladas doloridas de ar e espasmos de febre, sem se importar em virar-se e encarar o copeiro.

— Eu trouxe uma bebida forte para aliviar um pouco a sua dor.

— Eu... não... — e engoliu outro tanto de ar, sem terminar a frase —deixe-me... morrer.

Mesmo com a negativa do amigo, Simion levantou a cabeça de Ruben com cuidado e o fez beber um pouco.

— Por que fizeram... isso... comigo? — perguntou Ruben, buscando dividir seu desespero com alguém.

—Você violou as regras do palácio, meu amigo. Mas, graças ao Eterno, está vivo.

— Pois teria sido melhor morrer — retrucou, revoltado e inconformado, em meio ao choro que estava represando. — Quanta dor... que desespero...

— A dor vai passar, meu amigo. Mas você deve ser forte.

— Minha força acabou... Eu quero... morrer. — sua voz ganhava volume e seu choro ficava ainda mais duro.

Simion colocou a mão sobre o ombro do amigo para que ele soubesse que não estava sozinho, deu mais um pouco da bebida a Ruben e ficou ali por algum tempo, ouvindo a repetição da mesma frase.

— Eu quero morrer... eu quero morrer.

Simion entendeu que sua presença e suas orações ao pé da cama seriam mais importantes do que seus argumentos. E manteve-se próximo ao amigo em seu momento de dor.

***

Harbona, que havia saído imediatamente da presença do rei para ir direto à procura de Hegai, estava parado na entrada do harém, ansioso para transmitir a ordem real.

— Hegai! Estava à sua procura!

— Acabei de voltar do passeio com minhas meninas. O que foi?

— O rei finalmente quer conhecer uma moça do harém! — Harbona não conseguia esconder o entusiasmo.

— Que ótimo! — Hegai comemorou discretamente, a seu estilo, com um lépido pulo, juntando as palmas das mãos.

Ambos se recompuseram rapidamente.

— Mas preste atenção — Harbona apontou com severidade — escolha a mais bela!

— Como a mais bela? Todas são muito bonitas, diferentes entre si, mas lindas! Não faço ideia de qual delas vou mandar!

Hegai realmente tinha um bom problema nas mãos. Entretanto, sua empolgação vinha especialmente de saber da responsabilidade em preparar aquela que poderia ser a próxima rainha de toda a Pérsia.

— Em primeiro lugar, fique calmo — advertiu Harbona. — Parece até que a virgem é você! E depois, pergunte aos deuses. Eles dirão quem será a primeira!

— Ótima ideia, Harbona! Claro! Vou pedir a ajuda das divindades!

— Mas não demore. Você sabe que o poderoso Assuero detesta esperar! — disse Harbona, despedindo-se.

Imediatamente, Hegai usou de seus pequenos címbalos para convocar no que parecia uma reunião emergencial. Todas elas ficaram em volta de Hegai para saber o motivo de tanta animação por parte dele.

— Muito bem, muito bem! Meninas, vocês não vão acreditar!

— Para estar tão satisfeito, só pode ser uma coisa... — Quinlá comentou, satisfeita.

— Adivinhou! O rei quer conhecer uma de vocês ainda hoje!

— Que notícia maravilhosa! Já não era sem tempo! — Tafnes aplaudia, exultante, se destacando entre várias moças beirando a histeria.

— Quem será a felizarda, Hegai? O rei já escolheu alguma? — perguntou Quinlá curiosa.

— Não. Os deuses é que vão decidir qual de vocês será a primeira a passar a noite com o rei!

Ana e Ester não só não dividiam a histeria de suas colegas como Ana, em especial, temia que sua situação se complicasse diante do rei. Mas ninguém no harém ficaria imune à onda de animação que se espalhou.

Hegai e Quinlá levaram para o harém diversas joias e roupas finas para que as moças provassem — as favoritas nem precisariam devolvê-las, já que ficariam no palácio de qualquer forma. Todas se aproximaram para escolher adereços, muito animadas e sorridentes. Poucas ali haviam colocado as mãos em joias verdadeiras, tampouco conheciam luxo semelhante. Até mesmo Ana estampou um sorriso no rosto e se dirigiu a uma das mesas.

Ester, entretanto, manteve-se acanhada em seu canto, apenas observando a movimentação. Hegai e Quinlá a notaram sozinha e foram falar com ela.

— Ester querida, não vai ver as roupas e joias? — Hegai perguntou, intrigado.

— Não, obrigada.

— Mas você pode escolher o que quiser! — insistiu Quinlá.

— Mas eu não quero nada.

— Mas é sua obrigação se preparar para o rei. — relembrou Hegai, calmamente, certo de que Ester compreenderia.

— Então, por favor, escolha por mim, senhor Hegai — Ester pediu, gentil e sorridente.

— Ah, mulheres... — o eunuco deu um suspiro, revirou os olhos e saiu fingindo cansaço. No fundo, se alegrou por fazer a escolha por Ester.

Quinlá aproveitou que Hegai havia se afastado e se ofereceu como confidente mais uma vez:

— Por que você está triste, Ester?

— Não é tristeza, Quinlá. É revolta. Não quero ser concubina do rei.

— Mas você pode virar rainha, se ele gostar! — Quinlá tentou animar a moça.

— De que adianta virar rainha se for para me casar com um homem que eu não amo? Sempre sonhei com um casamento baseado no amor. Mas agora serei obrigada a ficar com uma pessoa que eu nem conheço.

— E quem disse que você não pode amar o rei? — o comentário de Quinlá soou de forma inusitada nos pensamentos de Ester.

Pela primeira vez, ela se colocou a imaginar se um amor assim seria mesmo possível.

***

A noite caiu suavemente em Susã, pintando as paredes com os tons cobres dos archotes e espalhando o cheiro característico do fim de um dia intenso. Aridai acendeu a lamparina na sala principal da casa de seus pais e só então notou que sua mãe estava reclinada ali.

— Qual é o nome da moça com quem você tem se encontrado, Aridai? — Zeres perguntou, sem rodeios.

— Não tenho encontrado com moça alguma, mãe — apesar de ter sido surpreendido, o rapaz achou que tinha conseguido disfarçar.

Seu irmão Dalfom chegava naquele momento acompanhado do pai, entretanto, atravessou a conversa:

— Aridai tem se encontrado com uma das moças que vão ser concubinas do rei.

— Ora, não me perturbe, Dalfom.

— Se você tem mesmo essa mulher, ela pode ser mais uma aliada, não? — Hamã não perdeu tempo em mais uma maquinação em busca de poder.

— Diga meu filho, me dê o nome dela — Zeres insistiu.

— Não quero falar nesse assunto.

— Viram? Eu sabia! Ele está apaixonado — Dalfom comentou, rindo do irmão e tomando um cacho de uvas em suas mãos. — Se ela não for mais virgem, o rei não vai gostar nada disso. Se for, quem vai aproveitar é o próprio rei!

Aridai cerrou os punhos, impaciente e caminhou em direção ao irmão:

— Dobre a sua língua, Dalfom!

— Cuidado, não quero confusão na minha casa. — advertiu Hamã, vendo que o clima entre os irmãos estava se tornando quente.

— Isso mesmo, aqui ninguém briga por causa de mulher! Venha cá meu filho, sente-se aqui — Zeres tomou Aridai pela mão e o trouxe para perto de si. Dalfom começou a rir compulsivamente da situação, reduzindo o irmão a uma criança consolada pela mãe. Aridai tentou se levantar para brigar com Dalfom, mas Zeres segurou seu braço.

— Aridai, você precisa saber que hoje essa tal garota pode mesmo dormir com o rei — disse Hamã, com cuidado. — Eu sugeri a Assuero que conhecesse as moças do harém, e ele aceitou. Esta noite o imperador vai mandar chamar a primeira.

Acariciando as costas do filho, Zeres tentava acalmá-lo:

— Fique tranquilo, vou pedir aos deuses para que Tafnes seja a escolhida.

Não era uma figura de linguagem. Cercada pelo silêncio respeitoso da família, Zeres se levantou começou a acender velas, preparar oferendas e a repetir, dirigindo-se ao alto:

— Aceitem a minha oferenda. Que os deuses favoreçam a mulher que eu escolhi para ser a rainha da Pérsia!

***

Também nos aposentos do rei havia preparativos. Assuero já estava vestido para o primeiro encontro, mas Harbona continuava a ajudá-lo com perfumes e acessórios. Seu olhar, entretanto, parecia um tanto distante.

— O rei dos reis precisa estar em sua melhor forma! Pense que a moça desta noite pode ser a futura rainha — Harbona lhe animava

— Será?

— Como disse, senhor, são todas muito formosas... Certamente uma delas falará mais alto ao seu coração!

— Bom Harbona, então vá buscar a moça.

— Sim, senhor! Quem sabe não lhe trago a moça que o meu valente rei viu no desfile, aquela, por quem se encantou. Ela pode estar no harém, não se esqueça — disse o eunuco, arrancando um grande sorriso do rei.

As moças já estavam todas preparadas, deslumbrantes, apenas aguardando Hegai anunciar qual seria a escolhida. Ana e Ester também estavam prontas e nervosas.

A Quinlá, igualmente apreensiva, restava cuidar dos últimos detalhes e passar em revista moça a moça.

— Ester? — ela chamou. — Você está tão simples... Nenhuma joia, nenhum adorno. Parece que não quer ser escolhida pelo rei.

— Se eu me enchesse de enfeites, não seria eu mesma.

Quinlá sorriu, satisfeita:

— Quero que saiba que mesmo sem ouro, você está muito bela. Você fica linda de qualquer maneira.

Tafnes rondava a conversa entre Quinlá e Ester e estava disposta a impedir que a simpatia entre as duas prosperasse.

— Chega a ser uma afronta aparecer vestida assim para ver o rei — provocou Tafnes, enquanto bebericava uma pequena taça de vinho. — Qual sua ideia, Ester? Está fazendo o gênero menina humilde?

— Tafnes, pare de me provocar!

Quem interrompeu as provocações da egípcia foi Hegai, que adentrou na plataforma mais alta dos aposentos secundado por um escravo que carregava diversas tabuletas de barro, cada uma com o nome de uma das moças.

— Muito bem, muito bem! Estão prontas? A sorte vai dizer qual de vocês irá hoje ao encontro do imperador. E saibam que aquela que o rei chamar pelo nome para voltar a seus aposentos, esta será a rainha! Quinlá, me diga! Com o que você sonhou na noite passada? — Hegai mal podia conter sua ansiedade.

— Sonhei com um campo de trigo iluminado por uma estrela.

— Ora, que estranho — disse o eunuco com duas tabuletas nas mãos. — Então, a sorte aponta duas moças. O trigo é a egípcia, Tafnes, e a estrela... É o significado do nome Ester! E agora? Quem será a eleita?

Ester tomou a iniciativa:

— Se puder escolher, prefiro não ir!

— Deixa de ser cínica! — Tafnes descontrolou-se. — Está fazendo isso tudo para o Hegai escolher você!

— Estou dizendo que não quero ir. Fique com o rei, Tafnes, aproveite!

— Espere, Ester! — irritou-se Hegai. — Não é você quem decide, e sim os deuses! Vamos tentar novamente. Quinlá, no seu sonho o que apareceu primeiro? O campo de trigo ou a estrela?

— Ah, sem dúvida o campo de trigo. Na verdade ainda era dia quando o campo de trigo apareceu. Ele estava lindo, iluminado pelo sol. Aí, de repente, a noite desceu e a estrela apareceu, bela, luminosa.

— Acho que agora a resposta está bem clara. Tafnes é a escolhida.

Hegai estava satisfeito com o que considerava uma resposta clara de suas divindades. Tafnes, por sua vez, estava radiante, não se continha de felicidade por ser a primeira a ir à presença do rei. Ela via diante dos próprios olhos seus planos tomar o rumo certo para se concretizarem.

Harbona foi ao harém para conduzir a escolhida aos aposentos reais. Tomou Tafnes pela mão e a levou. Ao ficar frente a frente com o rei, a egípcia portou-se exatamente como Hegai havia lhe ensinado, curvando-se e voltando a olhar para o grande Assuero somente quando ele lhe dirigiu a palavra.

— Como é que se chama? — perguntou o rei, ainda em sua poltrona de peles, com o torso nu.

— Tafnes, senhor.

— E de onde vem?

— Daqui mesmo de Susã, mas minha origem é egípcia.

O rei tocou o rosto de Tafnes e ela ficou de pé. Ele analisou seu rosto e elogiou sua beleza.

— Minha beleza pertencerá somente ao senhor.

Os dois beberam vinho e não trocaram muitas palavras até o rei agarrá-la pela cintura e beijá-la com ardor.

— Vamos ver se és tão bela quanto parece ser — disse Assuero, começando a desvencilhar-se do vestido da moça.

Passaram a noite juntos, e em seguida Tafnes foi encaminhada de volta ao harém assim que o dia amanheceu. Estava certa de que havia feito um excelente trabalho.

Mal chegou ao jardim da casa das mulheres e Tafnes foi cercada pelas outras garotas, exceto Ana e Ester. Todas queriam saber como, afinal, havia sido uma noite com o poderoso Assuero.

— Tafnes! Minha deusa! Como foi? Conte tudo, tudo, tudo! — Hegai também aproximou-se animado e curioso.

— O rei Assuero gostou de você? — quis saber Quinlá.

— Claro que gostou — Tafnes respondeu com tamanha frieza e arrogância que afastou qualquer tipo de reação. — O rei está encantado por mim.

Todas à sua volta, se questionavam:

— Será que ela vai ser escolhida pelo rei?

— Espero que sim! Assim, quem sabe o rei nos deixa em paz? — resmungou Ester para Ana, tentando aquietar em seu coração uma esperança que não queria ver crescer.

— Conte mais Tafnes! — pediu Hegai, empolgado.

— Ele foi muito carinhoso, apaixonado mesmo.

— Ai que delícia! — Hegai suspirava alto.

***

Harbona saudou o rei assim que se apresentou para os primeiros trabalhos da manhã. Assuero estava compenetrado, conferindo decretos e documentos em sua sala particular de trabalho. Mas o eunuco aproveitou um intervalo para, ao mesmo tempo, saciar sua curiosidade e prestar contas a seu senhor:

— Meu rei? Posso lhe perguntar sobre a moça de ontem?

— Claro — consentiu Assuero. — Como era mesmo o nome dela?

— Se chama Tafnes, senhor.

— Tafnes... — O rei apertou os olhos como se buscasse sentimentos em sua memória recente. — Nunca mais quero ver essa mulher. Definitivamente, não será a rainha. Bonita, claro, mas algo nela me irrita profundamente. Vamos tentar outra esta noite. Estou com um bom pressentimento dessa vez.

Assuero sorriu, animado, e voltou para seus afazeres.

***

No harém também havia bastante trabalho. Hegai continuava ensinando as moças a forma certa de se portar, como andar, falar. Era nítido o prazer com que executava seu trabalho, e o empenho com que buscava fazer o seu melhor.

— Meninas, prestem atenção por favor. Valorizem a roupa que estão usando, o vestido de uma virgem é como se fosse a sua moldura, ele deve dançar delicadamente pelo corpo. E quando estiverem na presença do grande rei, puxem delicadamente a barra do vestido para que ele não marque o joelho e não suje no chão. Então curvem-se.

Cada conselho era reproduzido pelo próprio Hegai com delicadeza e graça. Um pequeno grupo de meninas estourou em risinhos, por causa do jeito efeminado de seu professor. Claro que ele não gostou nada daquilo.

— Quietas! Vamos ver se vocês aprenderam. Se estão rindo devem estar sabendo muito não é? — irritado, Hegai apontou para uma moça e pediu para que caminhasse até ele como faria com o rei.

Nervosa, sentindo o peso da retaliação, a garota se portou ainda pior do que imaginava. Envergonhada, esqueceu-se das dicas mesmo durante a reverência se atrapalhou:

— Péssimo! Péssimo! — gritou Hegai com o dedo em riste. — Parece um pedaço de pau andando! É como se não houvesse assistido a aula nenhuma! Saia da minha frente!

E a enxotou como a um animal doméstico. Em seguida, bruscamente, sentou-se novamente e continuou os testes.

—Você, menina Ana! Que vive conversando pelos cantos, vamos ver se já aprendeu alguma coisa!

Ana caminhou até ele corretamente, mas cometeu o erro de encará-lo enquanto se curvava. Com a tolerância diminuída, Hegai voltou a gritar:

— Os olhos! Os olhos! Já falei mais de mil vezes que vocês não devem olhar nos olhos do rei até que ele lhes dirija a palavra! — disse, atirando seus címbalos no chão com fúria. — Próxima! Você, Tafnes!

Bela e gélida como sempre, a egípcia atravessou a passarela perfeitamente, valorizando o vestido de algodão sobre seu corpo esguio, puxando a barra no momento exato e curvando-se com respeito diante do professor. Finalmente Hegai se acalmou e voltou para o centro do salão.

— Quero falar uma coisa muito importante! Ninguém, ninguém mesmo deve ir a presença do rei sem ser chamado por ele, nem mesmo a rainha.

— O que acontece com quem vai até ele sem ser chamado? — perguntou Ana, receosa.

— O poderoso rei Assuero pode mandar matar imediatamente o transgressor!

Ester ficou horrorizada:

— Mas ele costuma fazer isso mesmo? Matar quem o procura?

— Depende — Quinlá tomou a palavra, para contemporizar. — Se ele levantar o cetro de ouro para a pessoa, ela estará salva, caso contrário, é sentença de morte certa.

— Portanto lembrem-se: não procurem o rei sem serem chamadas! — Hegai queria deixar isso claro, para ter certeza de que nenhuma das moças corresse perigo.

Foi quando Harbona se fez visível entre as moças, e Hegai passou o comando da aula a Quinlá. Eram notícias vindas de Assuero: naquela mesma noite, uma nova concubina deveria ser preparada. Imediatamente, Hegai chamou a atenção de todo o grupo:

— Meninas! Meninas! Os aposentos reais estão sendo preparados, o rei receberá uma de vocês.

A confiança de Tafnes finalmente a traiu:

— Podem começar a me arrumar para o rei! — disse, olhando para os escravos.

— Sinto desapontá-la, Tafnes. Dessa vez outra afortunada irá em seu lugar.

— Tem certeza, eunuco?! Está certo de que o rei não me chamou?!

Foi a oportunidade de Ana revidar as provocações dos dias anteriores.

— Por essa você não esperava não é Tafnes? Mas um pouco de humildade não faz mal a ninguém.

— Não provoque, Ana — Ester tentou conter a amiga, embora ela própria não conseguisse conter o sorriso de aprovação.

Quinlá subiu os degraus em direção a Hegai, para decifrar a sorte novamente.

— Vejamos quem os deuses querem no leito do rei...

Hegai mexeu nas tabuletas de barro com os nomes das moças, as misturou e de olhos fechados escolheu uma delas. Tafnes estava descartada, mas, naquela noite não seria nem Ana nem Ester. Na verdade, pelas próximas semanas, o grande Assuero continuou sua busca, determinado a encontrar sua rainha. Muitas virgens foram a sua presença, todas lindas, educadas e bem cuidadas, mas nenhuma delas despertou, no imperador, o amor.

Até que finalmente, como era inevitável, em um dia agitado politicamente no palácio, chegou a vez de Ester.

Embora soubesse que seu dia chegaria, ainda assim a notícia a apanhou em espanto e desconforto. Notando isso, Quinlá se esforçou especialmente para deixá-la ainda mais linda. Segurando contra o peito o colar que havia ganhado da mãe ainda na infância, Ester procurou um canto calmo do jardim, próximo a fonte de águas, voltou o seu pensamento para Deus e orou com intensidade:

— Deus Eterno, eu não sei por que eu vim parar neste lugar. Eu queria tanto ter ido a Jerusalém viver com meu povo... Mas aqui estou. Eu não sei quais são os Teus planos, eu só sei que és Soberano. Eu só Te peço que me protejas nesta noite. Guia meus passos, meus gestos e as minhas palavras, e que a Tua vontade, e não a minha, seja feita.

— Ester, querida? — Hegai estava pronto para conduzi-la.

Ester tomou um fôlego profundo, impediu que surgisse em seu peito o desejo de chorar, se levantou e foi até o eunuco.

— Está nervosa minha querida?

— Um pouco, não sei o que esperar dessa noite.

— Você se sairá muito bem. Tenho certeza que encantará o rei, o escolhido dos deuses — as palavras de Hegai eram mais do que mera formalidade.

— Se não tem outro jeito...

— Você fala como se estivesse indo obrigada — disse Hegai chateado.

— Não foi o que sonhei pra minha primeira noite, senhor Hegai. Não é minha vontade me tornar mais uma concubina do rei e depois ser esquecida entre tantas.

— Talvez você não seja apenas mais uma — sorriu Hegai, com sinceridade e carinho. — Agora vamos! Alegre esse rostinho lindo, minha maravilhosa! Vai dar tudo certo! Lembre-se de tudo que eu lhe ensinei.

E assim Hegai conduziu Ester por entre os corredores até os aposentos reais.

***

Harbona foi até o rei para avisá-lo que o leito real estava pronto. Assuero parecia preocupado, terminando seus afazeres do dia. A seu lado, Simion atestava que o vinho da noite estava pronto e seguro para o consumo.

— Hoje eu só queria alguém que me fizesse esquecer tudo isso — Assuero confiava seu cansaço e abatimento a Harbona. Naquela noite, o poderoso rei da Pérsia pareceria especialmente cansado de suas obrigações, deveres e expectativas que pesavam sobre seus ombros.

— Os deuses serão generosos com o senhor, supremo rei — respondeu o eunuco. — Que a virgem de hoje lhe distraia os pensamentos e acalme seu coração!

Harbona deixou os aposentos junto com Simion. Assuero, entretanto, voltou para sua grande poltrona e tomou mais um pergaminho em suas mãos.

Quando Ester entrou nos aposentos reais, a primeira coisa que viu foi o espaldar da poltrona, e imediatamente entendeu que ali estava o poderoso Assuero, ocupado, ela imaginava, como todo grande estrategista se ocupava constantemente. Impressionada com um luxo que nem podia sonhar existir, assustada e intimidada, caminhava com sua graça natural, observando as pétalas de rosas enfeitando seu caminho até a grande cama real. Não conseguiu evitar o calafrio que lhe subiu pela espinha. Nesse momento, voltou sua memória para as aulas de etiqueta de Hegai e continuou andando.

Assuero ouviu os passos se aproximando, mas continuava entretido com seu pergaminho. Enfim, sinalizou com a mão, sem se voltar, para que Ester se aproximasse.

Ela deu a volta elegantemente, chegando pelo seu lado direito e, enquanto Assuero se voltava para a moça, ela se curvava, cabeça baixa exatamente como Hegai lhe havia ensinado.

O rei olhou para ela, iluminada docemente pela luz das velas e archotes e, ao tocar em seu rosto, convidando-a a cruzar seu olhar com o dele, quase não acreditou no que viu: era ela, a moça que ele avistara no desfile real. Era ela, a qual tanto ocupou seus pensamentos sem sequer saber seu nome. E agora eles estavam ali, frente a frente.

QUATRO

A surpresa de Ester

Não foi mais a explosão do sentimento de conquista, nem a paixão arrebatadora guiada pelo desejo venal, nem a loucura juvenil brotando novamente. Foi paz o que encheu o coração do rei no momento exato em que reconheceu Ester. Já não havia espaço para os pesos do reinado ou as obrigações diplomáticas. Diante de Ester, nada o incomodava, pois o rosto da moça lhe inspirava tranquilidade, quietude. O rei Assuero, senhor de tantas terras, vencedor de tantas batalhas, possuidor de tantas mulheres, experimentou, pela primeira vez, o amor que completa a alma, que traz paz e faz calar todas as outras vozes do pensamento.

— Lembro-me de você, do dia do desfile — disse Assuero, como que pairando sobre o chão.

— O grande rei se lembra de mim?

— Claro que sim. Seu rosto brilhava nas ruas de Susã no meio da multidão. E você salvou uma criança, foi muito corajosa. Como poderia esquecê-la? — o rei, com os olhos vidrados em Ester, rememorava o dia em que a viu, cada detalhe estava gravado em sua mente e coração.

— Estou lisonjeada — Ester lhe sorriu de volta. — Não esperava que o senhor guardasse a fisionomia dos súditos de seu reino.

— Eu não guardo. Mas lembro-me muito bem do seu semblante. Qual é o seu nome?

— É Ester, Ester, de Susã.

— Jamais me esqueceria do seu rosto, Ester.

— Pensei que o senhor só tivesse olhos para pessoas da nobreza, não para a gente do povo — Ester foi espontânea como sempre.

— Por que diz isso, Ester? — Assuero, ainda encantado, surpreendeu-se com o que ouvia, mas recebeu as palavras de Ester com calma, falando baixo, com um sorriso nos lábios. — Meus atos como líder a fazem duvidar do amor que tenho pelos cidadãos do meu império?

— Não devo falar mais, senhor — disse ela, depois de um longo suspiro durante o qual mediu a consequência de suas palavras.

— Fale. Acha que sou injusto com os milhares que governo? Diga — percebendo que o rosto de Ester mudou com a sua pergunta, o rei adotou um semblante levemente triste.

— Se quer mesmo saber, é um absurdo a forma como as moças foram trazidas para o harém — disse ela, para espanto do rei. — Fomos arrancadas de nossas casas. Perdemos completamente o contato com nossos entes mais queridos. — Ester não conteve a revolta que no fundo sentia no coração, mesmo que a companhia do rei a fizesse ficar alegre.

— Mas a lei é assim... O rei precisa encontrar no povo uma rainha. Veja por outro ângulo: os filhos do rei serão filhos do povo também, você entende?

— Não acho uma troca justa entre o senhor e seu povo — Ester mantinha-se firme em dizer ao rei o que realmente pensava.

— Quer dizer que não está feliz por ter sido trazida ao palácio? Ter a honra de passar uma noite em intimidade com o seu rei? — Assuero parecia igualmente surpreso e desapontado.

— De que adianta? Mesmo que seja uma noite maravilhosa, amanhã serei só mais uma jogada em algum dos cantos do palácio, enquanto o senhor se distrai com as outras tantas que mandou sequestrar.

— Você é bem direta com as palavras, hein, Ester? — o rei encarou Ester, mesmo que sentido, não perdeu o tom manso de falar com a bela moça.

Ela contraiu os ombros, admitindo:

— Por isso disse que era melhor me calar.

Ao baixar a cabeça, seus olhos correram a grande mesa de madeira sobre a qual os diversos documentos e pergaminhos repousavam à luz de velas.

— O que foi, Ester?

— Nada... — ela não conseguia esconder o fascínio que os escritos lhe causavam.

— Nunca vi uma mulher interessada em papiros. Vai me dizer que sabe ler?

— Sim, senhor. Um pouco. — Ester olhou para o rei e sorriu ao responder a pergunta.

— Uma mulher que lê?! — Assuero se surpreendeu. — Está brincando comigo, não?

— Claro que não! Jamais faria isso, senhor! — o rosto de Ester ganhou uma expressão séria.

— Então vamos ver!... Sabe o que é isso? — perguntou tomando um objeto em suas mãos.

— Não, senhor.

— Trata-se do cilindro de Ciro! Contém um dos mais famosos editos do piedoso rei! O que libertou o povo judeu do cativeiro babilônico e permitiu seu retorno a Judá. Você já ouviu falar?

— Não, nunca.

— Pois então leia para mim.

— Mas eu posso tocá-lo? Uma preciosidade como essa! — o rosto de Ester ficou novamente iluminado, seus olhos brilhavam e tinha nos lábios um largo sorriso.

— Claro! Quero ver se sabe mesmo.

E ela leu, com graça e confiança, aquelas palavras que diziam tanto a sua própria história:

— "Assim diz Ciro, rei da Pérsia: 'O Senhor, Deus dos céus, me deu todos os reinos da terra e me encarregou de lhe edificar uma casa em Jerusalém de Judá. Quem entre vós é de todo o seu povo, seja seu Deus com ele, e suba a Jerusalém de Judá e edifique a Casa do Senhor, Deus de Israel; Ele é o Deus que habita em Jerusalém.'"

— Incrível! Onde aprendeu a ler? — sorridente, o rei esperava a resposta que mataria sua curiosidade. — Além de bela, também é inteligente — seu encanto por Ester apenas crescia.

— Meu pai era escriba — ela respondeu. — Ensinou-me algo quando eu era criança e depois, por conta própria, continuei estudando.

A lembrança do pai e de seus ensinamentos, misturada às memórias que o decreto que lera lhe causou, fez com que Ester sorrisse com saudade e emoção.

—Você não está feliz de estar aqui, Ester?

Mesmo que a moça sorrisse com doçura, havia em seu olhar algo que denunciava tristeza mais profunda enraizava. O rei notou isso.

Ester desviou o olhar, colocou cuidadosamente o cilindro de Ciro novamente sobre a mesa e decidiu falar.

— Antes de ser trazida à casa das mulheres, estava de partida, meu rei. Ia realizar o sonho de conhecer a minha terra.

— E qual é a sua terra?

— De que importa isso agora? Estou presa aqui no palácio. — havia conformismo e tristeza nas palavras de Ester.

— É assim que se sente? Uma prisioneira? — perguntou Assuero, sentindo-se desgostoso com o desgosto de Ester.

— Não escolhi estar neste lugar, senhor. Minha vontade era ter ido embora de Susã — Ester sentia que as lágrimas estavam a ponto de brotar em seus olhos, falar daquilo que sentia fazia com que as sensações fossem mais reais.

—Você não quer descobrir o amor, com o seu rei? — o rei tirou do meio do caminho uma cadeira que os separava, a mesma em que, alguns minutos antes, sentara-se de costas para a porta, desconhecedor do amor. Assuero se aproximou de Ester na tentativa de compreendê-la.

Não restava muito a Ester a não ser baixar os olhos e sujeitar-se à vontade do rei:

— O senhor é que deve decidir. Sou apenas uma mulher.

— Olhe nos meus olhos, Ester! — Assuero disse firme, mas cuidadoso. —Você quer ou não passar a noite com o imperador?

— A verdade é que... não, meu senhor. Perdoe-me. Gostaria de entregar meu corpo apenas a quem já tivesse conquistado meu coração.

Ester sentiu um vento frio percorrendo seu corpo, ao afirmar, corajosamente, o que se passava em seu coração diante do homem mais poderoso do mundo. Assuero, acostumado aos cortejos e bajulações desde a primeira infância, quase não acreditava no que ouvia.

— Muito bem — disse ele, disfarçando o choro que lhe atravessava a garganta. — Mandarei você de volta à casa das mulheres.

— Meu senhor! Perdoe-me se o ofendi! — Ester curvou-se ,pedindo o perdão do rei, triste e amedrontada.

— Não sou homem de fugir de um desafio. Se espera que conquistem seu coração, graciosa Ester, assim o farei — e sorriu para ela com amor, compactuando do primeiro acordo que firmaram juntos.

***

As moças do harém ainda se preparavam para dormir quando Ester voltou, inesperadamente, aos aposentos. Hegai, que supervisionava o movimento, foi o primeiro a notar sua chegada e, como seria de se esperar, ficou completamente apavorado, tentando, em frases urgentes e movimentos brutos, entender por que ela, que deveria retornar apenas pela manhã, após a noite com o rei, estava de volta ao harém tão cedo.

— Você esqueceu alguma coisa? Disse algo que o rei não gostou? Assuero não gostou do seu vestido? Ele pediu sua cabeça? — a cada novo questionamento mais garotas se achegavam, mais gente falava e menos certeza Ester tinha do que devia dizer, ainda que o eunuco lhe desse espaço para falar.

Com um ostensivo sorriso de prazer no rosto, Tafnes saboreava a possibilidade de Assuero haver expulsado sua rival de seus aposentos:

— Quando o rei a viu nesses teus trajes de escrava deve ter sentido saudade de mim! — riu a egípcia.

Foi quando Ester decidiu falar, finalmente:.

— Você deveria guardar as suas suposições para si.

— Ester de Susã foi devolvida! Hahaha! — a crueldade de Tafnes parecia não ter limites.

— Cale a boca, Tafnes! — ordenou Hegai, completamente fora de si.

Quinlá estava em outro cômodo do harém, mas se aproximou devido ao barulho.

— Foi isso mesmo o que aconteceu? — ela perguntou. — O rei a expulsou?

— Não, não foi nada disso — Ester começou a falar e todo o bochicho automaticamente cessou. — O que aconteceu foi que o rei me perguntou diretamente seu eu queria dormir com ele.

O eunuco arregalou os olhos:

— E... o que você disse?

— Eu disse que não.

Hegai tentou confirmar o que acabara de ouvir, repetindo palavra por palavra, mas não conseguiu. Perdeu os sentidos e foi ao chão.

— Ajuda aqui! Tragam uma toalha molhada! Hegai desmaiou! — pediu Quinlá, dividindo-se entre os cuidados urgentes com o colega e a tentativa de entender direito aquela inacreditável história.

— Você não quis dormir com o rei e ele ficou revoltado? — temeu Ana.

— Pelo contrário, Ana. O que me surpreendeu é que ele foi muito cordial. Disse que preferia, então, tentar me conquistar.

— Não acredito! — Ana levou as mãos à boca, encantada com a revelação de Ester.

Quinlá, que tentava reanimar Hegai, não pôde deixar de ouvir.

— Nunca vi nenhum rei ter atitude parecida com uma de suas concubinas!

— Também fiquei surpresa — disse Ester, ainda maravilhada com o que acabara de viver. — Deixe ele tentar... Amanhã é um novo dia.

***

No quarto do rei, as horas simplesmente não passavam. Assuero revirava-se em sua cama tentando dormir, mas não conseguia. Depois de muito lutar, resolveu chamar Harbona, talvez falar daquilo que o afligia fosse ajudar.

— Preciso dormir, mas o sono não chega. Não consigo parar de pensar nessa moça. — disse o rei, sentado em sua cama.

Harbona teve sensibilidade de entender precisamente a quem Assuero se referia:

— E é mesmo a moça que o senhor conheceu na cidade aquele dia? — perguntou, com ar sério e preocupado.

— A reconheci no mesmo instante... Ester... De beleza e personalidade sem igual — o rei trocou a expressão insone por um sorriso de nostalgia.

— Perdão senhor, mas comenta-se pelos corredores do palácio que o senhor a mandou de volta para o harém logo no início da noite...

— Aí que está a diferença, Harbona — o rei gesticulava como se fosse ensinar uma fórmula matemática para seu criado. — Uma concubina me saciaria a noite inteira, mas depois da refeição nem me lembraria mais do rosto dela. Agora, uma rainha não. Uma rainha tem de ser conquistada.

Bruscamente, Assuero levantou-se em direção a Harbona para que ele entendesse exatamente o que queria dizer ao falar de Ester como rainha.

— Que alegria me dá senhor! — Harbona exultou-se. — A esperança de uma nova rainha vai trazer bons agouros para toda Susã.

— Bom, então chame o escriba do palácio para que leia para mim. — Assuero sorriu, conformado. — Afinal, preciso dormir.

E mesmo durante a leitura, mesmo na mais alta noite, o sono lhe custou a chegar. Os pensamentos eram muitos, a alegria transbordava e o rosto e a voz de Ester não lhe saíam da cabeça.

***

O alvoroço provocado por Ester no harém já estava dissipado, e todas estavam acomodadas em suas camas. O rosto de Ester parecia brilhar de forma especial naquela noite. Seu sono também lhe escapava, então ela conversava com Ana, contando que, na realidade, o rei Assuero não era o tirano que ela tinha antes em mente.

— Que ele tenha proposto conquistá-la é, de fato, inesperado — concordou Ana.

Foi quando Ester olhou mais atentamente para a amiga e notou, mesmo na penumbra, seu semblante triste.

— É que a nossa conversa sobre o seu encontro com o rei me fez lembrar de Aridai — disse Ana. — Eu estive com ele dias atrás e...

— Com Aridai? Você saiu do harém? — desta vez foi o semblante de Ester que se agravou.

— Não, ele foi me encontrar no jardim durante o nosso passeio — respondeu Ana, como se aquilo deixasse a situação menos arriscada. — Eu gostei tanto de vê-lo... Nós vamos fugir.

— Isso é loucura, Ana. Pense bem no que diz.

— Eu não tenho outra saída!

— Ele já sabe que você está grávida?

— Achei melhor não contar. Quero esperar até ter certeza.

— Ana, não se engane... O seu sangramento atrasado há tanto tempo, esses mal-estares... É claro que você está esperando um filho desse amalequita.

— Estou perdida — Ana fechou os olhos e virou-se para tentar dormir de vez, em parte porque aquele assunto a angustiava, em parte porque não conseguia mais convencer-se de que tudo iria dar certo.

***

Dois meses haviam se passado desde o rapto das virgens e as coisas ainda não haviam voltado ao normal entre Joel e Rebecca. O sol da manhã renovava as esperanças de um novo dia e, a caminho de seu comércio de tecidos, ela, mais uma vez, implorava perdão ao marido:

— Até quando você vai continuar me evitando, Joel? Você não fala mais comigo. O que eu preciso fazer para conseguir o seu perdão?

O tecelão continuava a andar, mal se dando ao trabalho de olhar para Rebecca quando ela segurava-lhe pelo braço, aproveitando o movimento matinal das ruas.

— Eu sei que errei em não ter lhe contado sobre o namoro da nossa filha com aquele rapaz — disse ela.

— Errou sim — Joel continuava andando, inclemente. — Jamais vou perdoar você e Ana. Ora, um amalequita! Filho de Hamã!

— Ela prometeu que não iria mais se encontrar com ele. E eu não quis aborrecê-lo com uma coisa à toa.

— Coisa à toa? — pela primeira vez em dias Joel olhou diretamente nos olhos da esposa, com uma fúria represada que assustou Rebecca. — Você acha uma "coisa à toa" que nossa filha estivesse envolvida com um amalequita? Com um dos filhos de Hamã?

Aquelas palavras tiniram feito bronze aos ouvidos atentos e desconfiados de Dalfom, que rondava as ruas de comércio fiscalizando as obras do pai, zelando pelos valores e interesses de sua família, com seu andar arrogante e olho clínico para o mal. Voltou seu corpo, ameaçador em direção à barraca de Joel e, por mais que se fizesse notar atrás dos mantos, a raiva no olhar do comerciante era tanta que ele continuou a falar com Rebecca.

— Amalequitas odeiam os judeus, Rebecca. Ele só quer se aproveitar da nossa menina.

— Sinceramente, no começo eu também pensei nisso — ela aproveitou a chance de falar. — Mas eu lembrei da personalidade da nossa filha, eu passei a achar que eles se amam de verda...

— Amor? — interrompeu Joel. — E o que um amalequita entende de amor?

Dalfom já tinha ouvido o suficiente. Saiu de trás dos mantos e se mostrou indisfarçavelmente ao casal.

— Por acaso vocês estão falando do meu irmão Aridai? Eu ouvi bem? E pelo que entendi ele está de caso com a sua filha? Uma judia?

Joel não se intimidou pelo ar inquisidor de Dalfom:

— Seu irmão desonrou minha família. Não pode haver maior desgosto para um pai do que ver sua filha envolvida com um incircunciso, seu irmão, um amalequita, filho de Hamã!

— Pois saiba que sua filha que não é digna de pisar o mesmo solo que um amalequita — disse Dalfom, bufando tão profundamente que Rebecca tinha certeza de que os dois homens partiriam para uma luta. Entretanto, para sua surpresa, o soldado virou as costas e saiu dali apressado, para contar ao pai o que havia descoberto.

***

Em sua casa, Aridai andava perambulando, distante, sofrendo em silêncio no meio de sua própria família, pensando em Ana e sobre como tirá-la do harém.

— Meu filho, você anda descuidando do fogo sagrado — disse Hamã, enquanto Aridai ia até a lamparina dourada para mantê-la acesa em local nobre da sala. — Hoje pela manhã ela quase que se apagou.

— Mas não apagou, pai. Fique tranquilo que isso não vai acontecer novamente.

— Isso não pode acontecer jamais — Zeres reforçou. — Uma casa sem o fogo sagrado é uma casa desprotegida.

Não era claro para o casal se o seu filho os estava escutando, mesmo estando a seu lado. O silêncio voltou a reinar na sala, até que o assunto favorito de Hamã voltou a lhe ocupar a mente: a forca que construía na vila judaica.

— A forca do judeu Mordecai está quase pronta. Está alta, forte, bonita, imponente — Hamã sorria largamente ao gabar-se a respeito da forca.

— Uma verdadeira obra de arte — Aridai comentou com um sorriso sem graça nos lábios, visivelmente desinteressado.

— O dia em que Mordecai estiver pendurado lá fora será um dia de glória — Zeres acompanhava o marido em sua satisfação.

— Tomara que a morte do velho aplaque o ódio que vocês sentem pelos judeus. Afinal, nem todos são como ele.

— O quê? Um filho meu, um amalequita defendendo um judeu? — Hamã questionou, em tom de troça, mas evidentemente incomodado. — Você ouviu isso, mulher?

— O que está acontecendo, Aridai? — Zeres virou-se surpresa diante da atitude do filho.

Mal teve tempo de entender-se diante de uma armadilha de seus pais, Aridai ouviu o barulho das pesadas botas de Dalfom subindo pelas escadas.

— Eu sei o que está acontecendo! — Dalfom chegou arfante, movido pelo desejo de provar-se mais parecido com o pai do que o irmão. — O que está acontecendo é que o filho de vocês está se encontrando com uma judia.

— Como é? — Hamã ainda tentava situar-se na conversa, tamanha era sua surpresa.

— A tal moça com quem Aridai tem se encontrado é filha daquele judeu, Joel — Dalfom gritou de ódio ao dizer essas palavras.

— Isso que o seu irmão está falando é verdade? — Zeres estava de pé, encarando Aridai, tensa.

Aridai caminhou até ela, olhou-a nos olhos e confirmou indiretamente:

— Ela é diferente, mãe.

— Eu não posso acreditar numa coisa dessas — Hamã buscava palavras para descrever sua decepção com o filho, mas só consegui expressar se levantando da poltrona, cerrando os punhos e estufando o peito, próximo a Aridai.

— Como você ousou tocar numa judia imunda? Filha daquela raça abominável! — a expressão preocupada de Zeres dava lugar a um semblante de raiva e desgosto.

— Não fale assim, mãe. Eu amo essa mulher, e vou tirá-la do harém de qualquer forma — a coragem que antes Aridai não teve para encarar os pais e falar sobre seu amor por Ana, agora, estava finalmente explodindo.

— Não vai mesmo! — Zeres transbordava ódio.

Aridai virou-se para desviar-se da mãe enfurecida e encontrou o pai encarando--o, firme. Hamã falou ao filho sem desviar o olhar um minuto sequer, usando uma das armas que melhor sabia manusear: a chantagem:

— Não se atreva, Aridai. Ou eu denuncio a vadia.

— Ela vai morrer quando descobrirem que esteve com outros homens antes do rei — Dalfom não poderia perder a oportunidade de colocar o medo no coração do irmão.

— Pai, por favor, não faça isso!

Restava a Aridai apelar para a piedade do pai. Ele sabia que se Hamã denunciasse Ana, ela não duraria mais um minuto na casa das mulheres.

— Eu só não faço... porque eu não quero que você seja punido também. Mas se você insistir com essa história maluca, eu conto tudo ao rei, Aridai. Não ouse me desobedecer ou você vai se arrepender amargamente. E quanto a tal judia, ela vai pagar com a própria vida.

Hamã encerrou o assunto, terminou de falar com o filho e saiu a passos largos da sala principal onde todos estavam. Se ficasse mais algum tempo na presença de Aridai, era certo que ele mesmo lhe daria a punição que merecia. Dalfom seguiu o pai, em sinal de apoio.

***

Havia muita coisa a fazer, a decidir, a esclarecer, a construir e reconstruir por todo reino. Para poucas pessoas, entretanto, o tempo era de ponderar, acalmar a alma e deixar que a história se desenrolasse por si. Entre os últimos estava Ester. No harém, recostada em algumas almofadas, distante em seus pensamentos, ela não conseguia acreditar que o rei mais poderoso da Terra, um homem com todas as riquezas do mundo aos seus pés, se incomodaria em conquistar o seu amor. Hegai, que chegara por ali para falar com Ester, foi obrigado a tirá-la do seu momento de reflexão.

— Ester querida. — Hegai sentou-se junto a ela.

— Sim? — a moça respondeu, saindo de seu mundo de imaginação.

— Aposto que está pensando no piedoso Assuero.

— Claro que não — o rosto de Ester tomou uma expressão séria.

— Ah não? Se não está, agora vai pensar. Veja o que ele mandou entregar para você. — Hegai estendeu a Ester diversos papiros.

— Para mim? — o belo sorriso de Ester tomou lugar em seus lábios.

— Para quem mais seria? Você está virando a cabeça do rei, Ester! Ele não é de mandar presentes para o harém, ainda mais papiros! Não pensei que viveria para ver isso! Papiros do rei no harém!

Hegai compartilhava da surpresa e alegria de Ester ao contemplar os papiros. Ficou por ali, ao lado da moça, ouvindo-a ler um dos escritos:

— Odes de Anacreonte. "De Atridas os feitos, de Cadmo os louvores tentei celebrar; e a lira rebelde só cantos de amores me quis entoar. Impus-lhe outras cordas... trabalho perdido! A lira troquei; aos feitos de Alcides a nova convido... e Amor, lhe escutei! Adeus, grandes homens! Buscai noutra lira o vosso louvor! A minha não sabe;

não pode; suspira só cantos de amor." — Ester estava diante de um presente precioso e não escondia no olhar a felicidade que estava sentindo.

***

Embora sua mente estivesse constantemente ocupada com pensamentos sobre Ester, um imperador como Assuero devia dedicar-se aos interesses de seu reinado, tomar decisões e resolver conflitos. O rei continuava desejando a Grécia como uma conquista pessoal e não mediria esforços para que isso realmente acontecesse.

Paramentado, com o manto e o cetro real, ele fez o caminho entre seus aposentos e a sala do trono acompanhado de Memucã, com quem conversava sobre estratégias para o ataque aos gregos. A audiência não podia começar sem Hamã

— Desculpem-me pelo atraso, tive contratempos em casa — disse o conselheiros, a passos largos em direção ao seu lugar junto ao trono.

— Conversávamos exatamente sobre o ataque à Grécia — respondeu Assuero, enquanto ajeitava-se no trono.

— A minha opinião é que já esperamos demais — Hamã foi ainda mais incisivo do que de costume, como se uma declaração radical lhe compensasse os minutos atrasados. — A batalha de Termópilas e as centenas de soldados persas que ali morreram não podem ficar sem resposta.

Memucã entendeu o jogo de Hamã: convencer o rei apelando a seu emocional. Tentou, então, ser mais estratégico e racional.

— Não vejo por quê. As tropas persas não avançaram contra os trezentos de Esparta, mas conseguimos matar o rei Leônidas. Acho isso uma grande vitória.

— Memucã, os gregos nos desafiaram — notou o rei. — E não me refiro apenas a esta batalha. Em Maratona, nosso exército estava ganhando e eles conseguiram reverter a situação.

— Concordo. Os gregos merecem uma lição, senhor — Hamã mantinha os olhos em Assuero, mas era evidente que pretendia ser ouvido por Memucã no que julgava ser uma grande cumplicidade com o rei.

— Nós vamos guerrear contra a Grécia na primeira oportunidade — Assuero encerrou a questão. — E peço que não tente mais me persuadir do contrário.

Memucã assentiu, fazendo uma reverência com o corpo. Hamã, entretanto, não se deu por satisfeito:

— Talvez, meu imperador — ponderou, com ar de quem estava prestes a contribuir generosamente para a discussão — Memucã não devesse participar dos preparativos da invasão. Como pode nos favorecer se, no íntimo, nem quer que lutemos?

Foi um golpe baixo, ao qual o conselheiro mais velho reagiu com sabedoria, mas incisivo:

— Hamã está se tornando um mestre na arte de confundir as coisas — disse, encarando-o nos olhos, cerrando os punhos e batendo no peito, enquanto caminhava em direção ao outro conselheiro. — Eu vivo para cumprir as ordens do meu amado rei, ainda que eventualmente não as aprecie.

— Sabe que confio em você, Memucã — disse o rei, levantando-se do trono. — Pode continuar com os preparativos.

O conselheiro agradeceu com uma nova e demorada reverência. Assuero deu a reunião por encerrada, porque Harbona lhe esperava para uma nova audiência. Ao levantar os olhos do chão, Memucã já não tinha o imperador a seu lado. Encarou Hamã com frieza e desprezo, como nunca havia feito até então. Deu um passo em direção ao colega como se estivesse demarcando território. Se os dois conselheiros nunca haviam pensado exatamente da mesma forma, agora estavam silenciosamente se declarando rivais.

Harbona pediu para encontrar o rei em uma área reservada. De fato, o assunto que queria levar-lhe dizia respeito à intimidade do próprio Assuero, de seus eunucos de confiança e até mesmo de um príncipe de uma das províncias do império.

— Bigtá e Teres estão lhe causando problemas, senhor — disse Harbona ao rei, evidentemente constrangido. — Parece que andaram aceitando moedas e favores em troca de informações privilegiadas.

— Entendo. Algo que comprometa a segurança do reino?

— Não. Mas achei que o senhor deveria saber, já que se tratam de dois eunucos de confiança.

— Traga os dois para eu descobrir o que realmente aconteceu — ordenou. — Mas, antes, mande vasculhar o quarto de Bigtá e Teres, veja se encontra algo comprometedor.

***

Ignorando que pudesse estar ameaçado, Dalfom, justamente aquele que havia corrompido os eunucos, continuava passeando altivo e arrogante pelo palácio. Em um dos corredores que levavam ao harém, seu olhar cruzou com o de um jovem eunuco de ar triste e tímido e andar desajeitado, equilibrando diante de si uma pilha de almofadas que haviam sido recentemente lavadas.

O eunuco o reconheceu. Alguns passos depois de terem se cruzado, Dalfom também se lembrou daquela fisionomia: era Ruben, em um de seus primeiros afazeres na nova função, depois de atravessar as noites mais difíceis de sua vida. Dalfom fez a volta e provocou o judeu:

— Ora, ora! O mais novo eunuco do palácio! Agora pode ir ao harém à vontade... Ficou inofensivo!

— Não me provoque! Ainda sou homem o suficiente para enfrentá-lo! — disse, segurando as almofadas em suas mãos, mas com os ombros perfeitamente emparelhados diante do amalequita e os dentes à mostra.

— Homem? Onde? Não estou vendo nenhum homem por aqui! — Dalfom tripudiou, às gargalhadas.

Não havia traços de paciência nos olhos de Ruben. Ele lançou as almofadas no chão e imediatamente partiu para cima de Dalfom disposto a externar toda a raiva que sentia no coração. Dalfom desembainhou a sua espada e a apontou para a altura do coração do eunuco.

— Se der mais um passo morre, mulher! Você sabe muito bem que não pode encostar nem um dedo num oficial do exército do rei!

— Não faria muita diferença, minha vida já acabou mesmo — Ruben encarou Dalfom, e mesmo com a espada do amalequita contra o peito, ele não hesitou. Pelo contrário, avançou dois passos curtos em direção à arma. Dalfom, que naquela fração de segundos teve tempo de pensar nas complicações de assassinar um funcionário em pleno palácio, recuou sutilmente.

— Não vale a pena perder tempo com você — concluiu Ruben, diante do acovardamento do oponente. Deixou Dalfom com a espada em riste, afastou-se, recolheu as almofadas do chão e seguiu seu caminho.

— Judeu idiota! Teve o que mereceu! — Dalfom esperou que Ruben se afastasse para continuar a ofendê-lo e ridicularizá-lo.

***

Harbona havia terminado a vistoria dos quartos de Teres e Bigtá, então os levou até o rei. Como de costume, ao lado de Assuero, estavam seus conselheiros Hamã e Memucã.

— Vocês sabem o que acontece quando o imperador aponta este cetro para uma pessoa, desta forma? — o rei apontou-o em direção aos eunucos.

— Sim, senhor, condenação — Teres sussurrou, de cabeça baixa.

— O enforcamento, imperador — Bigtá completou, engolindo em seco.

— Pois então, o que devo pensar quando descubro que vocês dois, Bigtá e Teres, eunucos de minha confiança, forneceram informações do palácio aos príncipes das províncias em troca de propinas?

— Senhor, isso são intrigas... — tentou justificar Bigtá.

— Nunca fizemos nem faremos nada que desagrade ao nosso rei, o escolhido dos deuses! — Teres disse, em tom solene.

— Não mintam! É certo que vocês receberam propina, sei até onde guardam as moedas!

— Por favor, meu senhor, tenha misericórdia. É verdadeira sua acusação, trocamos informações por moedas de ouro. Mas nada que comprometesse o reino, imperador — diante da confissão do amigo, Teres viu-se obrigado a também assumir o erro.

— Os príncipes das províncias queriam saber como agradá-lo. Só contamos sobre sua preferência pela caça, pelos cavalos, pelas espadas... Tanto que os nobres o regalaram com tais mimos durante o banquete — Bigtá desesperou-se para soar sincero.

— Mas, ainda assim, vocês traíram minha confiança. Meus servos não têm autorização para negociar informações, sejam quais forem! — disse Assuero que, como rei, não podia admitir traições; as pessoas próximas a ele deviam ser de sua total confiança.

— Pecamos pela ganância, meu senhor. Não pensamos nas consequências deste ato. Perdoe-nos! — Teres implorou ao rei, falava de cabeça baixa, temendo olhar em seus olhos.

— Nossa fidelidade é e sempre será para com o grande imperador, senhor dos senhores — Bigtá completou a fala de Teres, na esperança de amolecer o coração do rei.

— Muito bem. — disse Assuero, assinalando o fim da discussão. Vou lhes dar mais uma chance. Mas entreguem todas as moedas que receberam a Harbona. Ele vai se encarregar de juntá-las ao tesouro real. E que isso não a volte mais a acontecer ou pagarão com a vida! Agora vão! Saiam da minha vista! — o rei falou alto e pausadamente, encarando os eunucos para certificar-se de que estava sendo claríssimo. Ambos baixaram a cabeça em sinal de gratidão pela misericórdia do rei, e saíram apressados. O rei não queria vê-los por mais tempo que o suficiente.

— O imperador está magnânimo hoje — Memucã observou. — Em outros tempos teria mandado enforcar os dois!

— Eles trabalham há muito tempo no palácio. Não quero cometer injustiça. Creio que vão se endireitar.

— Meu rei, meu senhor — Hamã meteu-se na conversa — às vezes, vossa majestade me parece um tanto complacente com quem não merece. Esses judeus, por exemplo.

— O que tem os judeus? — o rei perguntou, intrigado com a observação de seu conselheiro.

— É um povo com leis próprias, que não se curva diante de nossos deuses e não presta a devida reverência aos nobres do império. O melhor seria nos livrarmos desses vermes que insistem em contaminar as ruas de Susã! — Hamã explicou-se com a calma de quem descreve o extermínio de formigas domésticas.

— O que está dizendo? O povo judeu faz parte de nosso império. Por acaso o decreto de Ciro libertando os judeus da Babilônia não deve ser levado em conta? — Memucã deixou claro seu incômodo com a sugestão de Hamã, que considerava uma verdadeira sandice.

— Isso foi há tantos anos Memucã — Hamã respondeu, irônico.

— Sim, foi há muito tempo. Mas há séculos, Hamã, que a política de nosso império tem sido preservar a diversidade de culturas e reconstruir templos destruídos das mais variadas crenças! — Memucã reforçou o tom professoral para defender sua opinião diante do rei, mas sua voz começava a se alterar.

— Ora, Memucã... Nós temos de abraçar o futuro, andar para frente! Esse tipo de indulgência está há muito ultrapassada. Você bem sabe que o povo judeu é uma verdadeira praga que se espalha pelo mundo! Nós temos o dever de proteger o rei dessa raça imunda!

— Nunca ouvi nada mais indecente, mais absurdo! — Memucã não escondia sua revolta, e já gritava com Hamã.

— Absurdo é você defender esses... porcos! — gritou Hamã de volta, sem disfarçar a disputa de argumentos que se travava diante do rei.

— Senhores! — Assuero interveio. — A guerra é contra a Grécia, não entre nós! Hamã, por favor, depois voltamos a esse assunto. Agora, chega! Memucã, não haverá mais reunião por hoje. Minha mente está distante, eu tenho outros assuntos a resolver.

— Mas meu rei... — Hamã ainda tentou continuar o assunto.

— É a palavra do seu rei, conselheiro. A reunião está suspensa. Até amanhã — Assuero encerrava o encontro, claramente irritado, mas sem deixar claro qual sua posição.

— Sim, senhor. Até amanhã — Hamã engoliu seco, já que a conversa não havia saído como ele planejava.

*

Mordecai procurou Simion por todo o palácio, carregando suas tábuas de barro que, em sendo ele um escriba, não despertariam suspeita dos atentos guardas. A saudade que sentia era grande, mas a preocupação de não ter notícias de Ester havia mais de dois meses, era ainda maior.

Depois de rondar a área externa do harém, Mordecai resolveu voltar à copa e, desta vez, encontrou Simion durante seu turno. Até ali ninguém o havia interrogado, nem questionado sua presença.

— Simion!

— Senhor Mordecai!

— Finalmente consegui chegar até aqui! Tentei ir até o harém, mas foi impossível! — Mordecai estava ofegante pelo passo apressado.

— Pois não tente mais, por favor! O senhor pode ter um rumo ainda pior que o de Ruben! — Simion temia só de pensar no que poderia acontecer com Mordecai se o descobrissem.

— Pobre Ruben. Eu soube que o transformaram em eunuco — Mordecai disse, pesaroso.

— Foi pego. E sua vida foi poupada. Quando o vi preso, achei que ele fosse direto para a forca — Simion via na castração de Ruben uma grande misericórdia do rei, que poderia ter mandado matá-lo.

— Dos males, o menor. A morte do rapaz seria uma tragédia!

— Tanto avisei, mas ele não quis me ouvir! Agora o senhor, por favor, me escute! Homens velhos não viram eunucos!

— Eu sei... Vou agora para a sala dos escribas. Tenho de catalogar a última remessa de armamento que chegou para o exército. Passei aqui mais para saber se você tinha alguma notícia de Ester.

— Então o senhor não soube? Ela foi ontem à noite até os aposentos do rei, mas parece que Assuero a devolveu! — Simion sorriu ao contar.

— Devolveu?! Como assim? — Mordecai perguntou confuso, sem saber ao certo o que pensar.

— Ela não ficou quase nada nos aposentos do grande Assuero, voltou logo em seguida para a casa das mulheres.

— Será que o rei se desagradou dela? — no rosto e no coração de Mordecai somavam-se preocupações.

— Já ouvi mais de dez versões sobre o assunto, mas ninguém sabe o que realmente aconteceu — Simion, embora pretendesse acalmar o coração de Mordecai, apenas deixou claro a confusão entre os boatos.

— Meu Deus... Qual será o destino de Hadassa? — sem que notasse, Mordecai referiu-se à sua menina usando o nome hebraico. Em seu coração, ela era Hadassa, seria para sempre a menina de quem cuidou e criou com tanto amor como se fosse sua filha. Tudo isso voltou a sua mente em segundos, antes que voltasse a si e desse um jeito de sair da copa em direção à sala dos escribas, temendo que alguém chegasse.

Enquanto caminhava, Mordecai continuava distraído, mergulhado em seus pensamentos e não percebeu o grande homem que se aproximava no corredor vindo por trás das colunas. Quando o notou, não conseguiu evitar o esbarrão. As tabuletas de Mordecai caíram no chão e se partiram em grandes pedaços. Ele se inclinou para apanhá-las quando notou, pelos calçados, que o homem parado em sua frente era Hamã. O amalequita terminou de fazer a meia-volta em torno de seu corpo para colocar-se perfeitamente diante de Mordecai que, curvado para apanhar seu material de trabalho, parecia reverenciá-lo.

Mordecai se levantou.

—Vamos! Não vai pegar suas tabuletas? — perguntou Hamã ao ver que o judeu não se abaixava novamente.

— Elas podem esperar...

— Pois veja o que faço com elas! — tomado pela frustração da reunião em que foi repreendido pelo rei, e farto da insolência de Mordecai, Hamã pisou nas tabuletas com toda a força e raiva de uma criança desesperada.

Mordecai olhou para os pequenos cacos e disse:

— O senhor pode pisar em quantas tábuas quiser. Mas jamais destruirá a minha dignidade.

— Isso é o que veremos! Sua hora está chegando, Mordecai.

— Diga o que quiser, Hamã. Suas ameaças não me intimidam.

— Não vou mais ameaçar, Mordecai.Vou fazer o que tem de ser feito. Sua forca já está sendo construída!

— Se for da vontade do meu Deus... — a calma de Mordecai parecia irritar ainda mais o amalequita. — Mas cuidado, Hamã, para não acabar pendurado na forca que o senhor mesmo construiu.

— Olhe bem pra mim, judeu! Sou favorito do rei, nomeado divino como ele! E você, o que é? Um reles oficial escriba! Descendente de escravos!

A discussão no corredor atrasou o trajeto de Hamã a tal ponto que Memucã, que havia saído da sala do trono um bom tempo depois, teve tempo de flagrá-lo assediando o judeu.

— Que absurdo, Hamã — disse Memucã. — Se você acha que os judeus valem tão pouco como diz, por que está aí perdendo seu precioso tempo com um deles?

— Perco o tempo que for necessário para exterminar esse mal do nosso império! Este homem merece a pena de morte! Assim como todos os judeus — àquela altura, Hamã havia perdido totalmente a compostura, misturando em sua raiva a obsessão particular contra o povo de Israel, contra Mordecai em especial, e a rivalidade com Memucã.

— Que vergonha, humilhando os fracos com sua soberba — repreendeu Memucã, sereno, sem se mover de onde estava. —Venha, escriba, deixe esse "deus" raivoso falando sozinho — dito isso, Mordecai abaixou-se para recolher os restos de suas tabuletas, agradeceu a Memucã e os dois se retiraram.

O ódio não cabia no coração de Hamã. Sentiu seu sangue ferver e a cabeça rodar, aquele certamente estava sendo um dia difícil pra ele. Dalfom encontrou o pai de pé, apoiado em uma das pilastras do corredor, com a cabeça baixa.

— Algum problema, pai?

— Se eu pudesse, os mataria com as minhas próprias mãos! Preciso destruir Memucã. Ele tem de cair rápido, antes mesmo do rei.

— Temos de andar logo com o plano — Dalfom queria ser solidário ao pai e ajudá-lo a atingir seus objetivos o mais breve possível.

— Calma, filho. Não posso me precipitar. E também, se Memucã fosse o meu maior problema...

— Do que o senhor está falando?

— Estou falando de Aridai.

Hamã deu um suspiro, ao mencionar o outro filho.

***

No harém, as moças passeavam no jardim e aproveitavam o bonito dia de sol. Ana, Ester e Quinlá caminhavam juntas, conversando.

— Obrigado por não haver me denunciado ao senhor Hegai, Quinlá. Você tem sido mesmo muito bondosa comigo — disse Ana, referindo-se ao fato de não ser mais virgem e, como se não bastasse, provavelmente estar grávida.

— Você é uma boa moça, Ana. Não quero vê-la sofrer. Ainda mais agora, que carrega uma criança em seu ventre.

— Então, Quinlá, Ana está mesmo grávida — disse Ester, quase que tentando se convencer da informação.

— Eu tenho bom olho para essas coisas. E, ainda mais, a barriguinha dela já está começando a aparecer.

— Isso é o que me preocupa — Ester falava com as duas ao mesmo tempo. — Ana, você não vai conseguir esconder sua gravidez por muito mais tempo.

— Vou separar os vestidos mais largos para Ana. Por enquanto, é melhor que ninguém desconfie — planejava Quinlá.

— Eu oro tanto por você, minha amiga — Ester agora falava diretamente para Ana.

— Sei que pequei, Ester, mas eu quero consertar o meu erro — respondeu, com um sorriso triste em seu rosto. — Quero me casar com Aridai para criarmos juntos nosso filho em Jerusalém.

Quinlá interrompe o passo e aconselha com ar maternal:

— Esqueça isso, minha flor. Esses planos jamais vão se concretizar. Não vê que não há como escapar daqui?

— Tem de haver uma saída — retrucou Ana. — Ou eu estou condenada à morte.

— Não diga isso — retrucou Ester. — Deus há de nos amparar.

Tafnes, se aproximou pela frente, sorrateira e maliciosa.

— A misteriosa Ester e sua amiguinha melancólica. Tramando, como sempre?

— Tramando o quê, Tafnes? Pare de ficar imaginando coisas. — Ester tinha uma expressão cansada e aborrecida no rosto.

— Eu sei que vocês são cheias de segredinhos. Do que elas estavam falando, escrava? — perguntou com tom de autoridade à Quinlá.

— Isso não lhe diz respeito, moça abusada! — Quinlá respondeu, firme.

— Pois quando eu for rainha, me responda desse jeito novamente para ver o que acontece! — Tafnes fazia muitos planos para o seu reinado.

Não era raro que cuidasse de jovens ambiciosas e obstinadas no harém. Mas o nível de ardileza da egípcia impressionava e desestabilizava mesmo a uma pessoa experiente como Quinlá. Diante das provocações, Ana retrucou.

— Tafnes, espere ser coroada antes de fazer ameaças.

— É certo, o rei está enfeitiçado por mim. Vai me chamar hoje de novo, não tenho dúvida.

— Quantas certezas numa cabecinha tão jovem... — Quinlá deu de ombros.

— Ele me disse no ouvido que sou mais bela que Vasti, que a Pérsia inteira se curvará diante de mim! — Tafnes sorria vitoriosa, parecendo realmente acreditar em suas próprias mentiras.

Ester apenas ouvia, discordando com a cabeça, até que resolveu perguntar:

— E o que uma futura rainha almeja, importunando a nossa vida? Nunca lhe fizemos nada, Tafnes.

— Tem algo de podre aqui, Ester. Você não me engana. Logo descubro o que se esconde por trás do seu sorriso.

Ester decidiu entrar no jogo de nervos proposto pela egípcia.

— Quem muito desconfia é porque esconde um grande segredo. O que *você* esconde, Tafnes?

— Eu?! Não escondo nada. Não queira mudar o rumo da conversa. — Tafnes ficou desconcertada com a pergunta inesperada.

— Vou me retirar que é o melhor que faço — Ester disse olhando para Ana e Quinlá. Então deu as costas para Tafnes e afastou-se.

— Vai me deixar falando sozinha? Ester! Ester! — em sua falsa indignação, Tafnes não se atreveu a ir atrás de Ester.

Ester caminhava pelo jardim, procurando a sombra das oliveiras mais frondosas para se proteger do sol, mas sua cabeça ainda estava na desagradável conversa com Tafnes. Quando passou perto da área mais fechada por plantas viu ali um eunuco, mas não os que normalmente as serviam. Era Ruben, seu velho e querido amigo. Ele já a havia reconhecido, mas, em sua revolta, fingiu que não. Enquanto voltava-se para partir, Ester o chamou:

— Ruben? Ruben! — ela o fez interromper seu passo. — Está fugindo de mim?

— Como vai Hadassa? —para ele, aquela nunca seria Ester, e sim Hadassa, sua amada, embora ele mal conseguisse olhá-la nos olhos agora.

— Que bom encontrá-lo, eu queria tanto falar com você! — Ester sorria, mas ao mesmo tempo o rosto ficava sério, pois não sabia muito bem com agir diante do amigo. O que ela sabia é que Ruben havia acabado naquela situação por devoção a ela.

— Desculpe, mas eu tenho de ir, estão me esperando — virando-se novamente, Ruben começa a andar de novo.

— Espere! Ruben, por que está agindo assim? Sou eu... Estava tão preocupada com você, eu soube que o rei o condenou. Sinto muito meu amigo, imagino o seu sofrimento — Ester não conteve as lágrimas.

— Melhor seria se tivesse morrido — Ruben finalmente olhou para Ester, triste, abatido e com o coração agitado.

— Não fale isso! Graças a Deus você não foi executado!

— De que adianta? Nunca mais serei um homem completo, nunca mais... — Ruben olhava para Ester e o coração lhe doía no peito.

— Isso não é verdade! Você é um homem de caráter! Digno, honrado — as lágrimas brotavam grossas nos olhos de Ester.

— Mas não um homem que possa fazê-la feliz.

— Agora sou uma das virgens do rei. Uma prisioneira. Nem de um jeito nem de outro você poderia me fazer feliz.

— Precisava tentar, Hadassa. Perdoe-me se falhei — Ruben voltou a desviar o olhar.

— Hadassa não existe mais. Meu nome agora é Ester. Sou só mais uma na casa das mulheres — as palavras de Ester eram solidárias na dor e na revolta.

— Não, Hadassa...Você é única, especial. Não é como as outras. E eu quis muito que fosse minha — Ruben encarava Ester, não queria que ela se sentisse inferior, pequena, como ele se sentia. Ao olhá-la e finalmente confessar seu amor, um frágil sorriso tomou conta dos lábios do rapaz — Só queria que você soubesse que eu amo mais do que a mim mesmo. Por isso fui tolo o bastante para me colocar nessa situação.

Hegai, sempre atento, já havia dado pela falta de Ester. Caminhava pelo jardim chamando pelo seu nome. Ao ouvirem a voz se aproximando, Ruben se escondeu atrás de uma folhagem densa próxima de uma árvore. Hegai chegou por ali e encontrou apenas Ester.

— Fiquei preocupado com você. Está tudo bem? — Hegai perguntou, enquanto enxugava o suor de seu rosto.

— Tudo bem, senhor Hegai. — Ester responde com um sorriso sem graça, que não escondia seu desconforto.

—Tafnes anda perturbando-a?

— Ela gosta de me provocar — confirmou. — Diz que quando for rainha vai fazer isso e aquilo. Mas não se preocupe comigo. Eu sei me defender.

Hegai devolveu um sorriso irônico.

— Pois Tafnes que se cuide! Não é ela que está nos pensamentos do rei e sim você.

— O senhor acha?

— Não tenho dúvida!

Ester não sabia direito como reagir. Ficou ali, pensativa. Ruben que escutou toda a conversa, cerrou os dentes, os olhos e os punhos, ao sentir o comentário de Hegai atravessando seu coração como uma flecha.

***

De repente, o harém se transformou no coração da vida palaciana. Aridai também, um príncipe de província, filho de um conselheiro importante como Hamã, também tinha a mente fixa ali, especialmente agora que sua família sabia sobre seu relacionamento com Ana. Seu pai certamente dificultaria o trânsito pelo palácio. Mas ele não podia contar com outra situação. Era preciso tirar Ana de Susã o quanto antes.

— Aridai! Você não vai passar desse ponto, meu irmão — Dalfom surgiu como do nada, segurando-o pelo braço.

— Mas o que é isso agora?!

— Nosso pai me incumbiu de não deixá-lo entrar no palácio. O grande Hamã proibiu você de entrar aqui.

— Ora, saia da minha frente, Dalfom! — Aridai continuou caminhando para a entrada do palácio.

— Não pense que vai conseguir chegar até sua amada judia! Guardas! — três guardas surgiram armados para impedir a entrada de Aridai. —Você nunca mais vai vê-la novamente.

— Nunca mais fale de Ana assim!

— Então esse é o nome da vadia?

Aridai conseguiu soltar o braço direito da escolta e, sem equilíbrio, deu um murro desengonçado no rosto do irmão.

— Que patético! Isso é o melhor que pode fazer? — Dalfom aproveitou que Aridai estava novamente seguro pelos guardas e acertou uma cabeçada firme no irmão, em seguida o agarrou pelos cabelos e falou em tom ameaçador —Volte para casa, Aridai. Aqui não é o seu lugar.

Dalfom soltou os cabelos do irmão, que saiu tropeçando, tonto e humilhado, e mortalmente arrependido por haver revelado o nome daquela que deveria proteger.

A maldade estava em todos os cantos do palácio, espalhado e dividido entre homens e mulheres capazes de qualquer coisa pelo poder e pela ganância. Para esses, qualquer um que aparecesse no caminho para atrapalhá-los a ter cada vez mais riquezas, prestígio e poder devia ser exterminado. Um coração envenenado pela ambição era capaz de qualquer coisa. Com os eunucos Bigtá e Teres não era diferente. De volta ao quarto que lhes pertencia, depois de terem recebido o perdão real, eles não comemoravam a atitude benevolente do rei, tampouco o admiravam por tê-los poupado.

— Como se não bastasse a quantidade de ouro que o imperador possui, o "escolhido de deus" vem pedir o nosso de volta — revoltado, Teres lamentava as moedas de ouro perdidas.

— O rei Assuero é um calhorda! Merece morrer! — Bigtá bebia água para acalmar-se enquanto amaldiçoava o rei.

— Se merecia! —Teres concordava plenamente com o amigo.

— Mas isso ainda demora. O rei é jovem. Cheio de saúde — Bigtá comentava, frustrado.

—A não ser que alguém desse uma ajudinha, não é mesmo Bigtá? —Teres sorria, maquiavélico, contemplando a própria ideia.

— Isso seria perfeito — Bigtá deitou-se na cama para pensar na ideia de Teres.

— Pelo menos o rei Assuero acreditou que vendíamos apenas informações banais! — comemorava Teres.

— Se ele sonhasse que negociamos as estratégias de guerra do império e que contrabandeamos mulheres suspeitas para dentro do harém... — os dois riam satisfeitos por ter conseguido enganar o rei.

Num segundo Teres interrompe a autocelebração e tenta trazer o amigo para a realidade:

— Mais cedo ou mais tarde é capaz de ele descobrir, Bigtá. O imperador vai nos vigiar, tenho certeza.

— Então é bom tomarmos alguma providência. Senão acabaremos mortos — o riso havia ido embora, e Bigtá assumiu uma expressão séria.

— Dizem que na rua dos comerciantes tem uma tenda. Lá vendem diversos tipos de veneno —Teres considerava.

—Veneno? Você não está pensando em... — Bigtá que antes estava deitado, sentou-se surpreso com a ideia do colega.

— Bem que eu gostaria, mas é muito arriscado — disse Teres, frustrado.

— O problema é o que ganharíamos com isso? Se matássemos o rei, toda sua fortuna iria para as mãos dos príncipes.

Incrivelmente, não era o risco que preocupava Bigtá, mas a possibilidade de não lucrarem financeiramente com sua ideia.

— É verdade, Bigtá. Porém, se houvesse um dentre esses oficiais que se dispusesse a me pagar uma boa quantia em moedas, eu não pensaria duas vezes! — e os dois eunucos riam alto e divertiam-se com a sua maldade.

***

Mordecai foi até a casa do amigo Joel para visitá-lo. Assim como se preocupava com sua prima Ester, também ansiava por notícias de Ana, que da mesma forma fora arrancada daquela família querida. Ao chegar, porém, encontrou o amigo especialmente aflito e abatido.

— Não bastasse tudo o que estou passando, ainda vem aquele imprestável para atazanar o meu dia! — Joel reclamava para o amigo.

— Calma Joel, calma! Conte-me direito o que aconteceu. De quem é que você está falando? — Mordecai não conseguia acompanhar Joel em suas palavras.

— Do irmão daquele amalequita maldito que desonrou a minha filha, do mesmo sangue de Aridai, outro filho de Hamã.

— Dalfom?

— Esse mesmo, o maldito.

— Mas o que esse amalequita estava fazendo na sua barraca? Foi lá espezinhar os judeus como sempre? — Mordecai tentava entender o que Dalfom poderia querer com Joel. O amigo estava muito agitado para explicar claramente.

— Infernizar a nossa vida.

— Joel, eu não estou entendendo. Ele foi lá tomar satisfações do namoro de Ana com Aridai? — supôs.

— Ele nem sabia que o irmão namorava uma judia. Só ficou sabendo por causa dessa minha boca grande. Mordecai, ele não gostou nem um pouco do que ouviu! — havia medo no rosto de Joel.

— Isso é muito ruim, Joel! A última coisa que a Ana precisa é do ódio da família de Hamã — Mais do que nunca, Mordecai temia por Ana, pois sabia bem a influência de Hamã no palácio.

— Eu sei. Quando vi, já era tarde. Já estávamos brigando na frente da barraca. Como Ana pôde fazer isso, se envolver com um deles? Atrair esse mal para a nossa família?

Joel perdeu as forças e, em desespero, chorava. Seu corpo foi desmoronando em direção ao chão.

— Calma Joel! — Mordecai ajudou-o a se recompor, serviu-lhe água e pediu novamente para que se acalmasse.

— Ana está correndo muito perigo. Hamã com certeza vai querer se vingar da minha filha — mais calmo, Joel explicou o motivo de sua preocupação agora ter dobrado.

— Eu sei o que você deve estar sentindo. Eu também temo pela vida de Hadassa — embora não tivesse entrado em detalhes do motivo de sua preocupação, Mordecai compartilhava do sentimento de Joel.

— O que será que está acontecendo com essas meninas agora, naquele palácio? No harém? — a aflição de Joel estava contida em cada palavra que saía de sua boca.

— Só nos resta ter fé de que as duas estejam bem — Mordecai, apesar de preocupado, mantinha a fé e acreditava que Deus daria um jeito de reverter toda aquela situação. Sua fé lhe dava forças para caminhar todos os dias, mesmo sem sua menina, e o ajudava a encorajar o amigo que tanto sofria.

O que Mordecai não podia supor é que, diferentemente do que ouvira de Simion e ao contrário dos boatos que corriam pelo palácio, Ester não havia sido "devolvida" pelo rei. Na verdade, justamente por enxergar nela algo diferente, especial, ele se impôs o dever de conquistá-la. Os papiros enviados ao harém eram prova disso. E desde então o interesse do poderoso Assuero por Ester só fez crescer.

— Harbona, mande preparar meu cavalo e uma égua domada para Ester — disse o rei com voz suave para seu fiel criado. — Hoje sairemos pelo bosque real só nós dois, sem escolta.

Harbona o ajudava a se vestir com trajes oficiais de passeio, cuidando em especial das grossas faixas de couro sobre seus pés e canelas e, se por um lado se alegrou com o ânimo do rei, por outro se preocupou com sua segurança:

— É muito perigo sair sem guardas, meu senhor.

— Esta tarde é assim que vai ser. Preciso de tranquilidade. Faz tempo que eu não circulo por aquelas cercanias. Quero cavalgar por aí como um homem comum.

— Tem certeza? — confirmou o eunuco, fazendo uso da confiança que o imperador nele depositava.

— Absoluta. Esta tarde, o rei só deseja ter olhos para Ester — respondeu, referindo-se a si mesmo na terceira pessoa, com um sorriso quase adolescente em seu rosto de homem feito.

Harbona concluiu seu trabalho rapidamente e partiu para avisar Hegai que preparasse Ester para o passeio. A animação e a paixão do rei Assuero contagiavam um a um. Hegai estava exultante quando, tocando seus címbalos, convocou todas as moças e funcionários do harém para dar a notícia.

— Vocês não vão acreditar! Atenção, meninas! Todas aqui!

— O que foi, senhor Hegai? — curiosa, Ester queria saber o motivo da agitação.

— O rei chamou uma moça pelo nome! — Hegai mal continha a alegria que estava sentindo.

— Sabia! Suas tolas! Eu serei rainha! — Tafnes já contava vantagem sobre as outras moças.

— Tafnes, cale a boca imediatamente! — Hegai deu uma pausa em sua alegria para chamar a atenção de Tafnes.

— O que disse? — surpresa com a reação de Hegai, Tafnes quis enfrentá-lo. Ela realmente acreditava ser a escolhida de Assuero, futura rainha da Pérsia.

— Nem mais uma palavra ou a mando para o calabouço agora mesmo! — Hegai colocou as coisas em seu devido lugar.

Tafnes, que era abusada e pernóstica, mas não tola, sabia da autoridade de Hegai no harém. Decidiu obedecer-lhe e calar-se.

Hegai desceu os degraus de onde estava, pegou Ester pelas mãos e disse para que todas escutassem:

— Ester de Susã! Foi o nome que o rei chamou! Em alto e bom som!

— O rei me chamou? — o sorriso de Ester era espontâneo, largo e surpresos de fato. Aquela jovem sorria também com os olhos, que brilhavam de felicidade.

— Não acredito! Ester! O que foi que você fez com o poderoso rei Assuero?! — Ana compartilhava da surpresa da amiga.

— Também não faço ideia! — respondeu Hegai, com simpatia afetada. — Mas Ester deve acompanhá-lo num passeio a cavalo pelo bosque real!

A cada novo detalhe, o coração de Ester disparava ainda mais. Tafnes retirou-se do grupo que rodeava Hegai e, profundamente irritada, agora comentava para si:

— Isso é um pesadelo! Não pode ser verdade.

— Que romântico! O bosque real é um lugar tão agradável! — Quinlá disse num tom materno.

— O rei nunca fez isso! Nem com Vasti! — Hegai, assim como todos que sabiam do passeio, estavam surpresos e encantados com a atitude do rei.

— Precisamos de uma roupa especial para a ocasião! Que divertido! Um vestido de montaria para Ester! Deve ser leve, porém elegante! Com cores bem suaves que combinem com a beleza do passeio! Vamos ver! — Hegai saiu com Ester, guiando-a pelas mãos. Enquanto os preparativos começavam, Tafnes continuou ali, parada, sem acreditar no que estava acontecendo.

A notícia de que o rei havia chamado uma moça do harém pelo nome, para acompanhá-lo em um passeio espalhou-se como fogo por cada canto e corredor daquele grande palácio. Estavam todos animados pela possibilidade de terem uma nova rainha, e muito curiosos para saber quem era a moça que havia mexido tanto com o coração de Assuero a ponto de ele dispensar escolta num passeio em um lugar tão romântico quanto o bosque. Assuero era conhecido por estar sempre atarefado e ser muito racional, pouco afeito a prazeres simples como aquele. Além disso, se alguma mulher já o havia feito baixar a guarda, literalmente, e esquecer-se de suas obrigações reais por alguns momentos, ninguém nunca havia ouvido falar.

— Adivinha quem o rei chamou para acompanhá-lo em seu passeio pelo bosque? — perguntou Simion na cozinha, enquanto lustrava um jogo de bandejas de prata usadas em cerimônias oficiais. O copeiro reforçou seu sorriso a fim de animar Ruben, cujo olhar perdido e desconsolado não fazia questão alguma de esconder.

— Sei lá — respondeu o eunuco, com pouco caso. — Os príncipes do império, a guarda real, tanto faz.

Simion fingiu não notar a apatia de Ruben, reconstruiu seu sorriso e deu uma volta em torno do amigo para revelar-lhe junto ao ouvido:

— Ester!

Ruben saiu de sua apatia num sobressalto.

— Hadassa? — o judeu se recusava a chamá-la por outro nome que não aquele pelo qual a chamou durante toda a vida.

— Não repita esse nome, Ruben. Você sabe o quanto isso pode ser perigoso. Imagine se alguém descobre — a alegria no rosto de Simion foi trocada por um olhar de reprovação, e sua voz ganhou um tom mais baixo, como o de quem troca um segredo.

— E por que o rei chamou Hadassa para um passeio? — insistia o eunuco, cada vez mais atônito.

— Por que será, Ruben? Porque Ester é a mais linda do harém — Simion fartou-se do jogo e continuou seus afazeres.

Ruben mantinha a expressão séria e o interesse na conversa. Esteve tão absorto em sua dor que sequer ouvira falar que a amiga já havia estado com o poderoso Assuero, mas que havia saído rapidamente de lá, deixando atrás de si uma onda de boatos desencontrados: alguns davam conta de uma virgem que se recusara a dormir com o rei; outros, de que o imperador havia expulsado uma mulher de sua cama.

— E qual dessas histórias seria a verdadeira? — perguntou Ruben.

— Não está na cara?! Ela foi chamada para o bosque! O rei Assuero deve estar enlouquecido por ela! — disse Simion, exultante.

Sem conseguir acreditar no que acabara de ouvir, Ruben não se mexia, apenas sentia a onda de decepção lhe correr o corpo, o coração disparar no peito, a dor e a tristeza tomarem conta novamente de sua alma. Foi somente então que Simion, vendo a reação do amigo, se deu conta de que havia cometido uma gafe ao comentar tal assunto, ainda mais com tamanha animação. Ruben ainda gostava de Ester.

***

Assuero, que se preparava para o encontro com Ester, havia anistiado os eunucos Bigtá e Teres, temendo cometer injustiças com dois criados do palácio. Poucas horas depois, a troco de mais moedas, Bigtá já estava conduzindo Tafnes ao encontro de Dalfom, desprezando completamente a segunda chance concedida pelo imperador.

O casal se encontrou numa área reservada do jardim do harém, enquanto Bigtá mantinha-se em um ponto estratégico, montando guarda para evitar surpresas. Dalfom tomou Tafnes pelo braço com força e a beijou ardentemente. Aquela dança sensual de corpos se transformou quando a egípcia esquivou-se.

— Chega, eu não estou com cabeça para isso.

— Ora, a futura rainha está nervosa!

— Preciso conversar com você.

Dalfom imaginou o assunto e se adiantou, aproximando-se de forma sensual.

— Fale. Como foi com o rei?

— Foi tranquilo — Tafnes respondeu de forma seca, incapaz de disfarçar sua decepção. Dalfom segurou-a pelo rosto, agressivo, franziu a testa e perguntou bem próximo de seus lábios:

— Tafnes... Quando ele vai chamá-la de novo?

— Você está machucando o meu rosto!

Dalfom se afastou alguns passos dela. Não estava gostando nada daquela conversa.

— Eu preciso antes acabar com uma moça que está me atrapalhando.

O amalequita fungou de desprezo:

— Você foi passada para trás por outra concubina... Quem diria! — ironizou. — Como é o nome dessa mulher que está dormindo com o rei?

— Ester de Susã. Ela acha que será rainha em meu lugar, mas ela não me conhece. E ela nem foi para a cama com o rei.

— Então qual o problema com ela?

— O rei a convidou para um passei no bosque a cavalo.

Dalfom fez o movimento quase involuntário de levar as mãos à espada em sua bainha. Virou as costas para Tafnes como se precisasse de espaço para pensar. Ele sabia que se Assuero havia mesmo convidado alguém para um romântico passeio, seus planos para Tafnes corriam sérios riscos.

— Isso não é nada bom — ele resmungou.

— Mais uma noite com ele, é tudo o que eu preciso para que ele nunca mais se lembre dessa Ester.

Tafnes sentiu a respiração pesada do amalequita e temeu que ele fosse violento com ela. Ao se aproximar e tocar-lhe pelo braço, Dalfom virou-se rapidamente, levantando o braço direito para dar-lhe um tapa. A egípcia se protegeu, mas Dalfom conseguiu se controlar a tempo de não agredi-la. Tomou-a pelo braço, entretanto, com violência e raiva.

— Você tem de ser a rainha. Esta é a sua missão. Cumpra-a, para o seu próprio bem — ameaçou Dalfom.

Tafnes balbuciou alguma justificativa, mas tudo o que o príncipe fez foi soltar as mãos do braço dela e dirigir-se ao eunuco, como se nem escutasse o que ela tentava dizer:

— Bigtá, pode levá-la daqui.

***

Para o governador do mundo, não era fácil encontrar tempo para os prazeres simples da vida. Só mesmo algo muito precioso o faria esquecer as guerras e conspirações. Assuero se irritava quando precisava esperar por príncipes ou por outros reis em audiências oficiais. Entretanto, naquela tarde quente de verão, ele aguardava uma simples garota, protegido pelos guarda-sóis de seus criados.

Hegai surgiu trazendo Ester, linda, radiante. A luz do sol no rosto da moça lhe dava um ar ainda mais alegre, e, iluminada daquela forma, Ester parecia mais um anjo aos olhos do rei, de uma beleza incomum, natural, que não precisava de muitos adornos para reafirmar-se. O bosque era projetado para receber a brisa refrescante que amainava o calor, mas também acariciava os cabelos negros e lisos e o vestido azul de montaria que adornavam a preferida do rei. Ester caminhava observando as árvores e os pássaros e divertia-se com tudo aquilo, contemplando a beleza criada por seu Deus.

— Trouxe Ester de Susã, ó grande rei. Uma estrela em forma de donzela para iluminar sua tarde — anunciou Hegai, e os dois curvaram-se diante do rei.

— Pode levantar o olhar, Ester — disse o rei gentilmente. — Gostou do convite?

— Gostei — respondeu Ester, sorrindo, ainda tímida.

— Obrigado, Hegai, fez um belo trabalho — elogiou Assuero. Na verdade, era a deixa para que tanto o eunuco como os outros servos os deixassem a sós.

— Muito obrigado meu rei, com licença.

O rei deu um passo em direção a Ester. Tímida e sem saber direito o que dizer, falou logo o que lhe veio à mente:

— Gostaria de agradecer pelos papiros, senhor.

— Gostou do que leu?

— Muito. As odes de Anacreonte são triviais, mas muito humanas, belas aos olhos e aos ouvidos — Ester sorria enquanto falava olhando para o rei, mas voltou a baixar o olhar quando percebeu que o rei contemplava sua beleza e sensibilidade.

— Fico feliz que tenha gostado. Você tem olhos muito bonitos, Ester. É algo difícil de esquecer — disse o rei, levantando seu rosto delicadamente. — Mas agora queria levá-la a uma aventura menos lírica.

Então Assuero estendeu a mão para Ester, que, um tanto surpresa, olhou-o nos olhos, e sorrindo, retribuiu o carinho, colocando a palma de sua mão sobre a dele. O rei então conduziu Ester até os cavalos que estavam ali por perto, preparados, como ele havia ordenado.

Os dois cavalgaram um pouco e depois pararam em uma clareira. Desceram de seus cavalos e passaram a caminhar calmamente, conduzindo seus lindos animais pela mão.

— Você até que monta bem, Ester — observou, sorrindo.

— Meu pai tinha um burrinho. Ele me botava na garupa e me levava para passear — Ester enchia seus olhos de alegria ao rememorar a infância.

— Fale-me um pouco dos seus pais.

— Meus pais morreram cedo demais, e foi uma pena — respondeu de forma seca, mas delicada.

— Sinto muito, Ester.

— Lembro que meu pai amava contar histórias... Ele me colocava no colo e ficava horas falando dos nossos antepassados, das coisas que ele tinha vivido. Ele me faz tanta falta... Já a minha mãe queria me ensinar a tecer, mas eu não levava jeito. O que gostava mesmo era de ir com meu pai para a porta da cidade contar quantos cavalos entravam e saiam.

— Eu também contava cavalos! — o rei riu da brincadeira em comum dos dois.

— Verdade? — Ester olhou surpresa para o rei.

— É! Só que contava os cavalos do palácio.

— E eu achei que só eu brincasse disso... — Ester se sentia cada vez mais à vontade na companhia do rei, e ele, cada vez mais encantado pela espontaneidade que experimentava ao lado dela.

— Seus pais deviam ser pessoas maravilhosas, Ester.

— Eles eram mesmo. Muitos simples, sofridos... Mas não se deixavam abater. Tinham sempre um sorriso nos lábios.

— Assim como você — e o rei olhou Ester nos olhos, com admiração. Ela retribuiu o olhar. — Tenho certeza de que se pudessem vê-la hoje, teriam muito orgulho da mulher que você se tornou.

O rei caminhou com Ester até uma árvore, na qual eles poderiam amarrar suas montarias. Entretanto, o lindo cavalo branco se agitou inesperadamente.

— Calma, Gilgamesh. É por um instante apenas. Aproveite para descansar um pouco! — disse ele, enquanto o acariciava.

— Parece que o Gilgamesh preferia voltar logo para o estábulo — observou Ester, rindo.

— Não vá me envergonhar na frente da moça — o rei sussurrou para seu animal.

— Eu não sei o que o senhor falou pra ele, mas parece que funcionou.

— É um segredo nosso! Meu pai me ensinou a sempre respeitar os animais — comentou o rei, enquanto fazia carinho em seu cavalo. Ester observava o cuidado do rei.

— Seu pai deve ter sido um homem bom. Todos aqui no palácio falam do grande Dario com muito respeito e saudade.

— Tudo que sou, tudo que sei, tudo que penso é graças a ele — saudoso, o rei lembrava do pai com carinho.

— E o senhor não tinha medo quando seu pai o levava nas batalhas? — Ester sabia que o filho de um rei, um príncipe, devia aprender a lutar desde cedo e participar das batalhas com o pai.

— Não, nunca tive medo. Fui treinado para isso desde pequeno, e eu sentia orgulho de lutar ao lado do meu pai.

Ester observava o rei falar de seu pai, percebia sinceridade em suas palavras, coragem.

Os dois caminhavam agora sem os cavalos, contemplando a beleza do bosque, o frescor da brisa e a companhia um do outro. Pararam debaixo de uma árvore grande, de troncos fortes, certamente muito antiga. Sentaram-se por ali, entre flores, e continuaram a conversar. Sentiam-se tão íntimos um do outro que permitiram-se migrar de assuntos frugais para política. Ester, sempre espontânea, entendeu que podia mesmo dar a sua opinião sobre conflitos entre países.

— Confesso ao senhor que sou contra a guerra em qualquer circunstância. São sempre tantas vidas inocentes que se perdem.

— Para uns a guerra é uma desgraça, para outros, a salvação.

— Para os que a vencem, é claro — Ester riu da conclusão que lhe parecia óbvia.

— Para muitos dos vencidos também, Ester!

— Não, me desculpe, mas não posso concordar com isso — Ester era sempre muito sincera em suas palavras, discordava quando preciso, até mesmo do rei.

— Os judeus, por exemplo — disse Assuero. — Se o nobre Ciro não tivesse guerreado e conquistado a Babilônia, todos aqueles judeus seriam escravos até hoje.

— É, pensando por esse lado... — Ester refletia sobre o novo ponto de vista que lhe havia sido apresentado.

— Sempre foi essa a política de unificação do império. Se templos são destruídos, eu reconstruo, como meu pai fez antes de mim e tantos outros antes dele. Povos subjugados são libertos. As nações vencidas unidas à Pérsia se vêm numa condição muito melhor do que antes.

— O senhor provavelmente está certo. Tem vezes que a dor se faz necessária para a vinda de um bem maior. Mas devemos sempre almejar a paz — Ester ouvia o rei com atenção, mas trazia leveza à conversa falando de paz com muita alegria.

— Como é bom ouvir suas palavras, Ester — colheu uma das flores que os cercavam e ofereceu para ela, que a recebeu com um sorriso e um olhar agradecido. — Tão bom quanto olhar para o seu belo rosto.

De repente, um breve e corrosivo silêncio mudou o semblante do rei. Assuero assumiu uma expressão, séria, mas serena. Tomou um fôlego como que para refletir sobre o que diria a seguir.

— Se quiser ir embora, tem a minha permissão, Ester.

— Como assim? Não vai me acompanhar de volta ao palácio?

— Quero dizer ir embora de Susã. Voltar para a sua terra. Realizar o seu sonho.

— Como? — Ester com os olhos arregalados não acreditava no que estava ouvindo. — Está dizendo que posso deixar o harém?

— Não quero que fique obrigada nem que se sinta minha prisioneira. Você pode partir, Ester. Não é do que eu gostaria, mas se é a sua vontade, quero vê-la feliz.

Completamente surpresa, Ester não sabia direito o que pensar nem o que responder ao grande rei Assuero. Não esperava do rei uma atitude tão nobre, tão desprendida de interesse próprio. Ouvir que poderia partir era tudo que mais sonhava quando fora levada para o harém, mas agora já não tinha tanta certeza. Naquela tarde, naquele jardim, naquele gesto de amor generoso nascia algo que prendia o seu coração e podia mudar sua vida para sempre.

CINCO

Assuero comemora

Se o sorriso insistia em negar o quão desconsertada estava, as mãos de Ester não escondiam seu nervosismo. Ela jamais imaginaria se encontrar no meio de uma encruzilhada como aquela, tampouco uma que exigisse resposta tão rápida.

— Se eu pudesse escolher ir embora dias atrás, não teria dúvida — ela disse, aumentando o volume da voz a cada palavra, à medida que ganhava convicção do que dizia. — Mas agora acho melhor ficar, grande Assuero.

— É mesmo? — agora era o rei que se desconcertava. — Mas por que deseja ficar se está livre para partir?

— Não sei se teria como ir embora de Susã agora. Não posso me aventurar sozinha... Já que estou aqui...

— Ótimo! Você alegra os meus dias, Ester — o rei Assuero sorriu para Ester, em sua alegria de tê-la consigo por vontade própria. Tocou o rosto da moça com delicadeza e olhou-a nos olhos. Seu entusiasmo era tanto que seu corpo inclinou-se no instinto de beijá-la, mas foi interrompido por Ester que desviou o olhar e pediu gentilmente para que voltassem ao palácio.

O rei sorriu. Em seu coração, crescia a admiração pela integridade da mulher por quem se apaixonava rapidamente. Ele atendeu ao pedido imediatamente. Já havia se aproximado bastante de Ester naquele passeio, não queria correr o risco de afastá-la, forçando qualquer situação constrangedora.

Assuero levantou-se e estendeu a mão para Ester. Caminharam calmamente até seus cavalos. O barulho dos animais chamou a atenção de um eunuco que colhia as ervas usadas pelas concubinas do rei em seus banhos. Era Ruben, que esgueirou-se por entre os arbustos e reconheceu sua eterna Hadassa. O rapaz ficou observando o casal ir embora, com um olhar perdido, melancólico.

Mesmo distante a ponto de não ouvir palavra alguma, o fato de ambos terem optado por conduzirem seus cavalos já revelava o suficiente: queriam prolongar ao máximo aquele momento na companhia um do outro. Conversavam, riam como se estivessem sozinhos no mundo. Nenhuma preocupação, nenhum problema nem inimigos em sua mente. Chegado finalmente o momento de despedirem-se, Ester quis expressar um pouco de sua gratidão.

— Tenho de agradecer imensamente, senhor. Foi um passeio maravilhoso.

— Então você fica me devendo — respondeu, carinhoso. — O dia em que seu rei estiver triste, você tem a obrigação de fazê-lo sorrir!

Ester riu da brincadeira do rei, abaixou os olhos com o galanteio e, quase que automaticamente, levou a mão ao pescoço para, como sempre fazia, sentir em suas mãos o colar herdado da mãe. Foi só então que percebeu que ele não estava lá.

— O que houve, Ester? — o rei notou que o rosto de Ester havia mudado. A moça que antes sorria agora passava a mão no pescoço nervosamente, enquanto seus olhos rastreavam a grama.

— O colar que minha mãe me deu... Eu perdi.

— Tem certeza que estava com ele?

— Claro, nunca tirei esse colar desde quando era criança — desconsolada, Ester não pôde evitar as lágrimas.

— Não fique assim, Ester. Darei a você o colar mais lindo de toda a Pérsia! Qualquer joia que desejar!

— Perdoe-me, senhor. Era a única lembrança que restou dos meus pais. Nenhum outro colar, por mais valioso que seja, poderá ser colocado em seu lugar.

Assuero entendeu a gravidade da situação.

— Perdoe-me se fui rude. Não era minha intenção... — o rei, rendido pela impossibilidade de repor uma joia de valor sentimental tão grande, e vendo Ester aos prantos, quis abraçá-la e consolá-la em seus braços mas recuou, temendo ser mal interpretado. Ele sabia que com Ester as coisas deveriam acontecer naturalmente.

— De maneira nenhuma foi rude, senhor — respondeu a jovem.

Triste, Ester seguiu com o rei para a entrada do palácio.

Ester despertava no rei o que nem toda riqueza e poder do império podiam dar. Passeando com ela e rindo como um jovem que descobre o amor, Assuero voltou a ser um homem como outro qualquer. Como uma joia que não pode ser substituída, por mais dinheiro e poder que se tenha nas mãos.

***

A preocupação com o bem estar de Ester não era exclusividade de rei. Mordecai, que a havia criado e educado, preocupava-se com o destino de sua prima no palácio. A notícia que tinha até então era de que Ester havia sido chamada pelo rei e mandada de volta ao harém muito rápido. Mordecai, sempre próximo do casal Joel e Rebecca, caminhava com os amigos na rua dos comerciantes.

— Será que minha Hadassa fez alguma coisa para irritar o grande Assuero? Estou tão aflito...

— Você tem razão em estar preocupado. Mas se ela ficou poucos instantes nos aposentos do rei, o principal ele não fez — em sua sinceridade, Joel apenas deixava o amigo mais preocupado.

— Mordecai, não dê ouvidos a esse velho rabugento. Não há de ser nada! — Rebecca disse, agitada.

— Faça um favor, Mordecai. Diga a esta senhora que rabugento era o pai dela! Eu sou sensato.

— Diga a este senhor, Mordecai, que se ele ousar falar o nome do meu pai novamente, vai ver só!

— Não acredito! Já há algum tempo que vocês não se falam! Vão continuar com essa bobagem até quando, meu Deus? — Mordecai interrompeu a caminhada, na esperança de receber a atenção dos amigos para o que dizia. Embora escutassem Mordecai, Joel e Rebecca continuaram caminhando até o fim da viela e tomaram rumos opostos.

***

Ester já estava de volta ao harém, e assim que apareceu na entrada, atraiu todas as outras moças, ávidas para saber notícias sobre o passeio com o rei. Quinlá não escondia seu entusiasmo — mas nada chegava perto da euforia de Hegai.

O eunuco perguntava cada detalhe e impressão sobre o passeio. Na verdade, entre concubinas e servos, a única que se mantinha distante, observando tudo com desdém, era Tafnes.

Ester contou-lhes que andaram a cavalo por um campo belíssimo e pararam numa clareira, o lugar do bosque preferido do rei. Contou também que lá o rei a havia concedido a liberdade, dizendo que ela era livre para deixar o harém.

Um calafrio percorreu todo o harém. Não era segredo o quanto Ester desejava sair do palácio. Por alguns segundos era como se dezenas de pessoas prendessem a respiração ao mesmo tempo. Quando Ester revelou sua opção, de permanecer no harém, Hegai não se conteve e soltou um grito de felicidade — afinal, sua simpatia por Ester aumentava a cada dia.

— A única coisa que me deixou triste — disse Ester, levando a mão ao pescoço, e entristecendo sua expressão leve — foi ter perdido o meu colar.

— Não se preocupe querida, o rei pode lhe dar a joia mais bela que existir — confortava-a Hegai.

— Não pode existir joia mais bela do que aquela que minha mãe me deu.

A roda em torno de Ester, celebrando seu romance e a cobrindo de cuidados enraivecia Tafnes que, no entanto, havia aprendido a guardar seu sentimento para si.

— Isso não vai ficar assim — murmurou. — Mas deixe o tempo fluir, ela vai ver só.

Na área de serviços do palácio, havia alguém tão inconformado quanto a egípcia. Era Ruben. Ele havia concluído seus deveres no bosque e, com o cair da noite, se dirigira à cozinha, onde sabia que encontraria o amigo Simion. Eram íntimos o suficiente para que ele pudesse simplesmente sentar-se e descansar do peso que carregava em seu peito.

— Ruben? Parece que viu a própria morte.

— A morte teria sido melhor. Se tirar a própria vida não fosse um pecado tão grande...

—Você está me assustando. O que foi que aconteceu, Ruben?

—Vi Hadassa e o rei. Alegres, pelo bosque — embora falasse de alegria, a voz de Ruben era apática, baixa e rancorosa.

—Você os viu?! E o que eles estavam fazendo? — Simion interessou-se logo pelo assunto e, baixando as taças douradas que tinha em mãos, perguntou animado.

— Andavam pela trilha e parece que estavam muito felizes.

— Mas isso é maravilhoso! Não percebe como é boa essa notícia, Ruben? — Simion não continha a própria alegria, queria que Ruben também compartilhasse dela.

— Para mim, ser testemunha da felicidade dos dois foi um grande pesar — Ruben olhou no rosto de Simion para tentar entender sua alegria, mas tudo o que sentia era dor.

— Deixe de ser egoísta. É melhor você ir se acostumando. Do jeito que o rei está interessado em Ester, logo ela vai se tornar rainha! — comentou Simion, pousando a mão sobre o ombro de Ruben.

— Vou deixar você sozinho, Simion. Tem sido muito doloroso para mim. Suas palavras me machucam ainda mais — de cabeça baixa, Ruben retirou-se da cozinha. Simion ficou ali, de pé, chamando o nome do amigo para tentar explicar que não havia maldade em suas palavras, até perceber que o que lhe doía vinha de dentro de sua alma.

***

As moças já haviam se retirado para seus aposentos, apenas Ana e Ester conversavam no jardim externo do harém. Inquieta demais para dormir, Ana precisava conversar um pouco com a amiga.

— Aridai não apareceu mais, Ester. Ele prometeu que voltaria. Será que ele me abandonou? — as lágrimas de Ana rolavam pelo rosto.

— A primeira visita de Aridai ao harém já foi de um risco suicida — contemporizou Ester. — Não sei se deve esperar que venha novamente — Ester sabia que a realidade era dura, mas era seu dever alertar Ana sobre as expectativas.

— Mas ele tem de me tirar daqui, Ester!

— Você quer que Aridai acabe como o Ruben? Que vire eunuco do palácio?

— Mas e eu? Será que ele não me quer mais?! Será que desistiu de mim? Logo agora que ia criar coragem para contar do nosso filho! — era difícil para Ana ver saída na situação em que se encontrava e, por isso, chorava ainda mais.

— Não chore. Tenho esperança de que tudo há de se resolver — Ester confiava, acima de tudo, no poder de Deus para mudar o rumo da história de Ana.

— Estou tão arrependida. Como fui ingênua! Entregar-me a um homem que não era meu marido. Ainda por cima, incircunciso... — a culpa doía-lhe o coração, pois sabia que ela mesma se colocara naquela situação.

— Você tem de ficar calma. Sofrer desse jeito não vai fazer bem para o bebê — vendo a dor da amiga, Ester tentou que ela se acalmasse, se não fosse por si, que fosse pela vida que carregava.

— Ah, meu Deus, me perdoa! Estou sem rumo, perdida — Ana olhava o grande e límpido céu escuro da Pérsia, se dirigindo ao Deus de Israel, embotando sua visão com as lágrimas que lhe cobriam os olhos — Não permite que meu filho responda pelos erros que cometi!

Quinlá viu que as duas moças ainda estavam acordadas e conversavam lá fora. Ela se aproximou para certificar-se de que tudo estava bem. Porém, viu que Ana estava chorando e logo imaginou que fosse por causa da gravidez.

— Enxugue as lágrimas, filha. Não vai ser nada bom Hegai vê-la assim — Quinlá sabia que o eunuco se aproximava.

— Meninas, chega de conversa! Quero todas dormindo! Está na hora do sono da juventude! Do sono da beleza! Não quero ninguém com aquelas olheiras horrorosas!

Assim, Ana e Ester se juntaram às outras moças que já estavam nos aposentos. Ana era consolada pela boa amiga Ester, e entre as lágrimas que insistiam em brotar nos seus olhos, ela tentava adormecer.

***

Se Ana soubesse o quanto o sono escapava de Aridai talvez isso lhe servisse de consolo. O príncipe vagava pelos corredores, em dor e desespero. Olhando pela janela, ele sentia a escuridão da noite cair sobre a própria alma, pesada, densa e infinita. O rapaz não percebeu quando sua mãe, Zeres, apareceu atrás dele, chamando seu nome.

— Mãe, que susto!

— Tantos partos eu enfrentei... Amamentei dez crianças com todo amor. Mas você, Aridai, sempre foi o meu favorito.

— Por que a senhora está dizendo isso agora?

— Ah se eu pudesse voltar no tempo... Se eu pudesse vê-lo pequeno outra vez. Minguado, todo coberto com o meu sangue — Zeres acariciava o rosto do filho enquanto lembrava seu nascimento.

— O tempo passou, mãe, eu cresci — Aridai afastou-se do carinho da mãe, sem entender ainda aonde ela queria chegar.

— É uma injustiça um filho crescer. O rebento abandonar o colo de sua mãe para deitar-se com gente... fétida. — Zeres falava com o filho entre as lágrimas de revolta.

— Ela não é fétida, mãe! Só nos braços da Ana eu sou feliz.

— Cale-se! — Zeres bateu com toda a força que conseguiu reunir no rosto do filho. — Não quero mais ouvir falar nesse nome!

— A senhora amou meu pai... Será que não consegue compreender?

— E o amor por mim? Pela nossa estirpe? Onde está? — Zeres continuou a gritar com Aridai.

— Eu a amo, mãe. A magoei e decepcionei, mas eu a amo — Aridai limitou-se a responder a mãe de cabeça baixa.

— Eu o perdoo, basta você nunca mais falar nesse nome. Nem mesmo pense naquela judia — Zeres colocou a mão sobre a boca do filho, como se selasse com ele um acordo de silêncio. — Eu quero o Aridai de antes, o meu menino de volta.

— Claro, mãe, claro... — Aridai desviou o olhar e afastou-se alguns passos da mãe. Zeres o observava indignada, mas calma.

— Você não vai querer sua própria mãe contra você — disse em tom de aviso, e deixou Aridai confuso com toda a injustiça que o cercava.

A insônia de Aridai tinha suas raízes na tristeza, assim com a de Ana. Adormecer era impossível diante da distância e de tantos outros problemas que os separavam. Porém, a insônia não fazia companhia somente a esses que sofriam tanto, mas também àquele que, pela euforia de um dia tão especial, não conseguia dormir.

— Harbona! Harbona! — inquieto, o rei decidiu chamar o seu fiel servo. Ainda meio sonâmbulo, o eunuco foi o mais rápido que pôde aos aposentos reais.

— Pois não, senhor?

— Já acharam o colar que Ester perdeu?

— Infelizmente, ainda não foi encontrado.

— Deve estar naquela clareira perto do rio. Foi onde paramos para andar.

— Lamento informar que toda a região já foi vasculhada, senhor.

— Vasculhem de novo! Intensifiquem as buscas.

— Sim, meu rei.

— Agora, vá, Harbona e mande chamar o escriba do palácio para que leia para mim. Essa insônia não me deixa fugir de meus pensamentos...

— Sim, meu senhor. Volto num instante — Harbona já saía apressado para cumprir as ordens do rei quando foi interrompido.

— Não, Harbona! Espere. Não precisa chamar o escriba. Pensei em algo melhor.

O rei Assuero ordenou que Harbona mandasse Hegai chamar Ester, e pedir que ela fosse até os aposentos reais ler para ele. Harbona, animado pelo interesse do rei em Ester, foi imediatamente falar com Hegai e pedir que chamasse Ester, que a acordasse, se fosse preciso.

As moças do harém já estavam todas acomodadas em seus aposentos. Todas dormiam, menos Ester, que não conseguia sequer fechar os olhos. As lembranças do passeio com o rei preenchiam seu pensamento, aceleravam o coração e a faziam suspirar. A moça sonhava acordada, recordando momentos que tinham se concretizado junto ao rei. O mesmo rei que agora estava constantemente em seus pensamentos.

— Ester, minha querida, achei que estivesse dormindo. Que bom que está acordada! — Hegai aproximou-se com suavidade, ainda assim Ester surpreendeu-se com sua presença.

— Senhor Hegai? Aconteceu alguma coisa?

— Levante-se! Mas não deixe ninguém perceber!

— O que houve? — Ester perguntou preocupada.

— O rei! Mandou chamá-la!

— Agora?! — o sorriso de Ester era ainda mais largo do que antes, quando pensava em seus momentos com o grande Assuero.

— Sim, agora! Vamos, Ester, rápido! O imperador está esperando! Leve o presente que ele lhe deu.

Ester pegou os papiros que havia ganhado do rei e foi até seu encontro. Entrou delicadamente nos aposentos reais e curvou-se, como de costume.

— Grande Assuero.

— Ester, me perdoe ter mandado acordá-la.

— Estava acordada, meu rei.

— Também não estava conseguindo dormir?

— Não. Mas estava sonhando acordada... — os dois trocaram olhares intensos, que diziam tudo aquilo que não conseguiam expressar em palavras.

— Se importa de ler para mim?

— De maneira alguma. Será um prazer ler o papiro que o senhor me deu de presente — disse sorridente.

— Quem sabe essa leitura me ajuda a pegar no sono. A insônia me persegue. São tantas preocupações...

— Eu imagino, senhor. O império da Pérsia é tão vasto...

— Inúmeros inimigos. Todos tramando contra a vida do rei.

— Que a minha voz acaricie seus ouvidos e a beleza desses versos acalme seu coração, Assuero.

— É tudo o que eu mais quero — o rei lhe sorriu em aprovação.

Ester sentou-se perto da cama do rei e começou a ler para ele, enquanto Assuero, deitado, tentava dormir.

— "Tu cantas as guerras de antigos tebanos. Aquele, os combates dos fortes troianos. Eu só, quando a lira encosto no peito, celebro as conquistas que em mim se tem feito..."

O rei recebia essas palavras como um afago e deleitava-se em observar Ester. Seus olhos, sua boca, suas mãos... Tudo a respeito daquela jovem o encantava.

— "...não foram dragões, nem velas ao vento que alçaram troféus ao meu vencimento. Foi lindo esquadrão de vistas brilhantes que solta o meu bem dos olhos galantes..."

Sem que Ester desse por conta, o rei Assuero adormeceu. Ela, então, parou a leitura e aproximou-se dele para lhe acariciar levemente o rosto. Sentia seu perfume bem de perto, mas assustou-se um pouco quando o rei se acomodou levemente. Assustada com a própria ousadia, Ester saiu do quarto tentando não fazer barulho e voltar para o harém.

Assim que deixou o quarto, Assuero voltou a abrir os olhos de leve. Na realidade, ele não estivera em sono tão profundo. Ele percebera a demonstração de carinho de Ester e agora sorria, satisfeito e profundamente feliz.

Cada um em seu aposento, tanto o rei como a plebeia puderam então dormir tranquilos. Seus corações já não se agitavam tanto no peito após passarem um tempo juntos.

***

No dia seguinte, ainda cedo, Ester acordou e foi para a parte externa do harém, aproveitar a brisa fresca da manhã enquanto penteava os cabelos e se olhava no pequeno espelho de mão. De repente, ouviu um barulho, como de murmúrios e respiração forte, vindo da parte alta da varanda, próxima ao jardim de inverno. Intrigada, resolveu seguir o som para ver do que se tratava.

Atrás de uma grande pilastra de pedra, Ester ficou perplexa com o que viu: Tafnes e Dalfom agarrados num beijo quente. Estarrecida com a cena, Ester manteve-se imóvel. Tafnes foi a primeira a notar sua presença.

— Maldição — disse a egípcia, empurrando o braço musculoso do amalequita para longe de seu corpo.

Surpreendido e afoito, Dalfom tomou a dianteira da situação, pensando na saída que lhe era a mais costumeira, o suborno.

— Quanto você quer, moça? Quanto para ficar calada?! — disse, colocando a mão na cintura e puxando um pesado saco de moedas. — Tome, leve tudo.

— N-não quero nada — Ester continuava estática, sem a menor ideia do que falar.

— Maldita! Aceite o dinheiro! Ande! — o ódio de Tafnes era claro em seu olhar frio, porém igualmente desesperado.

— Cala essa boca, Tafnes! — Dalfom interveio. — Deixe que eu falo com ela!

A grosseria de Tafnes, aparentemente, despertou Ester sobre a atitude a tomar.

— Não precisa de nada. Com licença — e virou-se para ir embora.

— Você não vai sair assim! — Tafnes ultrapassou o amante com o corpo e agarrou a rival pelo braço.

— Ester, querida! — Hegai apareceu por ali, a tempo de ver Tafnes segurando Ester pelo braço. Dalfom escondeu-se rapidamente assim que ouviu a voz do eunuco, e tomou a saída do harém. — Mas o que está acontecendo aqui? — disse, encontrando a egípcia nervosa e agressiva e Ester visivelmente incomodada, mas serena como sempre. — Tafnes! Largue-a agora mesmo!

— Perdão, senhor Hegai — Tafnes sabia que não podia medir forças com Hegai.

— Pelo jeito é para Ester que você deve pedir perdão. Por que estavam brigando dessa vez?

— Briga nenhuma, senhor Hegai — respondeu Ester com firmeza, enquanto a rival balbuciava. — Tafnes é quem insiste em me provocar. Com licença.

Ester saiu dali, enquanto Hegai permanecia com Tafnes, encarando-a.

— Pode começar, estou esperando. — disse Hegai, furioso. — Ande! Vai me contar ou não o que aconteceu aqui?

— Nada mesmo, senhor Hegai. Coisas de mulher.

Hegai não tinha motivos para continuar questionando a moça, mas pressentia com clareza que não se tratava de simples "coisas de mulher". Entretanto, deixou Tafnes partir.

Dalfom, depois do susto que passara, ainda muito preocupado e tenso, caminhava pelos corredores do palácio. De longe, Dalfom avistou o irmão, Aridai discutindo com os guardas do palácio, exigindo que eles permitissem sua entrada.

— Que confusão é essa? Já não lhe disse que o nosso pai não quer que pise mais no palácio?

— Hoje eu vou entrar, Dalfom.

— Meu humor não está nada bom, Aridai. Escolheu um péssimo dia para querer desafiar nosso pai.

— Sou um dos nobres dessa terra. Vocês não têm o direito de impedir minha entrada!

— Temos, sim, quando você arrisca jogar o nome da nossa família na lama!

— Quem vive encontrando uma das esposas do rei é você, Dalfom. Se for pego, nosso pai cai junto.

— Mas pelo menos não é uma judia imunda!

— Maldito! — Aridai partiu para cima do irmão pela ofensa à Ana. Tomado por essa raiva ele esmurrou Dalfom com tanta força que o levou ao chão. Na confusão, conseguiu esquivar-se também dos guardas que tentavam detê-lo. Assim, Aridai entrou correndo no palácio em busca de sua amada.

Ana passeava pelo jardim naquela manhã acompanhada por Quinlá, que havia se tornado uma verdadeira amiga em meio a tantas adversidades no harém.

— Que bom que Ester e o piedoso Assuero estão se encontrando — Quinlá comentava sorridente.

— Sim, pelo menos uma de nós pode ser feliz — com um sorriso frouxo e sem graça, Ana não conseguia deixar de pensar na própria situação.

— Levante essa cabeça, menina! Ficar se lamentando não vai fazer nada bem a essa criança que carrega em seu ventre.

— O que vai ser dessa criança, Quinlá? Nem sei se vou viver para cuidar do meu filho — Ana sabia bem qual seria o seu destino se descobrissem sobre sua gravidez.

— Quem sabe os deuses não a favorecem e sua gravidez não seja motivo de punição? — segurando as mãos da moça, Quinlá esperava dar-lhe um pouco de esperança, mesmo que o desfecho da situação parecesse óbvio.

— Não vou me iludir, Quinlá. Quanto mais eu penso no meu futuro, a cada dia que passa ele me parece mais aterrador.

Antes que pudesse pensar sobre como responder à tristeza e desolação de Ana, Quinlá ouviu a voz de Hegai chamando por ela, para ajudar-lhe com questões do harém. Quinlá pediu licença e, assim, Ana ficou sozinha no jardim, olhando à sua volta, buscando respostas no vazio.

Imersa em sua dor e em seu sentimento de culpa, Ana quase não ouviu quando uma voz a chamou baixo, mas de forma agitada. Ela procurou de onde vinha o som e rapidamente encontrou o rosto de Aridai entre as plantas do jardim. Ana mudou completamente, perdeu o semblante triste e sombrio e iluminou o rosto com um belo sorriso. Não perdeu tempo em muitas reflexões e apressou-se em ir ao encontro de seu amado, cuidando, entretanto, para não ser vista.

Envolvidos pela alegria de estarem juntos novamente e pela ansiedade de quem sabe que aquele momento seria breve, os dois trocaram beijos doloridos.

— Meu amor, minha Ana... — Aridai olhou Ana como se quisesse registrar sua imagem na mente para os momentos de solidão.

— Por que demorou tanto tempo para vir, Aridai?

— Meu pai descobriu tudo, ele e meu irmão estão me impedindo de encontrar você — as palavras apressadas de Aridai demonstravam seu desespero frente à situação.

— Hamã sabe de nós dois?

— Sabe.

— Estou perdida! — Ana levou a mão à boca, como quem ouve sua sentença de morte.

— Nós temos de fugir o quanto antes, mas à luz do dia é loucura! Na primeira oportunidade, na próxima lua nova, venho buscá-la, o breu ajudará em nossa fuga! — Aridai já ia se despedindo quando Ana o deteve.

— Tem uma coisa que ainda não falei!

— Rápido, Ana! Temos pouquíssimo tempo!

— Não estamos sós, nós dois aqui, agora... Aqui dentro — Ana tentava ser romântica em um momento desesperadamente prático como aquele. — Estou esperando um filho seu.

Ana levou a mão de Aridai em direção a sua barriga. Ele, entretanto, olhava para a judia com semblante sério, assustado, correndo o corpo da amada apenas com os olhos rápidos.

— Achei que fosse ficar feliz... — sem ouvir palavra de Aridai, Ana sentia o desespero tomar conta de seu coração.

— Fui pego de surpresa, Ana. Não esperava...

— Ficou bravo comigo?

— Não, claro que não! Vou tirar você daqui, Ana! Eu juro! Você e nosso filho! — brotou um sorriso nos lábios de Aridai após o choque da notícia, mas que rapidamente se desfez ao escutar Dalfom gritando seu nome.

— É meu irmão, Ana! Fuja! Eu volto! Prometo — o casal se beijou uma última vez e Ana correu por entre o jardim para esconder-se.

Aridai esgueirou-se pelo jardim, mas não demorou até que seu irmão o achasse. Dalfom trazia consigo dois guardas para ajudar a capturar o irmão e arrastá-lo para fora do harém. E assim o fizeram.

No trajeto do jardim até a parte externa do palácio, os guardas, Dalfom e Aridai, encontraram Hamã vindo em direção contrária.

— O que é que está havendo? — surpreso com a cena do filho sendo arrastado, Hamã não entendeu nada.

— Pai! Mande que eles me soltem!

— Soltem meu filho! Ele está comigo. Podem ir! — Hamã ordenou aos guardas, que lhe obedeceram imediatamente.

— Que confusão é essa, Dalfom? — Hamã dirigiu-se ao filho mais velho, em quem confiava, partindo do pressuposto de que Aridai havia causado a confusão.

— Aridai estava se esgueirando pelo jardim real. Foi atrás da judia!

— Que vergonha ter você como filho. Amaldiçoo o dia que você nasceu, Aridai — se Hamã estava com raiva e nervoso com a situação, não demonstrou, falando baixo e calmo, com convicção do que dizia.

— Não podem me impedir de frequentar o palácio. Sou tão nobre e merecedor quanto qualquer um de meus nove irmãos! — Aridai procurava argumentos para debater com o pai.

— Deixou de ser quando cismou de andar com judeus! — Dalfom estava sempre pronto para completar as frases do pai e repreender o irmão o máximo que podia.

Aridai virou-se para revidar a ofensa, mas Hamã o impediu, gritando seu nome e, prosseguindo em sua crueldade, disse:

— Sabe o que farei, filho ingrato? Mandarei o rei executar sua protegida. Que tal? Imagina como o imperador vai reagir ao saber que uma moça do harém tem se encontrado com um amante? — Hamã ria em sua ironia usual e ao mesmo tempo chorava pela decepção com o filho.

— Você nunca faria isso! Vai acabar se complicando também quando o rei souber que o culpado é um filho seu — pela primeira vez, Aridai considerou revidar a chantagem do pai, provocando-o em seu ponto fraco: a relação com o rei.

— Assuero vai me poupar, não percebe? Porque serei eu mesmo a entregar meu próprio filho. E então, lhe parece agora uma prova suficiente de lealdade? — Hamã encarou o filho com ar triunfante e riu.

Para Aridai, aparentemente, só restava sujeitar-se à misericórdia do pai.

— Você e sua judia estão perdidos — Dalfom juntou-se ao pai para colocar Aridai em situação cada vez mais humilhante.

Desesperado, Aridai tentou sua carta mais arriscada.

— Não faça isso, pai! Eu lhe suplico! Não mande à morte a mulher que carrega seu neto no ventre.

A resposta de Hamã não foi com palavras. Ele deu um tapa no rosto de Aridai que o fez desmoronar no chão. Dalfom aproveitou para covardemente chutar o irmão caído. Furioso, Hamã queria urrar de ódio e bater muito mais no filho, mas conteve-se por estar no palácio e ordenou a Dalfom que levantasse Aridai.

— Você acha que vou permitir que um filho meu faça um escândalo no meio do palácio e jogue o nome da nossa família na lama? — Hamã gritou com Aridai, agarrando-o pela garganta.

— Tenha piedade, lhe imploro! — disse o jovem, com as palavras sufocadas. — Os deuses... não permitem que se matem... os próprios descendentes.

— É meu neto sim, mas também é judeu. E isso já é um mau agouro. Tal mistura não pode existir! — Hamã soltou violentamente o filho.

— Nunca vi coração tão duro. Quer dizer que rejeita o seu próprio neto? — em sua revolta Aridai gritou com o pai. Era difícil acreditar que nem mesmo a notícia de um descendente seria capaz de aplacar seu ódio pelo povo de Israel.

— Essa criança não vai nascer, Aridai! — Hamã prometeu apertando ainda mais a garganta de Aridai.

***

Na barraca da família Rebecca e Joel trabalhavam como num dia comum. Rebecca vendia os tecidos para clientes que passavam por ali, sempre muito educada e simpática com as pessoas. Ela e Joel não se falavam direito desde que o romance de Ana com Aridai fora descoberto. Entretanto, naquele dia, Joel estava diferente. Ele chegou perto da esposa com ar despretensioso, encabulado, deixando claro que queria conversar, mas não sabia como. Finalmente quebrou o silêncio:

— Rebecca, por favor, vamos parar com isso. Acho que fui injusto com você...

— Ah, você acha? — ironizou Rebecca, ainda magoada, sem ceder imediatamente.

— Agora, mais calmo, vejo que você não tem culpa dos descaminhos da nossa filha.

— Não acha que sofro tanto quanto você? — Rebecca continuava dobrando alguns tecidos que estavam sobre a banca, ainda de costas para o marido. Joel aproximou-se, vencendo seu machismo e mostrando-se arrependido.

— Perdoe-me, Rebecca. Preciso de você ao meu lado, senão não vou aguentar tanta decepção...

Antes de virar-se para o marido, Rebecca fechou os olhos e agradeceu a Deus por aquele momento. A distância entre os dois já havia durado tempo demais.

Ela finalmente virou-se para Joel e sorriu, emocionada.

— Oh, meu querido... É claro que eu o perdoo. Entendo a sua dor — e abraçou o marido com carinho e saudade.

O momento de paz e reconciliação entre Joel e Rebecca não poderia ter sido interrompido de forma mais grosseira do que pela chegada de Hamã, trazendo Aridai arrastado pelo braço e o inseparável Dalfom.

— Vamos! Você vai falar na cara dos pais dela! — Hamã gritava com Aridai em frente a barraca de Joel e Rebecca.

— O que vocês querem?! Nenhum dos três é bem vindo! — Joel disse, revoltado com a presença da família amalequita.

— Meu irmão tem uma notícia — Dalfom anunciou.

— Por favor, vão embora! Chega de confusão! — Rebecca temia que a situação piorasse ainda mais.

— Fale, Aridai! — Hamã gritou com o filho.

— É sobre a Ana, não é?! Fale logo, rapaz! — Joel sentia o desespero tomar conta de seu coração com o suspense.

— A Ana está esperando um filho... um filho meu — Aridai mal conseguia olhar para Rebecca e Joel ao revelar o que tinha a dizer.

— O quê?! — Joel não esperava um golpe tão baixo dessa vez.

— A filha de vocês é uma mulher desonrada! Aquela vadia seduziu meu filho em algum beco escuro e o resultado está aí! — Hamã gritava para quem quisesse ouvir.

— Não é nada disso! — Aridai tentou explicar-se.

— Minha vontade agora era matar você, rapaz! Saiam daqui! Sumam da minha frente! — Joel ordenou a todos eles. Porém, nem um pouco intimidado, Hamã largou Aridai e aproximou-se de Joel.

— Não pense que sua filha está segura só porque carrega meu neto na barriga dela — disse Hamã, ameaçador.

— Vamos embora, pai. Essa barraca fede — Dalfom, fiel como um cão, interveio na conversa. Hamã saiu dali seguido por ele. Aridai que ficou para trás, quis desculpar-se com Joel e Rebecca.

— Perdão, senhor Joel, senhora Rebecca.

— Fora daqui! — foi a única resposta que Joel pôde dar.

Aridai obedeceu. Joel e Rebecca ficaram na barraca, abraçados e inconsoláveis, pois não podiam imaginar que a situação chegaria àquele ponto.

As horas se arrastavam na barraca de tecidos, e o dia que começara tão bem custava a terminar. Encerrados os trabalhos, o casal foi até a casa de Mordecai, seu amigo e conselheiro. Mesmo que ele não pudesse fazer nada, Joel e Rebecca precisavam desabafar, dividir com alguém a tristeza que carregavam no coração. Já era noite quando bateram à porta de Mordecai, que os recebeu com um sorriso. Até ali, Joel e Rebecca caminharam devagar, desanimados, como se arrastassem os próprios corpos pelas estreitas ruas de Susã.

— Você não imagina o tamanho da tragédia que se abateu sobre nós! — disse Joel assim que Mordecai abriu a porta.

— O que foi? — Mordecai fez os amigos entrarem em sua casa e tinha agora os olhos arregalados de preocupação.

— Ana está grávida — Rebecca não fez cerimônias para contar ao amigo a péssima notícia.

— Grávida? — Mordecai repetiu a palavra, sem acreditar no que ouvia.

— Do amalequita! Ela se entregou ao sujeito! Está esperando um filho dele! — as palavras de Joel saíam de sua boca carregadas de ressentimento.

— Meu Deus! — Mordecai levou as mãos à cabeça, perplexo.

— Temo pela vida da minha filha, Mordecai! Se descobrem que ela não é mais virgem no harém do rei... Eu nem sei! — Rebecca começou a chorar ao falar da preocupação com a filha.

— É muito grave! Ela pode até morrer! — Mordecai analisava a situação em voz alta. Não queria assustar os pais, mas aquela era a realidade: Ana poderia mesmo ser morta caso alguém a descobrisse ou decidisse denunciá-la.

— Estou magoado demais com a minha menina! E esse rancor só aumenta... — Joel, um pouco afastado de Rebecca e Mordecai, lamentava-se com um olhar alheio, como se falasse consigo mesmo.

— Mas não podemos culpar a criança. Um filho é sempre uma bênção — Rebecca sentou-se, a tristeza que lhe abatia a alma fazia com que perdesse a força. Mordecai aproximou-se de Joel, colocou a mão em seu ombro e lhe disse:

— Joel, meu amigo. Que turbilhão que está passando pela vida da sua família.

— Nunca mais quero ver o rosto de minha filha, Mordecai! Nunca mais! Só não queria que ela morresse...

— A situação de sua filha realmente não é boa. Basta uma palavra de Hamã para que Ana vá para a forca no mesmo instante — Mordecai compartilhava da dor dos amigos e sabia que o desespero deles tinha fundamento, dado o poder de Hamã dentro do palácio.

Não era somente entre a colônia judaica que a notícia da gravidez de Ana estava trazendo transtornos. Na casa de Aridai, sua mãe Zeres havia acabado de saber que a judia pela qual Aridai estava apaixonado agora esperava um filho dele. Novamente estavam os três para dar a notícia: Hamã, quem contou à Zeres, Aridai e Dalfom.

— Diga-me que estou louca! Que não posso ter ouvido isso!

— É a verdade, mulher. Infelizmente — Hamã confirmou a notícia com pesar.

— Não criei você para se envolver com nossos inimigos! Não percebe que está amaldiçoando a nossa família? misturando nosso sangue com o daquela raça abominável? — Zeres falava com Aridai com todo o ódio que sentia no coração, não apenas por Ana, mas por todos os judeus.

— Vocês são doentes! A raiva que alimentam contra os judeus não tem limite? Mãe, eu amo aquela mulher com todo o meu coração! Será que não podem entender isso? — Aridai gritava, em meio às furiosas lágrimas que rolavam em seu rosto.

— Por mais que eu tente, não consigo, Aridai. Você nos traiu! Nunca vou perdoá-lo — Zeres, mesmo chorando, olhou firme para Aridai ao dizer essas palavras.

— É uma pena que tenha de ser assim, mãe — Aridai ia se retirando, quando seu pai se interpôs em seu caminho.

— Você vai esquecer essa mulher, Aridai! Ela vai deixar de existir para nós. E aquela criança que ela carrega no ventre, essa não vai existir mesmo! — mais uma vez, Hamã falava com Aridai em tom ameaçador.

— Peça logo a cabeça da judia para o rei, meu pai! Denuncie a tal Ana! — Dalfom incentivava ainda a cisão, pouco se importando com a situação do irmão.

— Por favor, pai, tenha piedade. Não conte nada ao grande rei. Eu faço o que o senhor quiser! — Aridai implorou mais uma vez ao pai, sabendo que ele teria poder para matar Ana e seu filho, e certamente o faria.

— Muito bem... Não contarei nada ao imperador, mas você vai ter de jurar que nunca mais irá ao palácio atrás dela.

— Tudo bem — respondeu, olhando para o chão — eu juro...

— Um pouco mais de convicção, Aridai. Faça o juramento pelo seu sangue — Zeres trouxe uma faca para que o filho fizesse o juramento do jeito que ela queria. Aridai tomou a faca e, hesitante, cortou a palma da própria mão.

— Eu juro!

Hamã respirou aliviado e retirou-se, assim também o fez Zeres e Dalfom. Aridai permaneceu imóvel, chorando enquanto via o sangue de suas veias tingir o chão, abundantemente.

***

No harém, Ester estava deitada em um bonito tapete vermelho, recostada em confortáveis almofadas. Mesmo quem não a conhecia notava que seu pensamento voava muito longe dali, e que suas reflexões eram agradáveis, já que ela sorria sozinha e aparentava grande prazer em brincar com os acessórios de seu vestido. Tafnes, sempre pronta para espalhar seu veneno, veio chegando devagar perto da moça.

— Já está ficando tarde. A lua vai alta no céu. Muitos apostaram que o rei iria chamá-la hoje, mas parece que estavam enganados — Tafnes ria, soberba como sempre.

— Você não foi chamada também. Estamos quites — Ester sentou-se para se dirigir a Tafnes. A presença irritante da moça egípcia tirava-lhe a paz.

— Agora resolveu lutar pelo rei?

Ester olhou bem para Tafnes antes de falar-lhe.

— Agora eu gosto dele. Não pelo poder, nem pelo dinheiro e sim pelo homem que é.

Impaciente, Tafnes não queria ouvir o discurso de Ester sobre o quão desprendida de interesses ela era e foi direto ao assunto que queria tratar.

— O que você pretende, Ester?

— O que eu pretendo? Como assim?

— Você podia ter me entregado ao senhor Hegai e não fez nada. Por quê? Vai me chantagear, Ester? — a egípcia lhe perguntava como se houvesse chegado a uma grande conclusão.

— Não tenho por que lhe prejudicar, Tafnes. É a sua vida, você decide sobre o que fazer dela.

— Eu sei que você não falou nada sobre mim e Dalfom para me ter sempre nas mãos.

— Ter você em minhas mãos, Tafnes, não é de nenhuma serventia.

— Pois vai se arrepender por ter perdido a chance de se livrar de mim. Disso eu lhe asseguro.

— Dalfom é um dos filhos de Hamã, não é? Foi ele que a colocou aqui dentro? Você é uma aliada de Hamã? — formulou Ester, mais para si do que para a rival, deixando claro que, mesmo que não quisesse nada, já havia entendido perfeitamente a natureza da relação entre os dois.

— Sou aliada de mim mesma, Ester — indignou-se, nervosa, subindo o tom de voz. — E não tente roubar a minha coroa! Eu vou ser a rainha da Pérsia!

Quinlá retomara a conversa interrompida com Ana e ambas caminhavam pelo harém quando ouviram a discussão, já em alto som. Não precisou de grande investigação para intuir o que acontecia. Mesmo à distância, Quinlá ordenou:

— Tafnes, pare de perturbar Ester!

— É! Vá procurar o que fazer! — Ana também saiu em defesa da amiga.

— O jogo não acabou, Ester. E eu ainda vou vencer — a egípcia retirou-se dali com uma ameaça.

— Que moça desagradável! — a antipatia de Quinlá, que já era grande, apenas aumentava.

Apesar do conforto das outras moças e da segurança no que fazia, Ester não gostava nada dos encontros com a egípcia. Era evidente que Tafnes a havia deixado nervosa e desestabilizada. Mesmo sua segurança no amor de Assuero havia sido abalada.

— Ela está certa em uma coisa, Quinlá. Já é tarde. Será que o rei não vai me chamar como prometeu?

— Se ele prometeu, vai cumprir. Tenha certeza — Quinlá sorria, calma, satisfeita pelo interesse de Ester no rei.

— Por que ele se encantaria justo comigo? O rei tem tantas para escolher...

— Eu conheço o meu senhor, Ester. Aquilo o que aconteceu, de ele chamá-la para um passeio, lhe conceder liberdade... O poderoso rei nunca fez isso antes com ninguém!

Quinlá falava com a convicção de quem trabalhava para o palácio desde os tempos do rei Dario. Havia visto o rei Assuero crescer, o conhecia muito bem.

— Você deixou o rei apaixonado, minha amiga. — Ana a animava.

— Será mesmo? — sorrindo novamente, agradecida às amigas, Ester ainda sentia-se insegura.

— E ainda tem dúvidas? — Quinlá movimentou seu corpo para trás, mostrando que a insegurança de Ester não fazia sentido algum. — Agora com licença, meninas, tenho coisas a fazer — Quinlá afastou-se, deixando Ana e Ester sozinhas para continuarem a conversa.

— E sobre Aridai, Ana? Alguma notícia?

— Ele veio me ver hoje, mas os guardas o pegaram.

— Meu Deus!

— O pai e o irmão de Aridai descobriram sobre nós, Ester.

— Isso não podia ter acontecido. Hamã odeia os judeus! Ele pode tentar alguma coisa contra você! — Ester apenas reforçava o que Ana já sabia.

— Eu sei... Estou com muito medo, Ester. Tenho o pressentimento de que nunca mais vou ver Aridai novamente.

— Você tem de se poupar, Ana. Carregar esse filho e esconder essa barriga já são tarefas árduas demais.

Antes que Ester e Ana pudessem terminar a conversa, Hegai chegou no harém eufórico e, como sempre, fazendo soar seu pequeno címbalo.

— Atenção, atenção meninas! O rei chamou Ester! O rei quer ver Ester de Susã!

O tom de Hegai misturava sua tradicional empolgação com uma expressão rotineira de quem já estava se acostumando com o anúncio que acabava de fazer.

— O rei me chamou? — Ester foi até Hegai sorrindo e emocionada.

— Não falei para você, Ester? — Ana juntou-se a Ester em sua alegria.

— Que bom, senhor Hegai! Por um momento cheguei a duvidar — Ester não escondia sua alegria de ver sua insegurança se dissipar.

— Agora venha, minha doçura! Venha logo se vestir! Não vamos deixar o rei esperando. — Hegai tomou Ester pelas mãos para prepará-la para mais um encontro com o rei. O próprio Hegai não escondia sua felicidade, sorria e comemorava junto com Ester. Ele sabia que estava contribuindo para uma linda história de amor.

***

Não levou muito tempo até que Hegai conduzisse Ester aos aposentos reais. De fato, o próprio rei ainda não havia chegado. Enquanto aguardavam, ela se lembrou da primeira noite em que esteve ali, e de que já havia uma história por trás daquele romance. Diferentemente daquele primeiro encontro, agora Ester não trazia amargura em seu coração, apenas alegria e a ansiedade para encontrar alguém que agora já era um desconhecido, mas alguém de quem ela havia aprendido a gostar, alguém que dominava todos os seus pensamentos.

— Nós aqui de novo! Nem acredito! — disse Ester a Hegai, encantada.

— E eu? Meu coração está pulando que nem camelo no deserto! Que tolo que sou! Parece até que sou eu que tenho encontro com o rei daqui a pouco!

— Confesso que estou um pouco nervosa.

— Pelos deuses, me promete uma coisa, Ester!

— O que o senhor quiser.

—Veja se dá uma chance para o meu senhor dessa vez... E me conte tudo amanhã!

— Prometo! — ela respondeu, achando graça do pedido. — Boa noite, senhor Hegai!

— Boa noite Ester querida. — despedindo-se de Ester, Hegai retirou-se dos aposentos, animadíssimo, e Ester ficou sozinha, esperando pelo rei.

A moça caminhava devagar observando a beleza e a elegância do lugar, com seus móveis luxuosos e coloridos e tecidos de fios que só se encontravam em províncias muito distantes dali.

Os últimos movimentos dos serviçais aconteciam na área de refeições do quarto, quando Simion chegou para recolher uma bandeja com taças que estava por ali. Conforme a tradição, um copeiro não se atrevia a olhar para a concubina do rei. Ele não sabia que era Ester a moça que aguardava o rei.

— Com licença, senhora — pediu o copeiro, respeitosamente.

— Simion? — rapidamente Ester reconheceu o amigo. — Sou eu!

— Hadassa! — a surpresa e a alegria foram tantas que Simion deixou, perigosamente, as formalidades de lado.

— Shhh! É Ester! — ela corrigiu, com medo que alguém o ouvisse.

— Estou tão feliz em vê-la! Mordecai está preocupado, quer muito ter notícias suas!

— Diga a ele que estou muito bem! O rei me chamou de novo!

— Mas isso é maravilho! — Simion e Ester ouviram um barulho de alguém se aproximando e distanciaram-se. Era Harbona que estava chegando por ali.

— Com licença, senhorita Ester. O rei já está a caminho.

— Obrigada, Harbona — ela respondeu, como quem era servida.

— E você, Simion, já recolheu a bandeja?

— Sim senhor, está ali — ele apontou para uma mesinha que estava bem perto, sobre a qual estava a bandeja.

— Então pode voltar para a copa comigo. O grande rei não quer vinho hoje à noite.Vamos.

Sem que Harbona percebesse, Simion trocou um sorriso com sua amiga, e seguiu o eunuco para fora dos aposentos reais. Ester continuou aguardando o grande rei Até que, dali poucos minutos, ouviu seu nome sendo chamado carinhosamente pela voz que fazia seu coração disparar.

— Senhor dos senhores, meu rei — Ester o saudou, curvando-se.

A expressão do imperador, entretanto, era mais de doce espanto do que de alegria:

— Puxa, você está deslumbrante...

— Obrigada, grande rei. O senhor Hegai ficará feliz, ele se esmerou de maneira especial hoje.

— Hegai é sempre cuidadoso, mas a sua beleza não requer nenhum retoque. E só de ouvir sua voz já sinto mais calmo meu coração.

— O meu também tem estado aflito longe do senhor — ao ouvir isso, o rei caminhou até Ester, que estava tímida, olhando para baixo, e levantou seu rosto delicadamente.

— Está dizendo que conquistei seu coração? — perguntou o rei, com cuidado e elegância.

Ester olhou-o nos olhos intensamente e, apenas para confirmar o que já dizia com o olhar, falou:

— Ele é todo seu, meu senhor.

Assim, sorrindo e sentindo uma alegria que não lhe cabia no peito, o rei tocou o rosto de Ester e a beijou demorada e romanticamente. O grande rei então se afastou um pouco, apenas o suficiente para poder olhar sua amada nos olhos.

— Ester... Quero que reine ao meu lado. Quero que você seja a minha rainha.

A surpresa e a alegria calaram a voz da moça por alguns instantes. Ela via um sonho tornar-se realidade diante de seus olhos. Um sonho muito mais alto do que todos os seus planos de menina.

— Então, Ester. Aceita ser minha esposa?

— É claro que sim! Tudo que quero é estar ao seu lado!

Na felicidade da resposta de Ester, o rei a beijou novamente, desta vez de forma mais ardente, ainda que breve, selando aquele compromisso.

— De todos os tesouros do meu império, você é o maior presente que já ganhei. Não sabia que existia amor tão forte assim como o que estou sentindo agora — o rei acariciava os longos cabelos negros de Ester, olhava-a de perto como quem aprecia uma rara obra de arte, gravava cada detalhe de seu rosto dentro de sua mente e coração.

— Nunca tinha experimentado um sentimento parecido — Ester tinha lágrimas de emoção nos olhos. — Chega a doer a minha alma...

— Você é a mulher da minha vida, Ester. Eu a amo — e o casal se beijou novamente, agora como numa promessa de uma vida juntos.

***

O dia mal havia saído e Simion já estava na porta da casa de Mordecai para contar-lhe uma novidade. Chegou gritando o nome do amigo pela janela. Mordecai acenou cumprimentando de volta e Simion já foi entrando afobado.

— Simion! Já estava de saída, indo justamente para o palácio! — Mordecai recebia todos sempre muito bem em sua casa e, apesar das adversidades, mantinha-se sempre alegre. Recebeu Simion naquela manhã com um largo sorriso no rosto.

— Não aguentei de ansiedade e tive que vir lhe contar! — Simion falava esbaforido, a alegria era tanta que ele havia feito boa parte do trajeto correndo.

— Pela sua expressão a notícia é muito boa! — antes de saber o que era, Mordecai já se alegrava com o amigo.

— É Ester! Ela é a nova rainha! O rei Assuero a escolheu!

Mordecai abriu a boca, mas o choro de emoção veio antes que as palavras:

— Mas... isso... é maravilhoso!

Ele caiu de joelhos para agradecer ao Eterno, no que foi seguido por Simion. E disse:

— Obrigado, Senhor, agradeço por iluminares o caminho de minha Hadassa!

— Harbona acabou de me contar! — Simion chorava junto, misturando sua própria alegria à alegria do amigo Mordecai. — Já vão começar os preparativos para a coroação de Ester como rainha da Pérsia!

— Caro amigo Simion! Essa notícia não podia ser melhor! — Mordecai abraçou o copeiro várias vezes, grato por ter recebido dele uma notícia tão surpreendentemente maravilhosa.

Mordecai não havia deixado de ter fé por um só instante, de que Deus estaria ao lado de sua amada prima a todo o tempo no harém do rei. Entretanto, a notícia de que sua menina se tornaria rainha era muito mais do que ele ousaria pedir a Deus.

***

A notícia da escolha de uma nova rainha espalhava-se por todo o palácio. A alegria era quase palpável, mas, evidentemente, havia muitos que não estavam tão satisfeitos assim. Dalfom, por exemplo, assim que soube da novidade correu para casa para contar aos pais o que havia acontecido.

— É certo isso, meu filho? — questionou Zeres, inconformada.

— Certíssimo. Acabei de chegar do palácio. A nova rainha foi escolhida.

— E não é a Tafnes? — Hamã perguntou preocupado.

— A felizarda se chama Ester. Ester de Susã. E estão dizendo que é mais bonita que Vasti. Se for a que estou pensando, é mesmo belíssima.

— Isso não podia ter acontecido. Essa Tafnes não era a melhor de todas? A mais bonita e experiente, Dalfom? — irônico, Hamã levantou-se para questionar a propaganda que o filho lhe fizera.

— Sim, ela era.

— Mas o coração do rei é imprevisível. Vocês podem tramar, mentir, subornar, mas o amor vocês não entendem. Amor não se escolhe — Aridai, que estava sentado descascando uma maçã e acompanhava a discussão da família, não pôde se calar diante daquilo que ouvia.

— Talvez, Aridai. Mas amar o inimigo é suicídio — Zeres sempre tinha uma resposta na ponta da língua.

— E Tafnes, não vai poder sair de lá? — perguntou Dalfom, interessado na libertação de sua amante, já que o plano de sua família havia fracassado.

— Claro que não — Hamã respondeu, com prazer evidente. — Ela terá de permanecer no harém até o fim de seus dias.

Hamã estava decepcionado não apenas com seu filho e com a amante dele, mas enquanto falava também lançava olhares de decepção para Zeres, que tinha garantido conseguir a coroação de Tafnes se valendo de feitiços e oferendas aos deuses.

Entretanto, não havia torcida contrária que pudesse interromper o ritmo dos preparativos para o casamento e a coroação da nova rainha. Ruben havia sido mandado ao jardim novamente para colher ervas que serviriam para a preparação do banho de Ester. Cuidadoso, ele procurava entre os matos que cresciam junto as folhas mais vistosas.

Ruben foi surpreendido por algo diferente entre as folhagens. Um colar, quase escondido sobre uma pedra angulosa, que o rei costumava usar para amarrar seus cavalos. Apanhou o objeto e o observou com cuidado. Uma linda pedra de calcedônia amarrada delicadamente em um cordão. Em uma fração de segundos, reconheceu o colar que via desde sua infância. Era o colar de Ester. Naquela manhã, o rei em pessoa decidiu procurar o colar perdido de Ester. Acabou encontrando Ruben contemplando o colar.

— A dona deste colar poderia ter todas as joias do mundo, mas para ela não há nada mais valioso — Ruben foi disperso de seu pensamento pela voz do rei, vindo pelas suas costas.

O eunuco levantou-se rapidamente, mas manteve a cabeça baixa diante de Assuero.

— Obrigado, você será muito bem recompensado — prometeu o rei, estendendo a mão a Ruben.

— Não é necessário, grande rei — respondeu, devolvendo a joia a Assuero. — A minha recompensa é saber que esse colar chegará às mãos de sua dona novamente.

—Você sabe de quem é?

— Não, não sei.

— Bem, em breve toda a Pérsia saberá — sorridente o rei pensava em Ester e em mostrar sua beleza para todo o mundo. — Não comente com ninguém — o rei pediu, em tom gentil.

— Sim, senhor. — respondeu Ruben.

E o rei saiu dali feliz por ter recuperado o colar de sua amada. Ruben respirou fundo ao constatar a devoção do rei por Ester e continuou seu trabalho, resignado e cuidadoso.

***

Cada província do vasto império persa recebeu seu mensageiro com a notícia do casamento do rei Assuero. Os preparativos prosseguiram com a pompa tradicional do poderoso império persa. Até que finalmente chegou o dia da grande celebração. O dia em que a bela Ester deixaria de ser uma simples moça do povo para tornar-se a imperatriz do mundo.

—Vamos lá, todos vocês. Nada de moleza! Quero absolutamente tudo brilhando para a coroação da nova rainha da Pérsia! — Harbona queria certificar-se de que nada sairia errado naquele dia tão especial.

— Fique tranquilo, senhor. Estamos quase terminando — garantiu Simion, esforçando-se para muito além do cumprimento de seu trabalho.

— Hoje é um dia muito importante. Todos os talheres, taças, louças... tudo deve estar perfeito, impecável! O rei Assuero pediu para que seja uma festa inesquecível! — Harbona sentia-se feliz por cumprir as ordens de seu rei. Como servo de confiança, sabia que, com uma rainha a seu lado, Assuero seria mais feliz, por isso, ele se alegrava também.

— Aposto que Ester vai ficar linda vestida de rainha! Ah, que mulher! — Simion pensou alto por um instante.

— Que comentário é esse?! Respeito com sua futura rainha!

— Perdão, Harbona. Perdão — depois de desculpar-se, Simion voltou ao trabalho e Harbona saiu para cuidar de outros assuntos.

Ester, apesar de ansiosa pela coroação, gastava tempo com sua amiga, Ana, que andava sempre aflita pela gravidez cada vez mais difícil de esconder. Elas caminhavam juntas, acompanhadas por Quinlá, uma verdadeira amiga e aliada.

— Como cresceu rápido a sua barriga — Ester caminhava de braços dados com Ana, observando seu corpo.

— Chega nesses meses, ela aparece de repente! — Quinlá tinha experiência com moças grávidas no harém.

— Mas não está dando para ver não, está? — Ana preocupava-se muito em alguém descobrir seu segredo, sabia que sua vida e a vida de seu filho dependiam disso.

— Não. Fique tranquila que ninguém vai suspeitar — disse Ester, procurando acalmá-la.

— Por enquanto. O meu medo é como vai ser daqui para frente — por mais que Quinlá procurasse ajudar, ela mesma sabia que em algum momento não seria mais possível esconder a gravidez de Ana.

— Nem me fale, Quinlá. Estou apavorada. Meus dias têm sido obscuros. Depois que Aridai ficou sabendo do bebê, nunca mais apareceu.

— Hamã e o resto da família é que devem estar impedindo o rapaz de vir até o palácio — Quinlá que já sabia de toda a história, sabia também que a família de Aridai faria tudo para separá-los.

—Você não deve se abater, Ana. Tenha certeza, como eu tenho, de que tudo vai se resolver!

—Você está certa, Quinlá! Hoje é um dia especial! Nada de tristeza! — disse Ana para si mesma, recompondo-se. — Só alegrias no dia em que Ester se tornará nossa rainha!

Ana via em Ester um exemplo de fé e esperança, e isso lhe dava força para continuar a acreditar que algo mudaria em sua própria história.

Hegai chegou apressado e animado para buscar Ester, para finalmente arrumá-la para a coroação. Ele não se continha em sua alegria. De fato, estava mais eufórico do que de costume. Havia chegado o momento para o qual se dedicava havia tanto tempo.

— Ester querida! Está na hora! Temos de arrumá-la para a coroação! Ai, como estou nervoso! É o dia mais importante da minha vida!

— Da minha também, senhor Hegai! Da minha também!

Curiosamente, era a noiva que tentava acalmar seu cuidador. Ester respirou fundo, ansiosa por aquele momento mágico que estava prestes a acontecer e acompanhou Hegai para começar a arrumar-se.

Quinlá massageou o corpo de Ester com óleos especiais, pintou suas unhas com hena, penteou seus longos cabelos e o adornou. Ester estava fascinada com toda aquele cuidado, mas mantinha-se simples e muito gentil com todas as escravas que ajudavam a prepará-la. A felicidade em seu coração, de casar-se com o homem que amava, fazia com que seus olhos brilhassem, seu coração disparasse e o sorriso mantivesse-se constante em seu rosto.

O rei também se preparava para a coroação em seus aposentos, auxiliado por Harbona e Memucã.

— Enfim o grande dia! Estou me sentindo uma criança! — o rei confessou, rindo.

— Imaginem! Seria o menino mais poderoso do mundo! E, pela sua alegria, o mais afortunado! — Memucã sorria, entrando na brincadeira do rei.

— Ester é realmente um presente dos céus. A felicidade chegou para ficar na vida do rei — Harbona saudou o futuro.

— A coroação de uma nova rainha será muito bom para todo o povo de Susã — acrescentou Memucã.

— No palácio não se fala de outra coisa — disse Harbona, quando, de fato, deveria dizer que ele próprio, havia dias, se dedicava a manter o assunto nos ouvidos de todos com quem encontrasse.

— Estão todos ansiosos para comprovar a beleza de Ester. Eu mesmo estou curiosíssimo! — Memucã queria conhecer a mulher que fazia o rei tão feliz.

— A beleza todos poderão comprovar. Mas a alma boa, sua generosidade e delicadeza, suas palavras sábias serão apenas minhas. Estou pronto — e os três riram, alegres.

— Devemos deixá-lo a sós para se concentrar, meu senhor? — indagou Harbona.

— Sim, Harbona. Aguardem-me na sala do trono na hora da coroação.

— Sim senhor! Afortunado seja, grande rei! — disse Memucã, e saíram para que o rei pudesse ficar sozinho. Feliz, o rei tomou uma pequena caixa em suas mãos, feita em madeira nobre e ricamente adornada. Abriu-a, olhou dentro dela e sorriu mais uma vez.

***

Hegai, acompanhado por Quinlá, levou Ester até seus novos aposentos — os aposentos de rainha, onde ela deveria ficar.

— A partir de hoje, este será o seu lar, minha querida! Um quarto digno de uma rainha! — Quinlá apresentou os aposentos de Ester com grande alegria.

— Mas... é lindo! — Ester observava e por mais que olhasse não conseguia contemplar tanta beleza de uma só vez, nem vislumbrar cada detalhe. Foi até sua nova cama e viu seu vestido para a coroação ali, arrumado e pronto para ser vestido. Tudo parecia um sonho.

Hegai e Quinlá vestiram a moça com todo o cuidado. Dados os últimos retoques, Ester estava pronta para a cerimônia. Linda, radiante, vestida como uma verdadeira rainha.

— Está quase pronta! E as pulseiras que eu separei? — Hegai conferiu todas as joias que Ester estava usando e deu falta das pulseiras que havia separado.

— Que cabeça a minha! Ficaram lá na casa das mulheres! — Quinlá lembrou, culpada.

— Preciso dessas pulseiras! Já está quase na hora! — Hegai saiu correndo para buscar os acessórios.

— Espera, Hegai! O descuido foi meu, deixe que eu mesma pego!

Quinlá já estava passando pela porta, correndo atrás de Hegai, quando voltou para dar um aviso a Ester, fingindo braveza com o dedo em riste:

— Nem pense em se sentar! Quietinha!

Ester assentiu com a cabeça e ficou ali de pé, ansiosa.

Ruben foi até os aposentos de Ester e, entrando de repente e de cabeça baixa, pediu.

— Com licença, senhora. Posso lhe falar um instante?

— Ruben! Que surpresa! Faz tempo que não tenho notícias suas — Ester correu até o amigo para vê-lo de perto.

— Quando for rainha, poderá mandar me chamar sempre que quiser e eu virei lhe servir.

— Pra que essa formalidade, Ruben? Olhe pra mim! Nós nos conhecemos desde criança. Fico feliz em poder ter um velho amigo por perto.

— Eu também, Hadassa... E logo se tornará a rainha Ester — Ruben sorria pela alegria que via no rosto de sua amiga. Era provavelmente o primeiro sorriso que esboçava em meses.

— Como é a vida, não é mesmo? — suspirou Ester.

— Vim desejar toda felicidade do mundo. Apesar de nossa vida ter tomado um rumo inesperado, estou muito feliz por você. E desejo essa felicidade em seu reinado ao lado do rei Assuero.

Com olhar doce e sincero, Ruben partilhava da alegria de Ester, ainda que sua própria história não tivesse sido muito feliz.

— Obrigada, Ruben. Você é muito gentil. Jamais esquecerei tudo que fez por mim. — Ester tomou as mãos do amigo nas suas ao dizer essas palavras, olhando em seus olhos. Ruben tirou um grande peso de suas costas. Despediu-se, e assim Ester ficou pronta para a coroação.

***

A sala do trono estava toda decorada para a celebração. O corredor central ganhou um belo tapete marfim, por onde Ester deveria passar até chegar ao trono do rei. Haviam vários tipos de flores espalhados em vasos de barro desenhados à mão. Todas as louças haviam sido polidas uma a uma pelos serviçais e brilhavam como nunca.

Ali já estavam todos os príncipes e nobres das províncias. Todos os homens de confiança do rei e suas famílias também estavam presentes. Memucã, Hamã, Dalfom, Harbona, Hegai, Aridai e Zeres eram alguns dos ansiosos pela chegada da nova rainha.

— Finalmente vamos ver a cara da nova rainha — Hamã comentou, sarcástico.

— Será assim tão bonita como dizem? — Dalfom ironizou, ao completar o comentário do pai.

— Tenho de fazer amizade com essa mulher — interesseira, Zeres pensava em como poderia influencia Ester, assim como havia feito com Vasti. Aridai observava os comentários maldosos de sua família sem tomar partido em nenhum deles. Ele, que antes fazia questão de fingir concordar com eles, agora não falava nada.

— Finalmente chegou a hora — Memucã comemorava.

— O rei está feliz demais, de um jeito que nunca vi antes — Harbona, que era muito próximo ao rei, percebeu como a presença de Ester em sua vida o havia feito mudar.

— E Ester? Está belíssima! Caprichei hoje, vocês vão ver — Hegai estava ansioso para que todos vissem a beleza de Ester e o seu trabalho realizado.

Finalmente, o rei Assuero, o homem mais poderoso do mundo de então, chegou à sala do trono e foi recepcionado com grande reverência de todos os presentes. Memucã tomou a frente, ao recepcioná-lo dizendo:

— Que sua alegria se multiplique nesse dia tão especial, ó grande rei dos reis!

— Obrigado, Memucã!

— Longa vida ao poderoso rei, o escolhido dos deuses! Que seu leito seja fértil e traga logo muitos descendentes para o trono da Pérsia! — levantando a taça, Hamã também cumprimentou o rei.

— Agradeço, caro Hamã.

— A futura rainha já está a caminho — sussurrou Hegai para o rei.

— Excelente — satisfeito, o rei mal podia esperar por sua rainha.

Então os portões da sala do trono se abriram e Ester surgiu caminhando, lenta e elegantemente sobre o belo tapete. Todos se curvaram diante da nova rainha Ester.

— Como é bela nossa nova rainha! — Memucã disse para si mesmo.

— É realmente bela — admitiu Hamã.

— Bela — foi o comentário breve de Zeres, torcendo o nariz.

A nova rainha caminhou até as escadas que davam acesso ao trono, onde o rei Assuero a esperava de pé. Hegai ajudou Ester a subir as escadas e então a moça ficou frente a frente com o rei, e de perfil para os convidados.

— Apresento-lhes, meu reino, príncipes e nobres da Pérsia e Média, a nova rainha do império, Ester de Susã! — e todos reagiram encantados com Ester, com sua graciosidade e beleza.

O rei assentiu com a cabeça para Hegai que aproximou-se com uma pequena caixa, a mesma que Assuero contemplara em seus aposentos antes da cerimônia. Hegai abriu a caixa e de lá o rei tirou o colar de Ester, o que havia ganhado de sua mãe quando pequena e acreditava ter perdido para sempre.

— Você é maravilhoso... Obrigada! — disse a noiva com os olhos mareados. O rei, então, se aproximou e colocou o colar em Ester, que sorria emocionada.

Hegai trouxe então em uma almofada a coroa que o rei Assuero deveria colocar em Ester, sua nova rainha, e alto para que todos ouvissem, disse:

— Aceite essa coroa como símbolo do meu amor e de sua posição ao meu lado na fortaleza de Susã — a nova rainha foi aplaudida por todos os presentes. E voltando-se somente para Ester, o rei disse — Eu a amo, minha rainha. De todo o meu coração e toda a minha alma!

— Também o amo muito, Assuero! — e os olhos de Ester expressavam esse amor.

E o rei amou a Ester mais do que a todas as mulheres, e ela alcançou perante ele graça e benevolência mais do que todas as virgens. Ele pôs a coroa real em sua cabeça, e a fez rainha em lugar de Vasti.

SEIS

Assuero e Ester trocam juras de amor

A cerimônia prosseguia emocionante e linda, seguindo o cerimonial real, repleto de gestos carregados de simbolismo e amor. Entretanto, em plena coroação, Assuero pediu a palavra para fugir do protocolo e declarar o amor à nova rainha.

— Os deuses sorriram para mim quando a colocaram no meu caminho, minha doce Ester — o rei sussurrou, emocionado. — Estava em busca de uma rainha e encontrei o amor. Maior riqueza do que essa não há!

— Quero passar o resto dos meus dias ao seu lado, Assuero — Ester devolveu.

Então Assuero tomou Ester pelas mãos e dirigiu-se aos convidados:

— Eu escolhi Ester de Susã como minha rainha! Meus súditos serão os seus súditos. O chão onde pisar, daqui até o mar, a perder de vista, em todo o império persa, agora será de Ester, para reinar soberana como minha esposa.

O imperador dividia seu sorriso mais radiante para o povo e para Ester. O orgulho de mostrá-la a todos os presentes enchia-lhe o coração e fazia de um simples cerimonial na vida de um rei um momento verdadeiramente único.

— Tudo que almejo, ó rei dos reis, é mostrar-me digna da grande honra de ser a sua companheira — disse Ester. — Que eu consiga ser justa e útil ao meu povo, e sábia para governar ao lado do meu senhor.

Ester falava com doçura e mansidão, porém consciente da responsabilidade que assumia agora frente ao posto de rainha da Pérsia.

O rei tomou seu cetro e sentou-se em seu trono. Ester permaneceu de pé ao seu lado, segurando também seu pequeno e delicado cetro de rainha, que na ponta, trazia uma flor esculpida.

— Os príncipes do império podem prestar suas homenagens à nova rainha! — anunciou o grande rei. Assim, todos os nobres do império, admirados com a beleza de Ester, se curvaram um a um diante dela, trazendo-lhe presentes.

Enquanto era saudada por alguns dos homens mais poderosos de seu tempo, Ester pensou em sua parentela e em seu povo. Como seu primo Mordecai havia lhe recomendado, em nenhum momento ela revelara sua origem judaica. Mordecai temia que Hamã, inimigo declarado do povo judeu, tentasse algo contra ela. Se soubessem que Ester era Hadassa, judia, descendente de escravos, talvez jamais chegasse a ser coroada. Desse segredo dependeria a sua vida.

— Os olhos do rei brilham mais que dois grandes diamantes quando ele olha para a nova senhora da Pérsia! — Memucã, junto de Harbona e Hegai, admiravam também a felicidade do rei junto à nova rainha.

— Não é para menos! Rainha como Ester de Susã não há igual nem nunca houve — Harbona comentou sorrindo.

— O vestido é o melhor que já criei, mas sem uma grande rainha como Ester para vesti-lo não passaria de um emaranhado de tecidos! — a fala de Hegai era cheia de emoção por ter contribuído para abrilhantar ainda mais a coroação da nova rainha, por quem ele havia desenvolvido tanto carinho.

Outros convidados, no entanto, não estavam ali simplesmente pelo simples prazer de compartilhar da felicidade do rei Assuero. Tinham outros planos em mente, que não incluíam o rei nem, muito menos, Ester.

— Lamento não ser Tafnes embaixo dessa coroa — Zeres comentou balançando levemente o vinho em sua taça, pensativa. — Vai dar trabalho conquistar a simpatia dessa moça.

— Frente à beleza de Ester, Tafnes não passa de uma distração. Ela é realmente linda — assim como todos os presentes, Dalfom se mostrava encantado pela beleza de sua nova rainha.

— Pena que vai ficar viúva tão cedo — Hamã sorriu, enigmático, para esposa que o compreendia sem que ele tivesse de completar seu raciocínio maquiavélico.

— Como estão os preparativos para o ataque à Grécia? — Zeres perguntou ao marido, enfadada com os assuntos matrimoniais.

— Estariam mais adiantados se Memucã não atrapalhasse tanto — em tom de frustração, Hamã falava com raiva no olhar.

— Mas o rei já decidiu que vai guerrear contra os gregos de qualquer maneira, pai — relembrou Dalfom.

A conversa tinha muito pouco de preocupação militar. As intenções da família amalequita eram muito mais pedestres: o sonho de ascensão de Hamã ao trono.

— O imperador pode morrer no campo de batalhas, nunca se sabe... E o trono ficaria vazio, clamando por um sucessor — Zeres era irônica em suas palavras.

— Não dá para confiar na sorte, minha mãe.

— E quem falou em confiar na sorte? Com os guerreiros certos perto do grande rei, isso pode facilmente ser arranjado — Zeres respondeu, impaciente com a ingenuidade do filho Dalfom. — Dois eunucos humilhados também servem para essa tarefa.

— Bigtá e Teres — imediatamente Hamã soube de quem Zeres estava falando.

— E orgulho ferido é uma arma poderosíssima...

Zeres continuava lançando suas ideias no ar, falando disfarçadamente com o marido enquanto fingia acompanhar o cerimonial. Cumprimentava a todos, sorria a cada gesto gracioso da noiva, enquanto tramava contra o rei. Suas frases enigmáticas e seus raciocínios incompletos eram suficientes para que o marido, entendesse perfeitamente a trama ali em curso.

Os dois eunucos sobre os quais a família de Hamã falava, também estavam presentes na coroação, assistindo a tudo de longe e tecendo seus próprios comentários ferinos.

— Queria ser um homem inteiro e ter uma mulher como Ester para mim.

— Não sonhe tão alto, Bigtá. Ainda que fosse, ela é muito formosa e bela para alguém como você. Ela nasceu para ser rainha — Teres tirou Bigtá do mundo dos sonhos e o trouxe novamente para sua triste realidade.

— E eu por um acaso nasci para ser eunuco? Roubaram de nós os prazeres da carne, Teres. Nunca mais terei o afago de uma mulher... Tudo por culpa desse rei abominável.

— O mundo não foi justo conosco, Bigtá. Mas ainda podemos mudar de vida. Um dia esse rei vai morrer.

— Que seja logo! — Bigtá praguejava.

Em sua alegria, Assuero jamais poderia supor que, durante seu próprio casamento, haveria focos de traição em andamento. De certa forma, a ascensão de Ester à rainha encerrou diversos planos que se arrastavam como serpentes pelos corredores do palácio. No harém, por exemplo, além dos que comemoravam havia também quem odiasse Ester por haver alcançado o coração do rei e, por consequência, o lugar de rainha ao seu lado.

— Fico imaginando como deve estar deslumbrante a coroação! — comentava Quinlá para Ana.

— O senhor Hegai comentou que todos os príncipes do império vieram! — Ana sorria satisfeita pela felicidade da amiga.

— Isso tudo deveria ser para mim! — com as palavras carregadas de rancor e desprezo, Tafnes ainda não se conformava com a escolha do rei.

— Você não se cansa, Tafnes? — surpresa pela insistência da moça em fazer comentários maldosos e desejar para o si o que já era de Ester, Quinlá não entendia aquele comportamento.

— Realmente, o rei é completamente apaixonado pela Ester e já provou isso! — em apoio à Quinlá, Ana, que também não simpatizava com a moça egípcia, também deu sua opinião.

— Pois eu amaldiçoo Ester! — resmungou Tafnes.

— Cale sua boca! Você agora está falando da rainha! — lembrou Quinlá, aumentando a voz e se aproximando com o dedo em riste. — Pode acabar presa por tal afronta.

— Amaldiçoo sim! Sou muito melhor do que ela! Não sei o que o grande rei viu naquela mulher — embora respondesse Quinlá sem levantar a voz, Tafnes falava com mais ódio no olhar do que se estivesse berrando.

Agora até mesmo a pacata Ana se indignara com o despeito da egípcia e saiu em defesa da amiga.

— Eu vou lhe contar, Tafnes. O rei viu simpatia, integridade, caráter! Foi isso que ele encontrou quando conheceu Ester.

— Pois o que ele encontrou em mim vai fazê-lo enjoar logo logo da sua amiga — insistia Tafnes.

— Não se engane! Ester é a mulher que o rei mais amou até hoje! Você é passado, minha pérola — a mansidão com a qual Quinlá falava agora irritava Tafnes profundamente.

— Eu não desisto tão fácil. A minha vez chegará — voltando-se para Quinlá, Tafnes falava com segurança.

***

Ocupados demais tramando contra o rei, a família de Aridai não notou quando o rapaz deixou a sala do trono para tentar encontrar Ana. Quando Aridai já estava bem afastado da cerimônia, deixando as dependências da sala do trono, alguém se interpôs em seu caminho de repente. Era Dalfom, que notara sua ausência na cerimônia e imediatamente se pôs a procurar o irmão.

— Aonde vai, meu irmão? A cerimônia está muito enfadonha para você? — Dalfom de braços cruzados diante do irmão, o questionava.

— Não estou passando bem. Preciso de um pouco de ar — disse Aridai, tentando disfarçar.

— Você mente tão mal que devia ter vergonha, Aridai.

— Muito bem. Eu preciso ver a Ana — vendo que não adiantava tentar enganar o irmão, Aridai pegou-o pelo braço e foi sincero com ele.

— Nosso pai não vai gostar nada disso.

— Você é meu irmão! Por que não pode me ajudar uma única vez? — Aridai apelava para os laços que os fazia tão próximos, embora tão diferentes.

— Você é uma vergonha para nosso povo. Insiste em desrespeitar nossos ancestrais. Os ossos secos do rei Amaleque devem estar rangendo — com um discurso igual ao do pai, Dalfom parecia ter sido treinado para agir exatamente como Hamã.

— É a mulher que amo. É meu filho! — disse, imaginando poder amolecer o coração de Dalfom.

— Você acha que não, mas eu me importo com sua vida. De todos nossos irmãos, você é com quem mais simpatizo — respirando fundo, essa foi a única vez em que Aridai via Dalfom falar algo que parecia ter saído de sua própria mente.

— Então, ajude-me! — Aridai implorou.

— Vou ajudá-lo, com um conselho. Esqueça a judia. Ela já está condenada à morte, assim como a criança que carrega em seu ventre.

— E depois diz que ainda se importa comigo... — a frustração e a tristeza de Aridai eram visíveis em seu olhar.

— Para dentro, Aridai. Você jurou pelo seu sangue, lembra?

Dalfom colocou sua mão delicadamente no braço do irmão para conduzi-lo de volta, numa educação fingida. Não restou alternativa a Aridai que não fosse retornar para a sala do trono acompanhado do irmão.

— Agora, minha querida, vamos para as ruas de Susã! — eles ouviram o rei anunciando, assim que retornaram à cerimônia. — Já lhe apresentei os nobres do império. Chegou a vez dos súditos conhecerem a nova rainha da Pérsia!

Assuero transbordava júbilo pelos olhos. Após o anúncio, o rei conduziu Ester até a saída da sala do trono, passando pelo corredor principal por onde ela havia entrado, assim, todos poderiam vê-la de perto mais uma vez. Cada um a sua maneira, tecia comentários a respeito da nova rainha.

— Enfim, uma rainha digna para o supremo rei, o escolhido dos deuses! Que Ester possa trazer sempre somente alegrias para o nosso reino —desejava Memucã, respirando aliviado.

— Estão todos encantados com ela, eu não falei? — Hegai comemorava, orgulhoso.

— Longa vida à rainha! — completou Harbona, contente pela felicidade de seu senhor.

Mesmo Zeres, diante da saudação de todos, comentou:

— Devo reconhecer que ela tem carisma.

Aridai e Dalfom voltaram para a sala do trono e juntaram-se novamente aos pais para ver a saída do casal real. Hamã, que notara a ausência de Aridai havia pouco, tratou de interrogar-lhe imediatamente.

— Aridai, onde é que você estava?

— Fui tomar um ar. Aqui está abafado.

Sua mãe lhe encarou como que deixando claro que não acreditava naquilo que dizia. Para piorar, ainda era preciso aturar as observações de Dalfom.

— O ar próximo da casa das mulheres deve ser mais puro, não é?

— A quem pensa que engana, Aridai? — Hamã sussurrou, bravo, para o filho.

— Por favor, parem de me seguir! Será que não posso sair de suas vistas por um segundo que já vão ao meu encalço?

— Se não fazemos isso, provavelmente o encontraremos no harém do rei! — irritado com as justificativas de Aridai, Dalfom levantou a voz para o irmão.

— Quietos! — ordenou Zeres temendo um escândalo. — Agora parem com isso!

Embora estivessem irritadíssimos, todos conseguiram se recompor e sorrir educadamente quando Assuero e Ester passaram por eles em direção à parte externa do palácio. Da sacada, Ester acenava para os súditos, enquanto dois escravos lançavam pétalas de rosas sobre a multidão e mais dois eunucos protegiam o casal real do forte sol. Outros dois, segurando estandartes, deixavam a cena ainda mais grandiosa. O carisma e a beleza de Ester agora tornavam-se públicos.

Joel e Rebecca não resistiram à curiosidade de assistir à sua velha conhecida sendo coroada rainha. Junto deles, Mordecai, eufórico, não escondia a felicidade que sentia ao ver a menina que criou desde pequena agora tornar-se a rainha da Pérsia.

— Olhem lá! É minha Hadassa! É ela que está chegando! — Mordecai queria pular de alegria.

— Meu Deus, como está linda! Uma verdadeira rainha! — tomando parte da alegria do amigo, Rebecca admirava Ester, esquecendo um pouco a própria dor.

— Rainha, claro! Mas a que preço? — Joel resmungou, amargo.

Mesmo com o ruído da multidão, foi impossível para Mordecai deixar de ouvir aquilo:

— O que é que o amigo quer dizer?

— Ora, Mordecai! Não finja que não sabe. Ela chegou à rainha porque escondeu suas origens. Envergonhou-se do Deus de Israel.

— Não está certo julgar as pessoas dessa maneira, Joel — Rebecca tentava apaziguar a situação.

— Não estou julgando nada. Deus está vendo! — em tom ainda mais severo, Joel encarava o amigo.

— Não duvide dos propósitos de Deus, Joel — sempre paciente, Mordecai não levantou a voz para Joel.

— Não foi Deus que casou Hadassa com um rei pagão e incircunciso. A culpa é desse imperador prepotente que sequestrou nossas meninas! — sem medir as próprias palavras Joel dizia tudo que lhe vinha à mente.

— Não vou discutir. Mas que você é um grande desmancha-prazeres, isso é — Mordecai tentou manter a simpatia, mesmo chateado, e decidiu calar-se.

— Não dê ouvidos a esse velho ranzinza, Mordecai — falou Lia, envergonhada pela atitude do marido.

— Se desse, estaria louco! Mas pode ter certeza que não vou deixar o azedume do seu marido roubar a minha alegria! Não nesse dia de glória para minha menina! — e Mordecai voltou-se novamente para Ester, sorrindo, emocionado, acenando em meio a centenas, milhares de cidadãos.

Olhando para os lados, Joel viu a admiração do povo pela menina que vira crescer e se envergonhou de sua atitude:

— Mordecai! — chamou, sem sucesso. — Perdão, Mordecai. Acho que me excedi.

Mordecai sorriu para ele em sinal de paz e continuou olhando para Ester com a alegria estampada no rosto. Mordecai sabia da dor de Joel, sabia o quanto ele vinha sofrendo, então o compreendeu.

O olhar de Ester percorria a multidão numa ânsia secreta. Em seu coração ela desejava imensamente poder rever, nem que por um breve instante, o homem que a criara como filha. Havia crianças, famílias, gente de diversas etnias e condições sociais, unidas pela alegria de verem sua nova rainha. Mas, entre tantos rostos desconhecidos, o seu coração a fez reconhecer Mordecai.

Eles trocaram um olhar emocionado que dizia muito sem ter que dizer uma palavra sequer. Mordecai acenou para Ester, que respondeu levantando seu pequeno cetro em forma de flor.

Mordecai sussurrou, como se Ester pudesse ouvi-lo de perto, no coração:

— Seja muito feliz, minha menina. Você merece todas as bênçãos dos céus — e chorou como chora um pai diante da felicidade da filha.

Ester também não conseguiu conter uma lágrima que logo foi percebia pelo rei Assuero.

— Minha rainha, está chorando?

— Estou muito emocionada, Assuero. Obrigada por me fazer tão feliz.

— Eu é que tenho de agradecer, Ester. Por iluminar a minha vida — assim o rei enxugou delicadamente a lágrima no rosto de sua esposa.

Durante a saudação final da nova rainha, o povo explodiu num aplauso tão demorado que obrigou o casal real a manter-se na sacada por mais tempo do que o previsto. Era impossível não se contagiar pela alegria de ver o rei ao lado de tão bela moça, que agora estaria a seu lado para reinar sobre toda a Pérsia.

***

Após um dia inteiro repleto de emoção e novidades, a noite finalmente caiu sobre o palácio. Cada um dos servos do palácio tinha algo a comentar sobre o grande evento do dia. Alguns mais contentes, outros, nem tanto. Entre os últimos estavam Bigtá e Teres, que em nada apreciavam a felicidade do rei. Pelo contrário, seu desejo era que ela durasse muito pouco. Os eunucos caminhavam pelos corredores do palácio como sombras humanas enquanto maldiziam o rei.

— Tem de haver um jeito de nos vingarmos do rei Assuero — disse Bigtá.

— Vê-lo ali, feliz daquele jeito, me deu um ódio, Bigtá!

— Já sei o que podemos fazer! Vamos tacar fogo na fortaleza! — pela expressão, Bigtá considerava sua ideia infalível.

— E se queimarmos tudo, onde vamos morar? — Teres dissolveu o sorriso do outro eunuco com o seu comentário.

— Verdade. A vida aqui é melhor do que lá fora para um eunuco.

— Podemos roubar o mapa onde estão as anotações da guerra. Podemos conseguir muitas moedas vendendo as informações para os gregos.

A expressão de ter tido uma grande ideia agora era de Teres. Protegidos pela penumbra da noite e pelo silêncio, os dois iam ficando mais entusiasmados, falando mais alto e gesticulando enquanto andavam, despreocupados.

— Claro! Mas como vamos chegar até o mapa, Teres? É impossível! Todo o segredo de guerra é guardado a sete chaves — Bigtá misturava ironia com frustração em suas palavras.

— Então o que podemos fazer para nos vingarmos do rei? Teres perguntava a si mesmo e ao outro.

— Vingar-se do rei? Foi isso que eu ouvi? — uma terceira figura apareceu entre as pilastras e a penumbra. Uma silhueta de homem forte e voz grave, ameaçadora.

— P-príncipe Hamã! Não notamos a sua presença! — disse Bigtá acuado e assustado.

— Já estamos de saída, nobre príncipe. Não queremos incomodar — na tentativa de escapar, Teres quis despedir-se imediatamente de Hamã.

— Esperem! — Hamã aproximou-se dos eunucos. — Vocês ainda não me responderam. Quem é que quer vingar-se do rei?

— Não foi bem isso que eu quis dizer — Bigtá respondeu Hamã sem ousar olhá-lo nos olhos. O medo tomou conta dos dois eunucos.

— Ah não foi? Vingar-se do rei? Roubar o mapa? Atear fogo à fortaleza? Não foi isso? O que você falou então, eunuco? O que foi que você disse? — as palavras ameaçadoras de Hamã faziam com que o coração dos eunucos ficasse gelado de medo. Então eles decidiram apelar para a misericórdia.

— Perdoe-nos, divino Hamã! Ajoelhamos e pedimos clemência! — os eunucos ajoelharam-se diante de Hamã enquanto Teres suplicava seu perdão.

— Tenha piedade! Nós falamos mal do rei apenas para passar o tempo! Nada disso é verdade! — Bigtá tentou ajudar Teres nas justificativas ao oficial.

— O senhor dos senhores não vai gostar nada de saber que seus servos de confiança tramam em suas costas — Hamã lançava sobre eles um olhar de desaprovação como que se, de fato, se importasse com o rei.

— Por favor, senhor Hamã, acredite no que digo! Nós não tramamos contra ninguém, muito menos contra o grande Assuero! — ajoelhado diante de Hamã, Bigtá tentava de todas as formas escapar da punição.

— Talvez o senhor não tenha ouvido direito... — Teres esfregava as mãos, uma contra a outra, revelando seu desespero.

As sombras provocadas pela lamparina de Bigtá transformavam Hamã numa figura ainda mais ameaçadora. Ele, entretanto, deu um passo para trás, abaixou a voz e disse:

— Ouvi muito bem, eunucos. E quero fazer uma proposta a vocês. Vamos, levantem-se!

— Proposta? — assustado, Bigtá não acreditava no que havia acabado de escutar.

— Eu aceito! Faço qualquer negócio para o senhor não nos denunciar! — levantando-se e já com um sorriso no rosto apenas por ver que poderia haver outro destino para aquele desafortunado encontro que não fosse a morte, Teres se mostrava interessado em qualquer acordo.

— Muito bem. Quero que vocês eliminem o rei Assuero!

Bigtá e Teres se entreolharam sem saber direito o que pensar. Até então eles viam Hamã como um conselheiro devotado e fiel ao rei.

— Eliminar? Mas o senhor... — Teres foi interrompido por Hamã, que era sempre muito objetivo.

— Vocês acabam com o rei Assuero e eu não conto a ninguém que estavam tramando contra ele!

— Espere um pouco, senhor! Nós não gostamos do imperador, mas não estávamos absolutamente pensando em matá-lo! — assustado pela franqueza de Hamã, Bigtá ainda tentava negar suas intenções.

— Só estávamos pensando numa pequena vingança... — Teres acrescentou.

— Estavam pensando sim, ouvi muito bem! Vocês estão em minhas mãos! Acham que o rei vai acreditar na minha palavra ou na de vocês? — usando a ameaça como arma, Hamã estava, rapidamente, convencendo os eunucos. — Mas não precisam ter medo — riu. — É só fazerem o que eu mandar. E se tudo der certo, estou disposto até em recompensá-los com uma boa quantia. Vocês poderiam inclusive comprar terras e virar senhores onde quiserem!

Já de pé os eunucos se entreolharam novamente com um ar malicioso e um leve sorriso nos lábios.

— Estamos falando de quanto exatamente? — Bigtá arriscou perguntar.

— Cinco mil moedas de ouro.

— Para cada um, senhor? — Teres ousou ainda mais.

— Exatamente. Sem contar, claro, com minha eterna gratidão. Vocês sabem que a amizade do poderoso Hamã vale mais que qualquer tesouro neste reino.

— Seis mil e começamos a conversar — mesmo que estivesse em péssima posição, Bigtá não perdia a chance de tentar negociar e sair ganhando mais. O eunuco percebeu que não falava com um dedicado príncipe a serviço de seu povo, mas a um homem ambicioso e maquiavélico. Falavam de igual para igual, portanto.

— Você não entendeu, Bigtá. Não estou aqui para negociar. Nem precisaria dar uma moeda sequer. Vocês não têm escolha! Se não cumprirem o serviço, entrego os dois ao rei! — o rosto de Hamã perdeu o ar irônico para ficar sério ao falar firme aos eunucos, ameaçando-os mais uma vez.

— Cinco mil está ótimo, senhor — apressou-se Teres para não perder a oportunidade da recompensa.

— Assim está melhor. Agora, pensem numa forma segura e eficaz de eliminar Assuero.

— Bem, outro dia mesmo falávamos de um veneno que existe numa barraca da rua... É poderosíssimo! — Bigtá sorria ao lembrar a ideia.

— Veneno? Vocês são idiotas ou o quê? Simion morrerá primeiro ao provar e o rei acabará descobrindo tudo!

— Aí é que está, senhor. O veneno de que falamos é bastante denso. Uma gota no fundo da taça não matará Simion de imediato. Mas o rei, ao tomar o vinho todo, já misturado com a droga, morrerá inevitavelmente — ao explicar sobre o veneno, Bigtá sorria numa empolgação que contagiava também o outro eunuco.

— Hum... Pode ser uma boa ideia — pensativo, Hamã avaliava a possibilidade e continuou. — Então selamos nossa aliança contra o rei?

— Claro, senhor. Mas precisamos de um adiantamento. Que tal metade do prometido? E a outra metade fica para depois do serviço feito — Bigtá não queria sair perdendo e, ainda que arriscasse a vida, pediu o adiantamento ao oficial.

— Pode ser — concordou Hamã aproximando-se de Bigtá e segurando-lhe a cabeça com força, a altura de seu peito. — Mas se me traírem, já sabem! Os dois vão direto para a forca! — assim Hamã deixou os dois eunucos e retirou-se dali.

***

Enquanto nos corredores sombrios a vida do rei era negociada por dez mil moedas, nos aposentos reais ela era vivida de forma que dinheiro nenhum poderia pagar. Afinal, Assuero tinha, pela primeira vez, Ester como sua esposa e rainha em seus braços.

O rei chegou primeiro aos aposentos, onde foi servido de vinho por Simion, depois Ester chegou para ficar junto de seu amado.

O rei beijava Ester apaixonadamente e com delicadeza retirou sua coroa e suas joias.

— Deixe, Assuero — ela o repreendeu, com doçura. — Eu mesma posso fazer isso. Não é trabalho para um rei.

— Deixe-me ser seu servo esta noite? — com olhar apaixonado o rei contemplava a beleza se Ester. — Ajoelho a seus pés! Permita que eu cuide de você!

— Levante-se daí, meu amor — Ester pediu, levemente constrangida diante da atitude do homem mais poderoso do mundo. —Venha aqui.

Ester então se ajoelhou junto ao rei e acariciou lhe o rosto. Os dois se beijaram novamente, prestes a tornarem-se um só.

— Eu a amo tanto, Ester. Tanto — sussurrava o rei no ouvido de sua linda rainha.

— Agradeço cada segundo por ter conhecido o grande homem que você é. Não me importam as riquezas do seu reino, a grandiosidade do império, as joias, as roupas, o luxo... Tudo o que eu quero, Assuero, é o seu amor!

— É assim que eu me sinto, Ester. Ao seu lado, posso ser um homem como outro qualquer. Não um deus, venerado por todos, vigiado para que seja perfeito. Quando estou com você, sinto-me despojado de tudo, da minha armadura, e posso ser simplesmente um homem apaixonado — dizendo essas palavras, o rei deslizou delicadamente os dedos sobre as roupas de Ester. As vestes reais caíam no chão enquanto o casal trocava juras de amor.

— Serei sua para sempre.

— Para sempre serei seu, Ester, dona dos meus pensamentos, que mudou a minha vida com sua doçura, com sua beleza...

O rei beijou Ester mais uma vez e pegou-a no colo, levando-a para a grande cama iluminada por velas. Ali os dois se amaram madrugada adentro, com um amor e cuidado que pareciam inimagináveis para um poderoso guerreiro como Assuero, e com uma paixão e entrega inimagináveis para uma moça inexperiente como Ester. Desfrutaram de um amor que fora crescendo a cada dia.

***

Simion havia chegado à copa logo após ter deixado os aposentos reais. Ali, como frequentemente acontecia, encontrou Ruben.

— E Ester? — perguntou, curioso.

— Não a vi. O rei me mandou sair antes que ela chegasse.

— Ela deve estar muito feliz, não é?

— Lógico — Simion riu ao responder a pergunta do amigo. Para ele, a felicidade de Ester estava estampada no rosto.

— Bem, pelo menos, trabalhando aqui no palácio, posso encontrar com ela de vez em quando — Ruben já não falava do casal real com amargura. Mantinha um ar resignada ao falar da amiga e já conseguia se alegrar com o momento de felicidade que ela estava vivendo.

— Nossa amiga merece um futuro próspero ao lado do rei — disse o sempre carinhoso Simion.

— E o vinho, era bom? — Ruben perguntou tentando desviar o assunto, e seu próprio pensamento, de Ester.

— Delicioso. Pena que eu só posso tomar um golinho — Simion deu a volta na mesa da cozinha e sentou-se para limpar a taça usada pelo rei.

— Simion — chamou Ruben, como se houvesse mais alguém na copa — Você nunca teve medo de morrer no lugar do rei?

— Todo dia eu tenho medo. Todo dia eu peço a Deus que me proteja.

— Não sei se eu iria conseguir. Um líder com tantos inimigos como ele... — pensativo, Ruben media o perigo da tarefa de Simion e contemporizava sua própria vida.

— Mas tem a parte boa! Já provei das melhores comidas. Sei o gosto de todos os vinhos, os melhores que existem na Terra — disse, sempre bem-humorado.

— Já o gosto de veneno não deve ser nada agradável...

— Por isso eu faço minhas orações. Mas meu Deus é bom. Não vai querer me levar tão cedo. Pelo menos assim espero — Simion olhou a pequena concha com a qual provava as bebidas do rei e seu rosto alegre, de repente, ficou sério.

***

Naquela noite, Mordecai chegou feliz em casa, com o coração repleto de gratidão a Deus por iluminar o caminho de sua prima. Depois de tanto sofrimento e preocupação, o coração de Mordecai agora descansava, sabendo que sua menina estava feliz.

— Ester foi escolhida pelo rei! Minha pequena Hadassa agora é a rainha da Pérsia! — Mordecai falava consigo mesmo para ver se assim acreditava no que estava acontecendo, tamanha era a sua felicidade e emoção. Ele então se ajoelhou para agradecer a seu Deus.

— Senhor! Meu coração transborda de alegria! Obrigado por todas as bênçãos derramadas. Obrigado pelo destino que reservaste a Hadassa! Ela será uma grande rainha, tenho certeza! "Rainha Ester"! Que felicidade! Lia e Abiail ficariam tão orgulhosos da filha...

Mordecai concluiu suas preces, sentou-se e começou a escrever em uma pequena tabuleta de barro, rememorando de forma vívida os pais de Hadassa num momento feliz da família do qual ele fez parte.

Hadassa era ainda uma menina de 10 anos. Estavam todos em volta da mesa durante uma refeição quando aquela linda garotinha se levantou com seu prato nas mãos.

— Hadassa, onde você vai filha? — Lia perguntou, surpresa.

— Desculpe, mamãe... É que seu cozido está tão delicioso que me deu vontade de pegar mais um pouquinho.

— Deixe a menina, Lia. É apenas uma criança! — interveio Mordecai, com seu grande e generoso sorriso.

— Lia está certa, Mordecai. Educação se dá desde cedo — em tom sério, Abiail falou ao seu primo. Lia levantou-se para servir mais cozido para Hadassa.

— Você está certo, me perdoe a intromissão. Vocês dão uma educação exemplar a sua filha — envergonhado, Mordecai reconheceu o erro.

— Hadassa é uma menina muito especial, Mordecai. Nosso Deus tem grandes planos para ela.

— Que planos, papai? — Ester voltando da cozinha quis saber do que se tratava.

— Ainda não sei filha, um dia você saberá. Tenho certeza de que Deus realizará grandes feitos através da sua vida!

Hadassa sorriu com as palavras do tio.

E Mordecai voltou de suas lembranças ainda mais emocionado, mas as lágrimas eram todas de felicidade. Pegando nas mãos a tabuleta em que havia escrito o nome de Hadassa, suspirou:

— Ah, querida Hadassa.... Filha amada, que criei como se fosse minha... De alguma forma seu pai sabia. Deus tinha mesmo grandes planos para você. E sei que o que ele tem planejado está apenas começando. Que Deus a abençoe, Hadassa. Que Deus abençoe a rainha Ester!

***

Havia celebração na casa de Hamã também, mas por motivos muito diferentes. Um brinde estava sendo erguido pelo príncipe, por sua esposa Zeres e seu filho Dalfom. O plano mortal que haviam traçado durante a coroação de Ester estava em andamento.

— Já está tudo certo! Combinei todos os detalhes com os eunucos.

— Agora você precisa se preparar para assumir o império, Hamã. Um rei sem herdeiros era tudo de que precisávamos — Zeres se mostrava orgulhosa dos feitos do marido.

— Mas será que Bigtá e Teres conseguirão mesmo fazer o serviço, pai?

— Conheço o veneno de que falaram — disse Zeres. — É silencioso, rápido, letal.

— Então, um brinde ao rei! "Vida curta" ao grande Assuero! — irônico, Hamã levantou sua taça e Zeres e Dalfom o seguiram.

— Ao príncipe Hamã! Futuro imperador de toda a Pérsia! — os três riam e brindavam alegres e assoberbados quando Aridai chegou.

— Vida curta ao rei? O que vocês estão dizendo?

— Isso mesmo que ouviu, Aridai. Estamos brindando à morte do imperador! — Hamã disse, muito seguro de si.

— Seu pai arranjou dois eunucos para fazerem o serviço — ainda mais jubilosa estava Zeres, da astúcia do marido.

O que para Aridai era motivo de horror, para seus pais, embriagados pela ambição, era motivo de orgulho e, como tal, não havia razão para que não fosse assumido.

— O senhor está tramando a morte do rei? Não posso deixar que siga adiante com esse plano!

— Não pode deixar? Você é meu filho e me deve obediência, Aridai! — Hamã encarou o filho, mais ultrajado com sua insubordinação do que com seus próprios planos de assassinato.

— Seu pai será o novo governador do mundo! — Zeres falou erguendo seu cálice.

— Vocês enlouqueceram! Matar o rei! — perplexo com a situação, Aridai repetia as palavras para tentar acreditar no que ouvia.

— Aridai, isso é sério! Você sabe que se contar a alguém vai matar a família toda! Inclusive a si mesmo! Ou você acha que será poupado se entregar seu próprio pai? — Dalfom, como sabia que Aridai era diferente dos três, tratou logo de adverti-lo.

— Vocês não podem fazer isso! — tomado pelo terror das palavras de sua família, Aridai, em choque, agora sussurrava.

— Claro que podemos. E vamos! Olhe, vamos fazer o seguinte. Quando o imperador Assuero morrer e eu me tornar o rei da Pérsia, prometo entregar a judia grávida como sua escrava! Está bem assim? — Hamã prometeu, tentando barganhar com o filho.

— Tenho vergonha de pertencer a essa família! Vergonha! — revoltado e com lágrimas nos olhos, Aridai, gritando, retirou-se da sala de estar rumo a seu quarto, onde atravessou insone uma das noites mais difíceis de sua vida.

***

O sol lançou sua luz sobre Susã renovando as esperanças e as lutas cotidianas. Na rua dos comerciantes, Joel se preparava para mais um dia de trabalho ajeitando os tecidos em sua barraca.

Joel estava abatido, triste. Seu pesar destoava da agitação do lugar, cheio de outros vendedores e fregueses passando por ali. Imerso em sua dor, Joel debruçou-se por um instante sobre uma pilha de tecidos. Reclinou a cabeça como se buscasse ouvir dentro de si mesmo uma voz de consolo e coragem para atravessar o novo dia. Quando levantou a cabeça, algo chamou sua atenção:

— Não pode ser — ele sussurrou para si e apressou-se para ir atrás de uma moça que se assemelhava muito a Ana. Estava grávida, como ouvira dizer de sua filha, e carregava consigo uma cesta com frutas. Apesar de seu passo apressado, Joel perdeu a moça de vista entre os transeuntes.

— Ana! Ana! — ele chamava a filha pela rua enquanto corria sem saber direito a direção. Finalmente, a alcançou e, às suas costas, tocou-a no braço por trás. Sua emoção fez com que não medisse a força de seu gesto, fazendo com que a moça deixasse cair a cesta. Quando ela voltou-se para recolher as frutas do chão, puderam finalmente olhar-se face a face. Foi quando Joel percebeu que aquela não era sua Ana. Sentiu-se muito envergonhado e desculpou-se com a moça, recolhendo as frutas que haviam caído e devolvendo-as ao cesto.

Joel voltou à sua barraca a passos lentos, como se arrastasse o próprio corpo, sem energia por causa da tristeza que carregava. Seu pranto era mudo enquanto o movimento na rua dos comerciantes continuava intenso.

***

No harém, a manhã prosseguia calma. Tão calma que chegava a irritar Tafnes, que passeava com outras moças pelo jardim.

— Ainda bem que Quinlá e o senhor Hegai não estão por aqui hoje. Detesto aqueles dois, parece que estão o tempo todo nos vigiando! Aliás, detesto tudo aqui nesse harém! Que saudade da minha vida lá fora!

Escondido atrás de uma árvore, Tafnes avistou Dalfom, que fez um sinal para que fosse encontrá-lo. Tafnes perdeu-se do passo de suas companheiras de passeio e embrenhou-se em um trecho de folhagens mais densas próximo ao pomar. Dalfom puxou-a pelo braço e lhe acolheu com um beijo cheio de lascívia.

— Cuidado, Dalfom... Se alguém nos vê, é a minha sentença de morte! Já basta Ester ter nos flagrado antes de se tornar rainha.

— Será que agora, íntima do rei, ela falaria pra ele? — o amalequita interrompeu seu beijo para pensar por alguns segundos.

— Não precisa se preocupar. Se nos quisesse mal, ela já teria contado. Faz o estilo boazinha, coitada — disse Tafnes com desprezo.

— Que bom! Sabe que esse perigo até me excita? — e novamente puxou Tafnes para junto de si, agarrando-a com força.

— Pare com isso! É muito arriscado, Dalfom!

A egípcia se livrou dos braços do amante, recompôs-se e finalmente deixou claro suas intenções:

— Pode me ter o quanto quiser, mas fora do palácio! Quero que me tire daqui. Não aguento mais viver como prisioneira. Você prometeu que eu seria rainha. Agora que não sou, quero minha liberdade de volta!

Dalfom não recebeu bem os reclames de Tafnes.

— Você não virou rainha por incompetência sua! Quem mandou não fazer bem o serviço? Não tenho culpa se o rei Assuero preferiu Ester de Susã!

— Odeio essa mulher! Nunca a perdoarei por ter tomado meu lugar ao lado do rei! Por favor, Dalfom, me tire daqui, eu imploro!

— Tudo bem, eu darei um jeito de tirá-la. Mas antes, preciso de um favor seu. Quero que denuncie uma judia no harém que está grávida.

Apesar de todas as promessas de Aridai para proteger Ana, e de haver jurado pelo próprio sangue, sua família não queria correr o risco de ver a criança nascer.

— Judia grávida? Há várias judias entre as moças, mas não sei qual poderia estar grávida! O filho é do rei? — Tafnes se mostrou interessada no assunto, pois sentiu nele o cheiro de intriga.

— Não. É do meu irmão.

— E você não sabe o nome da moça?

— É Ana.

— Não acredito! A Ana?! — um sorriso malicioso e um olhar vidrado tomaram conta do rosto de Tafnes.

— Conhece? — Dalfom perguntou, surpreso.

— Lógico! Uma entojada. Não a suporto. E depois eu é que sou a esperta. Nunca ia imaginar que Ana não era mais virgem, toda ingênua.

— Então você fará o que eu pedi?

— Com o maior prazer. Vou adorar denunciar que existe uma judia grávida entre as moças... Você promete que me tira daqui?

Mesmo que não quisesse algo em troca, Tafnes ficaria feliz em acabar coma vida de Ana.

— Prometo. Acabe com essa judia e eu devolvo sua liberdade! — Dalfom agarrou Tafnes novamente, beijando seu corpo.

Tafnes saiu dali direto para o harém, pronta para contar a Hegai o que Dalfom havia lhe dito.

— Senhor Hegai! Senhor Hegai! O senhor não sabe o que acabei de descobrir! — Tafnes veio chamando pelos corredores da casa, ansiosa.

— Fale logo, mulher, o que foi?

Sentada em um dos lindos tapetes do harém, escovando os cabelos diante de um espelho, Ana teve tempo de comentar com uma concubina a seu lado:

— Vindo de Tafnes, boa coisa não deve ser!

A egípcia caminhou até Ana, encarou-a com ar de superioridade e mistério, depois sentou atrás dela para começar a falar.

— Realmente, Ana, boa coisa não é... Imagine você que tem uma moça grávida no harém. E a criança não é do rei! — Tafnes sorria, satisfeita com a confusão que suas palavras estavam prestes a causar.

— Como assim? Grávida? Mas isso é um crime contra a honra do imperador! — Hegai apalpava a barriga das moças à sua volta em desespero. — Você tem certeza, Tafnes? Não está inventando?

— Não estou inventando. Sei que tem uma mulher grávida entre nós. É uma das judias! — o sorriso de Tafnes deu lugar a uma expressão séria de acusação.

— Isso é uma denúncia muito grave! Espero sinceramente que você não esteja sendo leviana — visto o histórico do comportamento de Tafnes no harém, Hegai achou melhor adverti-la.

— De maneira alguma! Uma das mulheres deste harém já esteve com um homem antes de vir para cá, senhor — enquanto falava, Tafnes tocou os ombros de Ana, que estava de costas pra ela, fazendo com que Ana respirasse ofegante, tentando esconder o pânico.

— Então quem é? Diga de uma vez! — em sua fúria, Hegai gritava para quem quisesse ouvir.

—Você não acha que a moça deveria se entregar, senhor Hegai? Seria muito fácil eu revelar o nome da enganadora. Que ela assuma sua mentira! — embora quisesse parecer ponderada diante de Hegai, Tafnes secretamente queria que Ana sofresse com a iminência de ser descoberta.

— Tem razão, Tafnes. Isso é um acinte! Quem é a judia grávida? Se entregue agora para seu próprio bem! Vamos! Qual de vocês está grávida?

Tafnes, ainda sentada perto de Ana, acariciava lhe os cabelos. Ana em seus desespero não conseguia se mexer, muito menos brigar com Tafnes por estar lhe tocando. Permaneceu perto da egípcia, imóvel.

Foram poucos minutos de suspense, que pareceram durar uma eternidade.

***

Apesar de, no harém, a manhã seguir agitada, nos aposentos reais o rei e a rainha desfrutavam do desjejum aproveitando a companhia um do outro. Simion também estava por ali provando tudo o que eles iam comer, sempre de olhos baixos, com discrição.

— Gostaria muito de passar o dia inteiro com você, Ester, mas tenho afazeres, reuniões, decisões importantes a tomar — Assuero disse, carinhoso.

— Eu entendo, meu rei. Aguardarei seu chamado novamente — ciente das responsabilidades do rei, Ester não se importava de perdê-lo por algumas horas.

— Ótimo — então o rei deu um beijo delicado na esposa.

— Mandou chamar, senhor? — Harbona perguntou, chegando por ali.

— Sim, Harbona. Preciso me vestir para o conselho de guerra. Ester vai terminar seu desjejum aqui e depois deve ser conduzida a seus aposentos.

Assuero retirou-se com Harbona e Ester ficou a sós com o amigo Simion.

— Simion, quem diria que um dia nos encontraríamos nessa situação! — Ester sorria, alegre pela companhia do amigo.

— Sim, senhora. — ele também sorria, mas olhando sempre para baixo.

— Simion! Quer fazer o favor de me olhar nos olhos? — disse irritada com a atitude do amigo.

— É sinal de respeito, senhora. Ninguém deve olhar a rainha nos olhos — explicou, sorrindo.

— Mas eu sou sua amiga, o conheço desde criança! Vamos lá, é uma ordem da sua rainha agora: olhe-me nos olhos! — Ester falou com firmeza a Simion, que levantou os olhos, ainda encabulado, e só sorriu quando encontrou os olhos familiares de Ester.

— Eu ainda sou a mesma, Simion, apesar de ter tido de ocultar minha origem, de ter mudado de nome... Nunca esquecerei meu povo e nem meus irmãos de fé como você, Ruben e Ana...

— Obrigado, senhora, fico muito feliz em saber disso — os olhos de Simion ficaram marejados com a sinceridade de Ester.

— Agora me conte, como vão todos lá fora? Você tem visto meu primo Mordecai? Quero saber tudo!

Simion contou tudo o que sabia, numa conversa aliviadora. Disse para Ester que Mordecai estava sempre por perto, querendo saber notícias dela. Rever o amigo trazia grande alegria a Ester, ainda mais ter notícias de seu primo querido.

A paz que tomou conta do coração de Ester era a mesma que, desde o anúncio da coroação da nova rainha, já enchia o peito de seu primo Mordecai. Afinal, se ela precisava dos contatos de Simion para ter notícias de um simples escriba, ele há muito sabia de tudo sobre a nova rainha, e sobre o amor de Assuero por ela.

Naquela manhã, Mordecai caminhava alegre pela rua do comércio e acabou cruzando com o amigo Joel passando apressado, carregando consigo alguns tecidos.

— Meu caro amigo Mordecai!

— Onde vai com tanta pressa? — Mordecai perguntou bem-humorado.

— Voltando para a minha barraca. Acabou a seda! Parece que a coroação de Had... quero dizer, de Ester, deu uma revigorada em todo reino! As vendas melhoraram muito!

— Ah, minha Hadassa! Quem diria, rainha da Pérsia! Que um tempo próspero nos abrace a todos daqui por diante! — disse Mordecai.

Joel aproveitou o momento a sós com Mordecai para renovar seu pedido de perdão.

— Desculpe-me se fui grosseiro no dia da coroação. É tanta coisa sacolejando minha pequena família — disse, mirando seus olhos na altura do peito do amigo, de tanta vergonha.

— Não precisa se desculpar, Joel. Entendo sua dor. Devo me considerar um felizardo, mas mesmo assim, a saudade que sinto de Ester me devasta.

— Ana também faz uma falta irreparável. Ainda mais esperando essa criança... Meu neto! — Joel confessou seus sentimentos antagônicos. — Mas não quero vê-la nunca mais! Ela desonrou o nome da minha família!

Por um momento Joel tinha no rosto a expressão de nostalgia ao lembrar da filha, com um sorriso frágil nos lábios, mas logo evitou o sentimento, fechando-se completamente.

— Mesmo assim, é sua filha! Não seja tão duro, Joel — aconselhou Mordecai tocando o ombro do amigo.

— Ana entristeceu demais o meu coração. Que fique no palácio. Só quero que permaneça viva — as sombras voltavam a endurecer o coração de Joel.

— Olhe, vou tentar falar com Hadassa — cogitou Mordecai. — Em sua nova posição, talvez possa ajudar Ana de alguma forma.

— Obrigado, Mordecai. Sempre foi um grande amigo.

Foi uma conversa providencial para ambos, que devolveu os lanços de confiança construídos pela convivência e temor ao Senhor Eterno. Num forte abraço, Mordecai despediu-se de Joel desejando-lhe um bom dia de trabalho, e retomou seu caminho por entre as barracas e mascates. Alguns metros adiante, próximo das tendas de elixires, unguentos e óleos, notou que uma de suas sandálias estava desamarrada. Para liberar a passagem, educadamente agachou-se entre duas barracas, de modo que conseguiu ouvir perfeitamente a conversa travada por detrás da espessa lona do comércio de venenos.

— É este mesmo, Bigtá? A gente comprou o veneno certo?

Aquela era uma voz familiar para o escriba do palácio, assim como o nome de um eunuco de confiança da equipe real. Intrigado, Mordecai concluiu o nó de sua sandália, mas continuou agachado, aproximando-se ainda mais até que conseguisse ver os autores do diálogo. Eram Bigtá e Teres, conversando discretamente.

— É claro que é, Teres! Vai dar tudo certo, você vai ver.

— Tem certeza que o copeiro do rei, ao provar a bebida, não vai morrer antes dele? — Teres estava tenso e queria certificar-se de que tudo sairia bem.

— Já disse que não! O vendedor me garantiu. Um veneno especial para um rei injusto. Uma gota no fundo da taça é o suficiente. Depois, o vinho faz o resto!

Mordecai espremeu os olhos, franziu a testa e projetou o pescoço para se certificar de que não estava delirando ao escutar aquelas palavras. Mas a satisfação na voz de Teres não deixava dúvida:

— Bem feito! Morrer envenenado... Dizem que dói demais morrer assim.

— A gente se vinga do grande Assuero finalmente. Não vai nem aproveitar a esposa nova. Que morra o quanto antes.

Os dois se afastaram, sem notar que Mordecai os ouvia. O judeu olhou para suas mãos trêmulas e pensou que nelas estava a vida do imperador. O que ele acabara de ouvir poderia mudar a vida de Hadassa e de toda a Pérsia.

***

O veneno extraído do acônito, cruel, de dores prolongadas e destino letal, seguiu para o palácio em seu pequeno e discreto vidro escuro, cuidadosamente acondicionado entre outras compras ordinárias nas mãos de Teres, que desfilava em seus passos leves com um indisfarçável sorriso de satisfação.

Seu passo foi violentamente interrompido por um puxão. Era Dalfom.

— Teres! Onde está Bigtá? — o amalequita apertou Teres contra a parede.

— A-acabamos de voltar da rua, meu s-senhor. Fomos comprar o veneno. O veneno para o rei... — Teres mostrou o pequeno vidro a Dalfom.

— Ótimo. Temos de antecipar nosso plano.

— Antecipar, meu senhor? Mas o que houve? — surpreso, Teres se viu obrigado a questionar Dalfom.

— Aridai descobriu e pode dar com a língua nos dentes. O senhor dos senhores tem de cair hoje mesmo, sem falta.

— Porém, meu senhor, e se seu irmão nos entregar? — a voz de Teres era trêmula, tamanho o medo de Dalfom.

— Depois que o rei estiver morto, ele não vai falar. O perigo é ele tentar evitar a morte de Assuero.

— Vou procurar Bigtá imediatamente, meu senhor. Precisamos adiantar o plano, não é? Farei o possível.

A afobação de Dalfom se tornou ainda mais incisiva. Agora, o amalequita lhe apertava a garganta, quase impedindo que a fraca voz saísse.

— Não é o possível que estou pedindo, Teres. Faça acontecer!

— Mas senhor Dalfom...

— Sem choramingar, por favor — e Dalfom segurou o eunuco ainda mais forte contra a parede. — Aqui, um incentivo para não dizer que sou injusto — Dalfom tirou do bolso um saco de moedas e entregou a Teres.

— Obrigado, senhor Dalfom. O senhor é muito generoso — livre das mãos de Dalfom, Teres segurava o saco de moedas e o contemplava como a coisa mais importante de sua vida.

— Generoso coisa nenhuma. Eu tenho pressa. Vá!

***

Quem também tinha pressa era Mordecai que, depois de ouvir a conversa dos eunucos, não perdeu um segundo sequer. Adiou todos seus afazeres e correu até o palácio. Ele não tinha nenhum plano em mente, mas, enquanto corria, pedia ao Eterno que lhe preparasse a forma mais eficaz de avisar que o rei corria perigo de morte.

Assim que passou pela entrada da fortaleza, imediatamente avistou Ruben carregando um pequeno móvel debaixo do braço. Ofegante demais para gritar, correu até ele gesticulando freneticamente.

— Ruben! Graças a Deus o encontrei!

— Senhor Mordecai! — Ruben, surpreso ao encontrar Mordecai e preocupado em ver sua aflição, foi conduzido por ele para um canto mais reservado.

— A vida do rei está em perigo — sem rodeios, Mordecai foi direto ao assunto, enquanto tentava recuperar o fôlego.

— A vida do rei? Mas como o senhor ficou sabendo disso?

— Acabei de escutar dois eunucos, Bigtá e Teres, tramando contra o grande Assuero!

— Mas isso é terrível! — embora fosse uma notícia inesperada, Ruben conseguia acompanhar Mordecai em seu relato sem ter de fazer muitas perguntas.

— Eles pretendem envenenar o imperador! Você tem de alertar o rei o mais rápido possível! — Ruben estava de olhos arregalados, assim como Mordecai havia ficado ao ouvir a conversa dos eunucos, cerca de uma hora antes.

— Não tenho acesso à sala do trono... — lamentou o eunuco, antes que, num rompante, pensasse na solução perfeita. — Hadassa! É mais fácil chegar até ela!

Dada a gravidade da situação, era preciso pensar rápido. Foi o que Ruben fez ao pensar em Ester.

— Faça isso, Ruben! Alerte a rainha! O grande Assuero confiará na palavra da esposa!

Mordecai respirou aliviado com a ideia do amigo, mas o tempo estava passando e era preciso agir rapidamente.

***

Quinlá fora destacada para continuar cuidando de Ester, mesmo depois da coroação. As duas haviam desenvolvido uma relação de confiança e carinho e, naquela manhã Quinlá estava nos aposentos reais preparando a rainha para seu encontro com Assuero.

— Já estou quase terminando, minha rainha — disse a serva, enquanto escovava os longos cabelos negros de Ester.

— Não tenha pressa, Quinlá. O rei me chamou, mas parece que tinha muitos assuntos a resolver antes de me receber.

— E quanto a Ana? Vai falar com o grande rei sobre ela? — como havia se afeiçoado muito a moça, Quinlá se preocupava com ela.

— Ainda não encontrei nem momento nem palavras certas — Ester suspirou ao falar da amiga, sabia que não seria fácil tocar no assunto com o rei.

— A barriga já está muito grande. Mais cedo ou mais tarde, Hegai vai acabar descobrindo — Quinlá franziu a testa em sinal de preocupação.

— Não, Quinlá. Falarei com Assuero na primeira oportunidade — garantiu, com firmeza.

A conversa entre as duas, que transcorria no mesmo clima ameno que nos tempos do harém, foi interrompido pelo pesado som das sandálias de um eunuco, que subiu pelas escadas com pisadas fortes e adentrou nos aposentos quebrando todo tipo de protocolo. Era Ruben, olhando a rainha diretamente nos olhos, com um semblante que reunia a palidez de um assombro e a vermelhidão de quem acabara de correr tão rapidamente quanto podia.

— O que é isso?! — bradou Quinlá, sentindo-se profundamente invadida.

— Ó grande rainha! A Pérsia inteira precisa de uma palavra sua para ser salva! — apesar de desesperado, Ruben teve o cuidado de dirigir-se à velha amiga em tom de reverência.

— Insolente! A punição por invadir os aposentos da rainha é a morte! Guardas! Prendam esse intruso! — era o dever de Quinlá cuidar e ajudar a proteger a rainha.

— Não, espere! — Ester ordenou, dando o tempo necessário para que o eunuco sorvesse o ar que lhe faltava. — Vamos ouvir o que o rapaz tem a dizer!

Ester confiava o bastante em Ruben para saber que a entrada brusca do rapaz em seus aposentos só poderia ter uma explicação plausível.

— O grande rei, senhora! Está correndo risco de vida!

— Do que você está falando? — Ester aproximou-se de Ruben desesperada, tentando entender o que ele dizia.

— O oficial escriba conhecido como Mordecai... — Ruben era obrigado a disfarçar, perto de Quinlá.

— Mordecai?! O que tem ele? — ao ouvir o nome do primo o coração de Ester agitou-se ainda mais, frente à agitação de Ruben que certamente sinalizava uma má noticia.

— Ele ouviu os eunucos Bigtá e Teres tramando contra a vida do rei Assuero! — tomando mais ar e tentando falar ao mesmo tempo, Ruben tentava explicar a situação para Ester. Por poucas informações que tivessem, a gravidade do caso era evidente.

— Não pode ser! Não diga uma coisa dessas!

— Infelizmente é verdade, senhora! Podem tentar envenenar o senhor dos senhores hoje mesmo!

— Quinlá, tenho de avisar Assuero o quanto antes! Eu preciso falar com ele — Ester saiu correndo de seus aposentos para tentar avisar o rei do perigo que corria, ela também agora rompendo as tradições, segundo as quais a rainha deveria esperar sempre o chamado real.

— Desculpe-me se me assustei — disse Quinlá a Ruben. — É que entrar dessa maneira nos aposentos da rainha...

O eunuco agradecia com a cabeça quando se lembrou de seu amigo copeiro.

— Simion! Tenho de avisá-lo antes que prove o vinho envenenado!

E, vencendo o próprio fastio, Ruben mais uma vez saiu correndo, desta vez para tentar salvar a vida de Simion.

***

Reunidos na sala do trono estavam Assuero e seus conselheiros: Memucã e Hamã entre os principais, além de Harbona e outros servos, entrando e saindo de intrincadas discussões de assuntos do reino. Em determinado momento, Memucã pediu a palavra para defender fortemente a construção de estradas novas para uma pequena província a noroeste do império, próxima do mar Cáspio.

— Se a dita província está nos pedindo estradas novas é porque certamente precisa delas! — bradou Memucã para Hamã, sempre seu oponente nas discussões a respeito do reino.

— Seria um desperdício com um lugar tão remoto, não acha? — Hamã retrucou.

— Achávamos que tinham riquezas, mas aquele povo não tem nada a nos oferecer — calmo, o rei Assuero interveio na discussão.

— Aquele povo é o seu povo, senhor. Mesmo distantes e isolados, eles foram incorporados ao império e precisam ser respeitados como tal! — Memucã era incisivo. E a fala que a princípio era dirigida ao rei, destinou-se a Hamã.

— Ora Memucã! O povo é que deve respeito a seu rei, e não o contrário! — no mesmo tom, Hamã respondeu ao adversário.

— Memucã está certo — o senso de justiça e retidão de Assuero falou mais alto. — Eles foram conquistados, demonstram fidelidade ao império. Mesmo sendo uma província inferior, devem estar em pé de igualdade com as outras perante seu rei.

O rei olhou para Memucã e Hamã e assentiu positivamente com a cabeça.

— O grande e poderoso Assuero, sempre de uma generosidade divina para com os vencidos. — sorriu falsamente Hamã, que tentava esconder seu ódio.

Quando notou que a discussão a respeito das estradas havia sido encerrada, correu os olhos, impacientemente pela sala de reuniões. Em um dos cantos, viu seu filho Dalfom assentindo com a cabeça, em sinal de que fizera exatamente como o pai lhe havia pedido pela manhã: ordenou aos eunucos que acelerassem seu plano de assassinato. Dalfom então curvou-se diante do rei e juntou-se ao pai e aos demais conselheiros na reunião.

— Findada essa discussão, mais algum assunto pendente, Harbona? — perguntou Assuero.

— O oficial Aridai espera há algum tempo para ter uma palavra com o senhor.

— Aridai? Mas o que ele está fazendo lá fora? Mande-o entrar! — a família de Hamã era sempre bem vinda ao palácio, especialmente seus filhos que também eram oficiais do reino; daí a surpresa do rei.

Hamã e Dalfom, tão surpresos quanto o rei, se entreolharam com nervosismo.

— Se ele me entregar, seremos todos mortos aqui mesmo — sussurrou Hamã para o filho mais velho, enquanto Aridai atravessava a sala por trás de suas pesadas cadeiras.

— Olhe só quem está aqui, Hamã! Seu querido filho! Bravo guerreiro Aridai — o jovem oficial, em passos duros, esboçou um sorriso diante da gentileza do rei, e se posicionou, em pé, à esquerda da cabeceira da mesa.

— Preciso mesmo de coragem, senhor, para o que vou contar.

— Olhe bem o que vai dizer. Não vá assustar o grande rei com nenhuma bobagem — Hamã tentou advertir num chiste, de forma enigmática para os outros presentes.

— Não posso prever o efeito que terão minhas palavras — cabisbaixo Aridai se mostrava nervoso.

— Então, cuidado quando for falar, se não quiser um futuro inesperado — foi a vez de Dalfom censurar o irmão.

— Ora... o que estará acontecendo aqui, senhores? Deixem o rapaz dizer a que veio — com uma expressão desconfiada, Memucã aproximou-se mais do rei e de Aridai. O tom leve com que o rei recebeu o oficial fora rapidamente substituído por um suspense cortante.

— Fale, filho. Lembre-se de seus antepassados, pense em seus descendentes e trabalhe em favor do reino — era a última vez que Hamã tentava impedir o filho de lhe delatar ao rei.

— Eu... — Aridai não conseguia continuar sua fala diante do forte nervosismo que tomava conta de seu coração.

—Você está pálido, Aridai. Algum problema? — até mesmo o rei notava que algo incomodava Aridai profundamente.

— Sim grande rei... É muito grave... É que... eu... tenho uma informação...

— Que informação? — insistiu Memucã, enquanto, observador, percebeu a troca inquisitória de olhares entre pai e filho, que o deixaram ainda mais desconfiado.

— Eu encontrei um grego na taberna e soube que eles estão muito organizados. Espere mais alguns anos, grande rei, antes do ataque. As cidades-estados da Grécia vão acabar se desentendendo e esse será o momento de guerrear, não agora — Aridai não teve coragem de entregar sua família e, no último momento, os laços de sangue falaram mais alto. Ele não podia entregar à morte o próprio pai. Por esse motivo Dalfom e Hamã respiraram aliviados, procurando disfarçar o susto e o constrangimento de ver Aridai interrompendo a reunião para dividir com o rei uma história tão mal ajambrada.

— Mas isso a gente já sabia! Você esperou horas lá fora para dizer isso? — questionou Memucã, suspeitando que houvesse mais a ser dito.

— Os meus filhos não poupam esforços para trazer ao rei uma mínima informação que ajude na manutenção do império! — Hamã tentava dar suporte à mentira de Aridai.

— Meu irmão achou que fosse importante, não é mesmo, Aridai? — e Dalfom estava sempre à disposição para ajudar o pai.

— Sim, achei — Aridai respondeu entre os dentes, cindido entre o pesar pela vida do rei, o desprezo pela ambição da família e a vergonha por sua própria incapacidade de impedir o derramamento de sangue com mais derramamento de sangue. O seu sangue.

— Pois muito bem, Aridai. Vou levar em conta suas palavras num próximo conselho de guerra. Mas agora vamos relaxar um pouco. Toda essa discussão me deu sede! Harbona, traga vinho para todos nós!

— Sim, senhor — Harbona retirou-se imediatamente para providenciar o pedido do rei.

Motivados pela pressão de Dalfom e também pela recompensa, Bigtá e Teres deram um jeito de colocar o veneno na taça do rei antes mesmo que Simion viesse buscá-las para servir aos homens na sala do trono.

— Uma gota só já daria para matar um cavalo — disse Bigtá, rindo da desgraça que cairia sobre o império.

— Tem de pingar bem no fundo da taça, para ninguém desconfiar — Teres queria certificar-se que Bigtá faria o trabalho com perfeição cirúrgica. E assim ele fez, antes de levantar a taça envenenada.

— Morte a Assuero e aos seus! — brindou cochichando, traduzindo em palavras o desejo da dupla. Então os eunucos repousaram a taça e deixaram a cozinha do palácio apressados.

Só restava à rainha Ester esperar que os rígidos protocolos do palácio não impedissem que a vida do grande rei fosse salva. Ela corria com toda a pressa que conseguia para chegar logo à sala do trono. Seu pesado e luxuoso vestido era certamente um empecilho.

Simion também se apressava em suas funções, a tal ponto de não ser localizado por Ruben quando este chegou, novamente sem ar, à copa para avisá-lo. Outros escravos já haviam separado as taças e encaminharam-se para a sala do trono a fim de servir ao rei e aos seus homens de confiança.

— Simion! Simion! Não é possível! Onde foi que ele se meteu?! — por mais que tivesse se esforçado, o máximo que Ruben conseguiu foi chamar o amigo no vazio da área de serviço do palácio.

Àquela altura, Simion já estava na antecâmara da sala do trono, esperando apenas o aviso para que servisse Assuero.

— Passe-me a taça, Simion. — pediu o rei diretamente ao copeiro.

Simion provou do vinho, como de costume, avisando-lhe em seguida de que o vinho estava seguro e entregou-lhe a taça. Hamã e Dalfom observavam sem desviar o olhar por um segundo, toda a movimentação do rei e sua taça de vinho.

Após servir o rei, Simion trouxe também uma taça de vinho para Aridai, para que acompanhasse os outros no brinde.

— Tome um vinho, Aridai — o rei notava no oficial uma tensão que não se dissipou mesmo depois de contar o que havia ido fazer ali. — Acho que você está precisando.

— Agradeço, ó grande rei. Mas não tenho sede — o rapaz respondeu evitando olhar o rei por muito tempo nos olhos.

— O rei está certo, filho. Um golinho do melhor vinho do império não faz mal a ninguém — insistiu Hamã.

— O melhor vinho se torna amargo quando nosso coração está pesado — foi o que Aridai conseguiu dizer diante daquela situação.

— E por qual razão um coração tão jovem ficaria tão pesado, nobre Aridai? — Memucã perguntou observando o rapaz.

— Descaminhos do amor, Memucã. Meu irmão tem um talento para se meter onde não deve — com uma resposta rápida e aparentemente espirituosa, Dalfom eliminou a oportunidade de Aridai voltar atrás em sua decisão de não entregar a família.

— Que não seja moça casada. Está aí o pior dos venenos — comentou Memucã recebendo a taça das mãos de Simion.

— Existem piores, posso lhe assegurar. — Hamã disse, irônico.

Do lado de fora, Ester finalmente chegava, em pânico, à entrada da sala do trono, e encontrou Harbona prestes a voltar para dentro, onde deveria estar ao lado do rei.

— Harbona! Eu preciso ver Assuero!

— Rainha Ester, eu...

— É importante! Preciso falar com o rei imediatamente! — Ester trazia o desespero no olhar, no falar.

— Senhora, o piedoso rei irá recebê-la assim que acabar a reunião com os conselheiros — a princípio Harbona sorriu, pensando se tratar apenas de saudades da rainha para com o rei.

— Pode ser tarde demais... Eu vou entrar! — Ester deu alguns passos violentos em direção a entrada da sala do trono mas foi impedida pelo conselho de Harbona.

— Não faça isso, minha rainha, por favor.

— Mas é assunto de vida ou morte! — Ester falava com voz trêmula diante da impossibilidade de avisar seu marido da morte iminente.

— Entrar na sala do trono sem ser chamado é um grande desrespeito. Quem faz isso quase sempre é condenado à forca! Ainda mais em reunião, na presença dos conselheiros! Mesmo a rainha não deve proceder assim!

— Então entre você e me anuncie! Você pode entrar já que é o braço direito do rei — a rainha pensava em todo o tipo de saída para que pudesse salvar a vida do rei.

— Entrarei, senhora e o farei de boa vontade, mas só poderei falar com o rei de sua urgência se o grande Assuero antes dirigir a palavra a mim. Perdoe-me, senhora, as leis cerimoniais são essas e um escravo como eu não sabe desobedecer-lhes.

— Mas é a vida do rei que está em jogo! — na esperança de convencer Harbona, Ester lhe revelou o motivo de sua urgência.

— Lamento muito, senhora. Vamos pedir aos deuses que o piedoso rei fale comigo — Harbona embora percebesse a urgência e a seriedade do assunto, estava impedido de agir imediatamente.

— Então entre logo! Antes que seja tarde! Vou ficar aqui esperando. — Ester permaneceu do lado de fora, clamando a Deus que desse tempo de avisar seu esposo.

Dentro da sala do trono, não havia sinal de afobação. Memucã convidou a todos os presentes para um brinde. Balançando sua taça, sentindo o buquê do vinho. Hamã observava na expectativa que não só Memucã, mas o rei bebesse logo do vinho servido.

— A sede que tenho hoje, senhores, é digna de todos os povos do deserto. Finíssimo! Deve curar todos os males um vinho com tal aroma! Longa vida ao grande

Assuero! — e todos os presentes levantaram suas taças e levaram suas taças até os lábios.

SETE

Ester precisa falar com o rei

Inquieto ao lado de Assuero, alternando nervosamente os olhos entre o rei e a porta de entrada da sala, mordiscando os lábios e apertando os dedos, Harbona não conseguia disfarçar seu constrangimento pelo imprevisto de Ester haver tentando invadir a audiência real.

— Que foi, Harbona? Por que está aí, parado? — perguntou Assuero, afastando a taça de seus lábios alguns poucos e preciosos milímetros.

— Desculpe-me, senhor. Mas é que tenho um assunto urgente para tratar com o senhor.

— Diga logo o que é — Assuero mantinha a taça erguida próxima a seu rosto, num gesto que era reproduzido por todos os presentes na sala.

— A rainha quer lhe falar.

— Eu sei, Harbona. Eu mesmo mandei chamá-la. Mas peça que aguarde mais um instante — ordenou o rei.

Pensando tratar da simples ansiedade dos namorados, o rei voltou seu rosto para sua equipe, e levantou novamente a taça de volta em direção aos lábios.

— Desculpe-me, imperador, mas ela pede urgência — disse, embaraçado, mas em tom sério.

Todos os olhos da sala do trono estavam fixos em Harbona, especialmente os de Hamã e Dalfom, os mais interessados em que aquela conversa acabasse logo para que o rei pudesse beber seu vinho.

— Aconteceu alguma coisa? — Assuero afastou sua taça mais uma vez, sendo seguido por toda a equipe.

— Não sei dizer ao certo. Mas a rainha está desesperada querendo falar com o senhor.

— Bem, então mande-a entrar.

Harbona inclinou-se, agradecendo a confiança, caminhou a passos curtos e rápidos até a pesada porta de cedro e a abriu, para que Ester entrasse. A moça não perdeu tempo e correu até o rei.

— O que foi, Ester? — a aflição no olhar de Ester deixou o rei agitado.

— Assuero! — disse ela, colocando suas mãos nos ombros do imperador — Dois eunucos foram flagrados tramando a sua morte! Vão tentar envenená-lo!

À direita do trono, Memucã colocou a mão no peito, franziu a testa como se uma dor lancinante lhe cortasse as entranhas e caiu no chão. A seu lado, Aridai espantou-se com a cena:

— Memucã, o que você tem? — embora o oficial soubesse da trama de seu pai, não imaginava que também Memucã fosse ser assassinado. Aridai reclinou-se para tentar ajudar o conselheiro, assim como Harbona e o próprio casal real.

— Uma dor... muito forte... tem algo queimando dentro de mim... arghhh.... estou sufocando... — Memucã mal podia falar, tamanha era a sua dor.

— O vinho! Deve ter sido o vinho! — Harbona presumiu, desesperado.

— Está vendo, Assuero? Envenenaram o vinho que era para o senhor — diante de seus olhos, Ester via um pesadelo se concretizar.

— Harbona! Vá atrás de um feiticeiro, de um sábio, do que for! Alguém que possa reverter esse mal! Rápido!

Àquela altura, Assuero havia deixado o trono e estava sentado no chão com a cabeça do velho amigo em seu colo.

— Não... não... o veneno já está me consumindo por inteiro... — sentindo seus músculo enrijecendo e todo seu corpo fugindo de seu controle, Memucã apenas conseguia sussurrar.

— Memucã, não pode ser — lamentava o rei.

— Fico feliz porque tomei o veneno que seria endereçado ao meu rei... Eu vivi a serviço do rei, morro a serviço do meu rei... — a voz do conselheiro saía num sopro, seu olhar perdia-se sem norte. — A morte me autoriza a tocar a face do meu rei?

Assuero assentiu que sim com a cabeça, as lágrimas já rolavam em seu rosto. Memucã então levou as mãos com enorme dificuldade em direção ao rosto do rei e lhe disse:

— Meu rei menino... menino rei... Cuidado, criança... Cuidado com aqueles que o cercam no trono... Esteja alerta, mas seja bom... meu... rei...

Memucã sentiu uma fisgada violenta, apertou os olhos, renovou o fôlego e continuou:

— Meu rei... Se a sua bondade chegar ao coração do inimigo antes de sua espada, a vitória já terá sido sua antes que a guerra comece. O velho amigo se despede... Vida longa ao rei Assuero, vida longa ao rei menino... O escolhido dos deuses! — e assim Memucã deu seu último suspiro, profundo e dolorido, e então morreu nos braços do rei que tanto amou e a quem tão bem serviu.

— Harbona! Ajude-me aqui, rápido! — embora chorasse copiosamente, o rei ainda tinha esperanças de que Memucã sobrevivesse.

Ester jamais imaginou estar diante de uma cena como aquela. As lágrimas brotavam doloridas de seus rostos, mas ela precisava reorganizar seu pensamento.

— Foram aqueles dois eunucos, senhor, Bigtá e Teres.

— Um momento minha rainha! — Hamã, que manteve-se alheio durante toda a agonia de Memucã, interveio num rompante, temendo que a condenação dos eunucos pudesse reverter em sua própria condenação.

Ao movimentar sua mão diante de Ester, entretanto, ele despertou na rainha suas mais profundas e doloridas memórias. Era a pulseira, o sinal dos amalequitas. A mesma pulseira que os homens que mataram seus pais usavam. Ester rememorou, com riqueza de detalhes, toda a dor do dia que perdeu seus pais. A correria do povo pela rua, a luta covarde de soldados amalequitas contra pessoas pacíficas e desarmadas, lembrou-se de suas pequenas pernas correndo o mais rápido que podiam e o desespero no olhar de sua mãe... A perda de uma infância tranquila e feliz ao lado de seus pais.

O próprio Hamã a trouxe de volta de seu pensamento com sua pergunta.

— Como pode ter tanta certeza de que tentaram envenenar o rei?

— Não está claro? Memucã bebeu o vinho que estava destinado ao meu senhor! — todos os fatos estavam claros demais para Ester, não era possível que Hamã não pudesse ver também o que estava explícito para todos que quisessem enxergar.

— E quanto ao copeiro? Simion deveria ter morrido também — como sempre, Hamã tinha uma reposta de afronta.

— Também estou me sentindo mal, senhor. — lá do fundo da sala do trono, Simion se manifestou com a mão sobre o ventre. — Estou sentindo as minhas entranhas, com licença... — Simion deixou a sala do trono passando muito mal.

Ester, então, encarou Hamã, séria como nunca havia encarado ninguém na vida. O amalequita a olhou de volta, intimamente intrigado sobre como a rainha poderia ter descoberto todo o plano.

— Está mesmo morto, Harbona? — perguntou o rei.

— Parece que sim, meu senhor.

— Memucã, meu amigo, meu grande companheiro, fiel até o último instante, morreu para me proteger... Que os deuses o guiem e o iluminem na sua jornada pela eternidade — as lágrimas desciam grossas pela face do rei.

— Assuero, sinto muito... — a rainha sussurrou.

— Ele era meu melhor amigo, Ester.

— Eu sei...

— Era como um pai para mim.

— Lamento não ter chegado a tempo de salvá-lo — Ester compartilhava da dor do marido e chorava junto com ele.

— Quero ficar sozinho, saiam todos! — ainda com a cabeça de Memucã em seu colo, o rei urrava para todos na sala.

— Meu rei... — Hamã tentou interferir.

— Vá, Hamã! E volte mais tarde com os conselheiros! Quero que todos estejam presentes aqui no interrogatório dos eunucos! Ainda hoje! Agora quero ficar só!

Sem palavras e verdadeiramente sem ação, Hamã retirou-se, junto com todos os outros.

O rei havia defendido a vida de tantos companheiros em batalhas, mas ali, tão perto, em sua fortaleza intransponível, não pôde impedir a ruína de seu amigo mais fiel. Pela segunda vez, a morte lhe roubava um pai por meio do veneno destinado a ele mesmo. Nem o amor de Ester podia ampará-lo naquela dor.

— Assuero...

— Disse que queria ficar só, Ester... Deixe-me chorar sozinho.

A rainha não pôde fazer nada além de atender ao pedido do marido, retirar-se também da sala do trono e deixá-lo com sua dor.

***

Esgueirando-se como serpentes pelos cantos e colunas do palácio, Bigtá e Teres procuraram a discrição durante o que imaginavam ser o tempo de desenrolar de seu plano.

— A essa hora o rei já deve ter tomado o vinho! — o sorriso no rosto de Bigtá entregava sua alegria.

— Muito em breve receberemos a notícia de que o supremo, o poderoso, o rei dos reis Assuero... faleceu! — satisfeito, Teres ria baixinho com o comparsa.

— Olhe quem vem lá! Os servos da rainha... — Teres avistou Hegai e Quinlá vindo apressados pelo corredor.

— O semblante é de preocupação... — ironizou Bigtá, rindo maldoso.

— Parece até que alguém morreu! — Teres completou, enquanto os dois aguardavam ansiosos pela constatação da morte de Assuero. Escondidos, os eunucos se colocaram a prestar atenção na conversa de Hegai e Quinlá.

— Que loucura! Ainda bem que a rainha descobriu a tempo! — Hegai falava, ofegante.

— Será que deu tempo de Ester salvar o rei? — Quinlá estava aflita por haver presenciado o momento em que Ruben havia dado a notícia à rainha, e não saber ainda exatamente o desfecho da história.

Sorrateiros, os dois eunucos continuavam tentando ouvir. De onde estavam, discerniam apenas trechos da conversa. De repente, na perplexidade de Hegai, entenderam tudo.

— Quem diria que pessoas de dentro do palácio iriam tramar contra a vida do imperador?

— Eunucos de confiança, que horror! — enojou-se Quinlá.

O desespero tomou conta de Bigtá e Teres:

— A rainha descobriu? — boquiaberto, Bigtá falava para si.

— Mas como, Bigtá? — Teres não conseguia pensar em momento algum em que pudesse ter deixado alguma informação escapar.

— Vamos fugir, antes que seja tarde demais! — o risinho malicioso dos eunucos desapareceu completamente, dando lugar a um semblante sério, empalidecido, preocupado.

***

Dois guardas acompanharam e ampararam Simion desde a sala do trono até a área de serviço do palácio, supervisionados por Harbona. O copeiro foi obrigado a parar diversas vezes no meio do caminho devido às pontadas que sentia no estômago.

— Simion, como pode Memucã ter morrido e você não? — Harbona perguntou, assustado.

— Não sei. Bebi apenas um gole do vinho. Memucã sorveu toda a bebida. Mas estou passando muito mal. Parece que há veneno... — interrompido pela náusea, Simion esgueirou-se até um canto na área externa da cozinha para vomitar.

Harbona nunca havia visto um colega de palácio tão mal.

— Realmente, parece estar envenenado — disse a Ruben, que havia acabado de chegar, apressado, para saber notícias do amigo. — Tentaram envenenar o rei. Mataram Memucã. Simion está vivo, pelo menos, por enquanto...

Voltando os olhos para Simion, Harbona não queria dar falsas esperanças a ele.

— Como assim, Harbona? Ele ainda corre perigo? — Ruben apavorou-se diante da possibilidade de seu amigo ter o mesmo fim de Memucã.

— Bem, uma gota do veneno pode ser suficiente para matar o mais forte dos homens — Harbona aprendera no palácio a sempre falar sem cerimônias, ser direto, principalmente com o rei, de quem não podia desperdiçar o tempo. Ao ser muito claro com Ruben, Harbona parecia cruel em suas palavras, mas era apenas franqueza.

— Que tragédia! — com os olhos molhados, olhando à sua volta como se procurasse algo, Ruben tentava processar em sua mente tudo que estava acontecendo no palácio nas últimas horas, buscando algum sentido que ligasse tudo o que estava vendo e vivendo.

Harbona era mais experiente, já conhecia perfeitamente como funcionavam os jogos de interesse no palácio e arriscou uma possibilidade, ainda que em forma de suspeita:

— Só queria saber por que dois eunucos iriam tentar assassinar o rei... Deve haver alguém por trás disso tudo.

Simion voltou à cozinha apoiando-se nos grandes e pesados móveis de madeira. Tentando tranquilizar seu amigo Ruben, tentou dar alguns passos em direção a ele, mas, no meio do caminho, sentiu um calafrio a lhe percorrer o corpo e os músculos fraquejarem. Segurou numa grande mesa para não cair, e debruçou-se em cima das taças que estavam ali. Ruben e mais um escravo correram para socorrê-lo.

— Acabei cumprindo meu trabalho, morrer no lugar do rei... — riu Simion, dolorosa e amargamente.

— Vou chamar feiticeiros para curá-lo — sugeriu Harbona, de pé próximo ao eunuco desfalecido.

— Não... — com o fôlego que lhe restava, Simion gritou para Harbona.

— Como, não, Simion? Você está morrendo! — disse Harbona, impressionado com a recusa.

Simion apoiou-se sobre os cotovelos e olhou fixamente para o eunuco.

— Se meu Deus quiser me curar, Harbona, assim vai ser. Se quiser me levar, que seja feita a Sua vontade. Mas não quero minha vida nas mãos de feiticeiros — com o rosto pálido, a boca descorada e contorcendo-se de dor, Simion ainda lembrava do Deus de Israel e depositava nEle sua confiança. Ele estava certo de que Deus faria o melhor, independentemente do desfecho daquela situação.

— Confesso que muito me impressiona a sua fé — Harbona permitiu-se fazer um comentário pessoal naquela situação, tamanha era sua surpresa com a atitude de Simion.

— Vai ficar tudo bem — sentado ao lado do amigo e firmando seu corpo com uma das mãos, com a outra, Ruben usava um pequeno tecido para enxugar o suor que brotava com a dor no rosto febril de Simion. Era a vez de Ruben retribuir o cuidado e amizade que Simion demonstrou quando era ele quem sofria.

★

Embora os detalhes do atentado contra o rei não estivessem totalmente esclarecidos, os guardas de todo o palácio já haviam sido informados de que Bigtá e Teres eram suspeitos e deviam ser capturados.

Os dois eunucos tentavam se colocar em rota de fuga, mas traíam-se em seu próprio desespero. Tropeçaram, deixaram móveis e louças caírem, discutiram por tolice, acusaram-se em meio às poucas possibilidades que tinham de esconderijos. Sem opção, correram para o jardim do palácio, na esperança de, entre as folhagens e arbustos, conseguirem despistar os guardas até terem oportunidade de fugir de lá.

Numa pequena clareira entre a parte mais fechada por plantas do jardim, os eunucos deram de frente com Dalfom, e então respiraram aliviados por alguns segundos antes de falar.

— Senhor Dalfom! Ainda bem! — Bigtá balbuciou, ofegante. — Você precisa nos tirar daqui! Descobriram a trama de seu pai para matar o rei! — o outro eunuco completou.

— Trama de meu pai? — Dalfom encarou os dois tão furioso que até parecia realmente acreditar no que dizia. — Como vocês ousam dizer que meu pai tem alguma coisa a ver com essa sujeira toda?

— Mas foi ele que...

— Eu vou falar uma vez e não vou repetir. Vocês dois vão morrer de qualquer jeito! Mas se disserem o nome de meu pai para alguém, mando matar sua família!

— Maldito! Não tente nos ameaçar! Eunuco não tem família! — o ódio nos olhos de Bigtá era quase palpável. Ele respondeu a Dalfom devagar, com prazer em contrariar os planos do amalequita.

— Seu pai não vai ficar limpo nessa história! Você e ele vão pra forca também! — ameaçou Teres.

Por um breve momento, o eunuco se esqueceu do apuro em que se encontrava e conseguiu pensar apenas em levar Dalfom e o pai junto com ele para morte. Espantado com sua própria sagacidade, tão logo anunciou sua ameaça a Dalfom, soltou um risinho encharcado de maldade, no que foi rapidamente seguido por Bigtá.

— Escutem aqui. Não brinquem comigo! Sei do passado que vocês têm fora do palácio. Pensam que não investiguei? Podem não ter mulher e filhos, mas têm pai, mãe, irmãos... Vou começar pelas crianças, pelos sobrinhos adorados, que serão torturados e esmigalhados até virarem pó, entenderam?

Teres percebeu o quão sério o oficial falava e mudou seu discurso:

— Não, por favor... Não faça isso!

— Misericórdia, senhor!

Os dois eunucos voltaram assim a posição de desvantagem novamente. Não tinham o que fazer diante da ameaça.

— Guardas! Aqui! Aqui estão os traidores! — guiados pelo grito de Dalfom os guardas vieram correndo para prender os eunucos. Bigtá e Teres ainda tentaram correr, mas foram apanhados com facilidade.

— Levem-nos para o rei! — ordenava Dalfom, com ar de herói. — Eles vão ter o que merecem!

Assim, Bigtá e Teres foram levados, esperneando e gritando a plenos pulmões sua inocência. Foram mantidos na prisão do palácio até o momento em que, diante de toda a equipe real, seriam interrogados. Foram as horas mais angustiantes de toda a sua vida.

***

Era difícil acreditar que o rei que exalava esperança, compaixão e felicidade durante seu casamento, horas depois estaria sentado em seu trono, rodeado por sua equipe de conselheiros, com o coração e as feições repletas de raiva e violência. Assuero sentia que devia externar tudo o que sentia pelo atentado à sua vida e especialmente pela morte de seu querido amigo e primeiro-ministro, Memucã.

Os guardas trouxeram os eunucos no final da tarde, quando a luz do sol já coloria a sala com seus últimos raios — oferecendo a certeza de que a audiência não demoraria muito. Assuero sentou-se em seu trono e não disse palavra. Sua equipe — Hamã e Harbona entre ela — o reverenciou, com pesar no rosto. Quando Bigtá e Teres foram colocados de joelhos diante do imperador, Assuero posicionou seus cotovelos sobre os grossos entalhes de madeira em forma de leão, apertou as pontas dos dedos de uma mão na outra, olhou para os traidores e disse, alto e duro:

— Não adianta alegarem inocência. Sei que foram os responsáveis. Só me digam quem foi o mandante.

— Ninguém, senhor. Nós dois tramamos tudo sozinhos — o olhar cortante de Hamã estava sobre os dois enquanto Bigtá começou a mentir.

— Ficamos com raiva do senhor, por ter tomado nossas moedas! — Teres acrescentou à fala do companheiro.

— Não sejam ridículos! Ninguém mata um imperador por causa de algumas moedas! — o rei inclinou-se de seu trono em direção aos eunucos colocando naquelas palavras toda a sua revolta.

— Mas foi isso mesmo, senhor — aos prantos, Bigtá tentava convencer o rei.

— Achamos a sua atitude injusta...

Com essa fala, Teres conseguiu apenas ampliar a fúria do rei, que se levantou do trono imediatamente para vociferar ainda mais alto:

— Vocês conhecem a dor da castração! Pois eu mesmo vou arrancar olho por olho, dente por dente, víscera por víscera, até me dizerem a verdade!

— Clemência! — foi a palavra que saiu da boca de Bigtá em meio a seu choro desesperado.

Diante do descontrole crescente do rei, Harbona achou por bem intervir:

— Se vocês querem clemência, é melhor que digam logo! Quem está por trás desse atentado à vida do rei?

— Se nós falarmos, o senhor nos perdoaria? — Teres continuava olhando para o chão e resolveu arriscar sua única possibilidade de salvação: a delação.

Hamã arregalou os olhos, temendo ser denunciado.

— Concede-nos clemência, senhor! Concede-nos piedade, deixe-nos ir embora para nossas famílias! Se o senhor nos prometer isso... — quando Teres tentava expor sua proposta em meio as lágrimas, Hamã percebeu que era a hora de interferir.

— Quem vocês pensam que são para negociar com o rei dos reis? Isso é um insulto! Dois eunucos assassinos e fujões? Mande matá-los logo, senhor! — ao falar com o rei o tom de voz de Hamã era baixo, mas firme. — Está claro que tramaram tudo sozinhos! Se houvesse alguém mais poderoso por trás, teriam, no mínimo, pensado em um veneno mais forte! Pois se nem o copeiro morreu!

— Nesse ponto Hamã tem razão, senhor. Simion passou muito mal, mas continua vivo... Não se sabe até quando, mas ainda vive — Harbona assumia ali, provisoriamente, o papel de conselheiro do rei.

— Pois muito bem! — disse Assuero, farto daquela discussão. — Não é a primeira vez que me traem. Dei uma chance aos dois, mas desperdiçaram. Que os traidores do império sejam punidos longe das minhas vistas!

E essa foi a decisão e ordem final do rei Assuero dada a Hamã, para que providenciasse a execução dos dois eunucos.

— Por favor, senhor, não! Piedade — as vozes de Teres e Bigtá se misturavam em meio ao clamor por suas vidas. As lágrimas se transformavam em gritos de dor e desespero perante a promessa de morte.

— Para a forca! — assim Assuero apontou seu cetro para os eunucos e oficializou a sentença.

Bigtá e Teres foram arrastados pelos guardas. Presos pelos punhos, tentavam chutar e agarrar-se pelas pernas nos móveis e recortes das paredes. Seus gritos perderam-se na distância até que, na sala do trono ficassem apenas o rei, Hamã e Harbona, este último presente, mas novamente em silêncio.

— Que tragédia, que desgraça, rei dos reis! Gostaria de apresentar minhas condolências pela morte de Memucã, senhor. Sei que o rei gostava muito dele. Era um grande homem! Admirável! — aliviado por ter conseguido sair ileso daquela situação, Hamã podia voltar a representar.

— É verdade, Hamã. Uma perda irreparável — ao falar, o rei engolia seco, em sinal de amargura, segurando o choro que teimava em voltar.

— Mas muito me alegra que o rei tenha escapado do ataque. Esta sim seria uma perda irreparável para todos nós.

— Agradeço, Hamã. E quero aproveitar para solicitar que a partir de hoje seja meu primeiro-ministro, no lugar de Memucã — o rosto do rei era duro, sem expressão, e as palavras saíam quase que de forma automática.

— Muito me honra esse convite, poderoso rei. Farei de tudo para corresponder. Pode contar com minha eterna fidelidade e apreço, senhor.

Enquanto Hamã reagia envaidecido, o rei apenas assentiu com a cabeça e retirou-se abatido para ir ao encontro de Ester.

Já em seus aposentos, o assunto continuava sendo o mesmo.

— Não consigo entender porque aqueles dois tramaram contra mim! O que eles ganhariam com a morte do rei? Será que foi só por moedas? — o rei pensava alto consigo.

— O senhor continua achando que existe alguém por trás disso? — atrás do rei, surgindo pela porta, Ester dirigiu-se a ele.

— Provavelmente. Mas seja quem for, deve ter ameaçado suas famílias... É a única maneira de garantir o silêncio de criminosos. Mas quem? — a raiva do rei estava expressa em seu tom de voz áspero e nervoso.

— Então o senhor tem de continuar tomando cuidado! — disse, aflita.

— Sem dúvida! Já estou acostumado. A minha vida inteira tem sido isso. Fugir das conspirações, desviar da fúria e da inveja dos meus inimigos — enquanto falava, agora próximo à Ester, o rei batia em seu colo, impaciente.

— Deve ser muito triste viver assim, Assuero. Se algo acontecer com você, meu amor, não sei o que será de mim! — a tristeza de Ester podia ser vista em seus olhos que procuravam, aflitos, os olhos do rei.

— Isso é comum na vida de um rei, Ester. Há muito interesse em jogo. É o preço que tenho de pagar pelo meu império.

— É a sua vida!

— Desculpe, mas não quero pensar sobre isso agora. Só me diga como você ficou sabendo deste complô — mais calmo, era hora de saber quem havia contribuído para salvar-lhe a vida.

— Foi o judeu Mordecai, que trabalha como oficial escriba aqui no palácio. Ele ouviu os dois planejando a sua morte, meu rei.

— E como a informação chegou até você? — indagou, curioso.

— Esse tal Mordecai avisou um dos eunucos do palácio, que veio me contar. Ainda bem que consegui chegar a tempo de salvá-lo.

— E eu agradeço muitíssimo a sua intervenção. Se não fosse por você, provavelmente estaria morto agora, ao lado de Memucã... O que posso fazer para agradecê-la, Ester?

— Por mim, nada. Estou feliz por o senhor estar bem. Mas há algo que poderia fazer. Trata-se de alguém por quem tenho grande estima — mesmo receosa a respeito da reação do rei, aquela era a hora certa para falar-lhe sobre Ana.

— E o que é? Diga-me.

— Tem uma moça no harém... A moça está morrendo de tristeza e gostaria de voltar para casa. Se o rei permitir, claro.

— Só isso? Ótimo. Você tem minha autorização para libertar sua amiga — o rei tinha no rosto a mesma expressão frustrada de quando falou com Hamã, e sua atitude, mais uma vez parecia automática, como se ele não estivesse de fato, presente ali.

— Obrigada, senhor. Sei que é assunto menor para o rei, no entanto para a moça é muito importante — o rosto de Ester iluminou-se em meio a tanta tristeza que já havia vivido naquele dia.

— Só não entendo por que fizeram isso com Memucã! Ele era como um pai para mim! — o rei falava para si e as lágrimas escorriam mais uma vez em seu rosto.

— Não fique assim... Se quiser posso ficar ao seu lado esta noite — disse aproximando-se do marido.

— Não, Ester, por favor, quero ficar sozinho.

— Claro, senhor — e Ester deixou os aposentos reais. Ali, debruçado sobre uma mesa o rei chorou amargamente a morte de Memucã.

***

Longe do palácio e do luto que se estabelecera por lá, Joel e Rebecca, como de costume, foram até a casa de Mordecai conversar um pouco naquela noite. Naqueles tempos difíceis para o casal, a companhia do amigo trazia grande alívio para as aflições. Os três conversavam e bebiam um chá preparado por Mordecai. Rebecca estava sentada num pequeno banco de frente para a mesa e Joel, sempre aflito, decidiu beber seu chá de pé, recostado à parede. Mordecai contava a eles sobre a descoberta dos planos dos eunucos para matar Assuero.

— Descobri quase por acaso, ouvi os dois tramando contra o rei! — contava, espantado.

— E logo procurou Ester? — presumiu Joel.

— Sim, pedi ao Ruben que contasse a ela! Graças a Deus, Ester conseguiu contar ao rei, que não morreu por pouco! Mas infelizmente o primeiro-ministro... — franzindo a testa, Mordecai lamentava a morte de Memucã.

— Pobre coitado! E Simion? — Joel perguntou.

— Simion conseguiu salvar-se, sabe-se lá como!

O choque da morte de Memucã, invariavelmente, se espalhava pelo reino, acompanhado do espanto da sobrevivência do copeiro.

— Tomara que ele fique bem — desejou Rebecca, com sinceridade. — E você teve alguma notícia de Ana, no meio dessa confusão toda, Mordecai?

Rebecca estava sem o lenço que geralmente usava para cobrir a cabeça, então seus cabelos negros à mostra emolduravam um belo rosto, porém marcado pela preocupação.

— Não tive, Rebecca. Lamento muito. Mas pode ficar tranquila que se houvesse alguma notícia ruim, ela já teria se espalhado pelos corredores do palácio — e sorriu ao tranquilizar a amiga.

— Fico tão preocupada com Ana. Quando descobrirem que está grávida, não quero nem pensar! — Joel virou-se para a parede quando ouviu sobre a gravidez da filha, mas rapidamente voltou a prestar atenção na conversa.

— A barriga já deve estar grande. Ela não vai conseguir disfarçar por muito tempo. — Mordecai solidarizou-se na preocupação dos pais da moça.

— Ah, Deus de Abraão, de Jacó e de Isaque, protege minha filha! — Rebecca voltou seus olhos para o céu, as lágrimas escorrendo por seu rosto. —Sinto tanta falta da minha menina... Como gostaria de tê-la de volta.

— E você, não sente falta de Ana, Joel? — perguntou Mordecai.

Joel, depois de caminhar de uma lado para o outro visivelmente incomodado com o assunto, parou de costas para a esposa e bateu com a mão sobre uma mesa numa raiva contida. Finalmente disse à mulher:

— Não! Ana traiu nossa confiança!

— Que absurdo! Como pode falar uma coisa dessas? Ana pode ter falhado, mas ainda é nossa filha!

— Minha não é! — assim Joel dirigiu-se à porta e deixou a casa de Mordecai. Rebecca ficou ali sentada, com olhar perdido, compartilhando a tristeza silenciosa com o amigo, como se houvesse perdido a filha duas vezes.

O que eles não sabiam é que Ana estava tendo uma nova chance de vida com a ajuda de Ester.

No harém, Ana e Quinlá conversavam em reservado, sentadas em um dos vários belos tapetes que tinham por ali. Não havia muita gente com quem Ana pudesse contar naquele momento difícil.

— Hegai está muito nervoso com essa história da moça grávida no harém — a preocupação de Quinlá estava estampada em seu rosto.

—Você acha que ele vai me descobrir?

— Daqui a muito pouco tempo você mesmo irá se revelar, minha querida. E, para piorar, Tafnes despertou a curiosidade de todos a respeito da moça grávida no harém...

—Talvez eu devesse me entregar mesmo, Quinlá. O senhor Hegai ficou ainda mais furioso quando pediu para a grávida se revelar e ninguém se manifestou. Eu não tive coragem... — os olhos de Ana encheram-se de lágrimas como era comum desde que chegara ao harém.

— Ô, minha pequena Ana... — Quinlá acariciava os braços da moça em um gesto de compaixão.

— Estou perdida, Quinlá! Se não confessar, Tafnes vai acabar dizendo que sou eu. Ela só não fez isso ainda por pura crueldade, porque quer me ver remoendo...

— Essa egípcia é uma tormenta em forma de gente! — depois de algum tempo no harém, nem mesmo Quinlá suportava mais Tafnes.

Como se a fala de Quinlá atraísse o mal, Tafnes apareceu por ali e logo aproximou-se de Ana.

— Está barriguda, Ana... Será que é você a judia grávida? —Tafnes tentou tocar a barriga de Ana, mas antes que conseguisse, ela levantou-se e reagiu.

—Tire suas mãos daqui! Não suporto mais você e suas insinuações!

— Ficou nervosa! — ironizou Tafnes.

— Parem com isso! — Quinlá levantou-se também para apartar as discussão que se iniciava. Hegai, atraído pelo tom das vozes alteradas, aproximou-se.

— O que está acontecendo? — disse, nervoso.

— Hegai querido, Ana está barriguda... — disse Tafnes, afastando-se e olhando para o eunuco com superioridade. — Ela é a judia grávida!

Hegai olhou com firmeza para Ana para se certificar.

— É verdade isso, menina Ana? — gritou.

Ana ficou desconcertada com a revelação feita de forma tão fria. Tentou esboçar alguma reação, mas tudo o que conseguiu fazer foi chorar, de arrependimento, vergonha e de medo pelo que o futuro lhe reservaria.

—Você vai pagar muito caro por sua mentira! — disse Hegai, sentindo-se traído. —Vai ser punida severamente, provavelmente com a morte!

Uma voz vinda de suas costas, da entrada principal do harém, entretanto, se fez ouvir:

— Não, Hegai!

— Como, não? Quem ousa me contrariar? — virando-se, os olhos de Hegai encontraram Ester, que se aproximava.

— Minha rainha? Perdão... perdão... Desculpe-me, minha rainha, mas se Ana está realmente grávida, terá de pagar por isso. — em um tom respeitoso, Hegai não ousava olhar nos olhos da rainha.

— Eu já disse que não. O rei concedeu liberdade a Ana — Ester aproximou-se da amiga, tomando-a pelas mãos e sorrindo docemente.

A descarga de emoção, primeiro ao ser descoberta e, em seguida, ser libertada, lhe fez fraquejar as pernas. Ana sentou-se, ofegante, olhando para a rainha.

— Está falando sério, Ester?

—Você já pode voltar para casa, minha amiga.

— Como poderei agradecê-la um dia, Ester? — Ana jogou-se nos braços da amiga e as duas choraram, felizes.

— Como assim, o rei concedeu a liberdade? — indignada, Tafnes via seus planos maquiavélicos tombarem, um a um, sem entender o motivo.

— Concedendo, Tafnes. — sem paciência, para a moça egípcia, foi a única explicação que Quinlá dignou-se a dar. — O rei Assuero é muito piedoso.

Tafnes percebeu que não tinha mais espaço na conversa e apressou-se em sair dali. Finalmente entre amigas, Ester tocou a barriga de Ana com carinho e a abençoou.

—Vá para casa, minha amiga, e seja muito feliz. Você e seu filhinho!

— Obrigada, Ester — Ana agradeceu mais uma vez e as duas se abraçaram.

Quinlá e Hegai, que presenciavam todo o momento, emocionavam-se juntos, pois, embora Hegai devesse cumprir com o dever de entregar Ana ao rei como sinal de sua fidelidade, nutria pela moça grande afeto.

***

Zeres estava sendo massageada por uma de suas escravas quando Hamã chegou em casa eufórico para falar com ela. Estavam com ele, Aridai e Dalfom. Os três vinham do palácio.

— Zeres, minha querida! Por favor, reverencie o mais novo primeiro-ministro da Pérsia!

— Ora, ora... Mas que honra! — sem perguntas, Zeres levantou-se imediatamente e curvou-se diante do marido.

— Fui nomeado pelo rei! Agora sou o homem de confiança do governador do mundo! Não é maravilhoso?

Sorrindo, Zeres tomou o marido pelo braço cuidadosamente e se afastou da vista da escrava. O que tinha a dizer não poderia ser ouvido por ninguém.

— Sim, é excelente, mas, ao mesmo tempo, quer dizer que o plano não deu certo. O rei Assuero continua vivo.

— Mas morreu Memucã! — explicou Dalfom, empolgado, mas falando discretamente. — Ele bebeu o vinho envenenado que era para o imperador.

— O cargo de primeiro-ministro é um bom treino até chegar ao trono, meu marido — com o olhar cheio de orgulho, Zeres engrandecia o marido. Com um gesto, ela dispensou a escrava.

— Foi o que pensei! — Hamã disse, cheio de si.

Sentado em um canto da sala, Aridai não se conformava com o que via.

— Não dá para acreditar. Vocês continuam tramando!

— Cale-se, Aridai. Seu pai será muito maior que Assuero. Será o maior imperador de todos os tempos. Será o definitivo rei dos reis.

— Pois assim veremos... — retrucou Aridai com desprezo, mordendo uma fruta que tinha nas mãos.

— Ingrato! — resmungou Zeres.

— Deixe, mãe. Aridai é um tolo — mais uma vez, Dalfom apoiava os pais.

— Sim. Um tolo por ter me calado. Deveria ter denunciado vocês! Ainda bem que a rainha intercedeu a tempo!

— A rainha descobriu o complô contra o rei? — Zeres, intrigada, sentou-se para tentar processar a informação.

— Descobriu. Só não sei como! — igualmente curioso com a descoberta da rainha, Hamã tomou um gole de vinho.

— Isso é realmente um mistério — Dalfom completou, pensativo.

— Mas não importa. Em breve, encontraremos outra maneira — embora estivesse feliz com o novo cargo, o fato de a rainha ter intercedido no plano incomodava Hamã. Na realidade, algo na nova rainha o intrigava. Mas não sabia exatamente o quê.

A sede de poder do casal era um canal para alimentar seus caprichos.

— Agora que você é primeiro-ministro, tem a sua chance de acabar de vez com os judeus — Zeres sorriu com satisfação para o marido.

— Sim, agora ficará mais fácil destrui-los! No momento oportuno, falarei com o rei — disse Hamã, bebericando mais um gole de vinho.

Aridai afundou-se na cadeira de onde acompanhava a conversa, inconformado com o quanto seus pais eram insaciáveis em sua busca por poder e violência:

— Isso é um absurdo — disse, negando o que ouvia com um aceno.

— Não adianta você querer defender sua judia, meu irmão — zombou Dalfom. — Agora é só uma questão de tempo para nosso pai se vingar de todos os judeus!

Aridai simplesmente suspirou, profundamente. Era difícil para ele devolver as provocações do irmão se nem lhe era claro se as convicções provinham mesmo de Dalfom ou se ele simplesmente reproduzia as do pai.

— Preciso consultar os deuses. Saber o dia certo em que os judeus devem ser mortos! — Zeres pensava alto, julgando-se muito prática.

— Então vá, Zeres. Jogue a sorte e descubra que dia é esse — animado com a ideia, Hamã precisava ter logo uma data para cumprir aquilo que havia esperado tanto para fazer.

Zeres fez uma rápida reverência ao marido e se retirou para o pequeno quarto escuro que usava para seus rituais pagãos. Acendeu algumas velas, além das que mantinha constantemente acesas. Em volta de um bizarro altar, havia um grande círculo formado por ossos de pequenos animais e preenchido por terra. No meio do altar havia um fogo alto que, misteriosamente, reagia ao som da voz de Zeres.

— Urash, deusa da terra! Enki, grande deus da magia! Ishtar, deusa da fertilidade! Deusa dos mortos e dos vivos! Ambiciosa Ishtar das tramas políticas! Invoco os deuses nesta hora! — Zeres abriu lentamente seus olhos e viu que a chama estava mais alta e violenta. — Qual é o melhor momento? Revelai qual é a data! Quando serão destruídos os nossos inimigos?

Em uma estranha dança com as mãos, Zeres debatia-se e falava baixo. Hamã que estava presente, mas afastado do círculo observava tudo, ansioso.

Zeres ajoelhou-se e cavou um buraco na terra com as mãos, cavava fundo, como se procurasse algo.

— Deuses da sorte, que tudo sabem, que tudo conhecem, que tudo veem. Há um povo que não se curva diante das divindades, que creem num único Deus. Eles devem morrer... Revelem a data. Qual é a data do extermínio de todos os judeus que ainda vivem nesse mundo?

Zeres jogava a terra para o lado e continuava cavando com as mãos, ansiosa. Finalmente, debruçou-se. Ao levantar a cabeça, do meio da terra, ergueu-se uma fumaça branca. Zeres fechou os olhos para contemplá-la, como se ouvisse uma voz que vinha da fumaça. Respirou fundo e disse ao marido:

— Treze do mês de adar!

— Tem certeza? — perguntou Hamã, para certificar-se.

— É o que dizem os deuses.

— Pois então será no dia 13 de adar! Todos os judeus serão mortos nesse dia! — vendo que Zeres sentia-se exausta após o esforço de contato com suas divindades, Hamã correu até a esposa para ampará-la.

Mas o cansaço era misturado à sensação de euforia. Agora eles tinham uma data certa para exterminar seu maior desafeto: o povo de Israel.

***

Logo ao raiar do novo dia, Ana já havia recolhido seus pertences para voltar para casa. Poucas concubinas e funcionários do palácio estavam acordados durante sua despedida. Tampouco um mensageiro havia sido enviado para anunciar sua libertação à sua família. Nas primeiras horas do movimento na rua do comércio de Susã, Ana simplesmente estava lá, com sua pequena muda de roupas e com o coração repleto de medo. Se os seus passos eram apressados, tão logo avistou a barraca de seus pais, seu andar tornou-se inseguro e lento. Lá estavam Joel e Rebecca, trabalhando exatamente como ela guardava na memória, na mesma cena que relembrou com tanta nostalgia nos últimos meses. A cena que imaginou nunca mais reviver.

Rebecca viu a filha primeiro e correu para abraçá-la, aos prantos.

— Ana! Filha! Minha filhinha! Graças a Deus! Senhor, ouviste as minhas preces! Obrigada! Obrigada por me devolveres minha menina sã e salva! — Rebecca abraçava e beijava a filha sem parar, pois era difícil acreditar que aquele pesadelo tinha enfim, acabado. Seu coração encheu-se de alegria e gratidão a Deus.

— Hadassa conseguiu falar com rei e me libertou! — Ana explicou, chorando muito e abraçando a mãe com todas as suas forças. — Sofri tanto longe de vocês lá dentro!

— Joel! Venha! É nossa filha que Deus nos devolveu! Orei tanto, Ana! Mas tanto!

Joel, a apenas alguns metros de Ana e Rebecca, lançou um olhar frio sobre a filha e disse:

— Essa moça que você está abraçando, Rebecca, não é minha filha — e voltou a trabalhar, com o semblante endurecido, como se nada de extraordinário estivesse acontecendo.

Apesar de muito triste pela atitude do pai, Ana decidiu aproximar-se dele, guiada por Rebecca.

— Não faça isso, Joel... Não agora, que tenho a minha menina de novo nos braços — Rebecca falou calma ao marido, queria que ele voltasse à razão e compartilhasse da alegria que ela sentia de ter a filha de volta.

— Ela não é minha filha! A criança que ela leva no ventre é uma amalequita. Ela escolheu não pertencer mais à nossa família — foi a resposta indiferente de Joel que, ao falar, continuava dobrando os tecidos da barraca.

— Perdoe-me, pai! Eu sei que errei, mas sofri demais esses meses todos, paguei pelos pecados que cometi — as lágrimas nos olhos de Ana mostravam sua sinceridade e dor.

— Quem decide isso, Ana, não é você — disse virando-se para a filha e voltando a dar-lhe as costas.

— Esqueça seu pai. Vamos lá pra casa! Você precisa de um bom prato de cozido que eu preparei!

— Não! Essa moça não entra nunca mais em nossa casa! — as palavras de Joel eram austeras e firmes, mas suas mãos trêmulas revelavam o quão custosas eram para ele.

Joel falava de costas, sem encarar a filha e a esposa, tirando e colocando tecidos em um pequeno varal. Era claro que, se olhasse Ana nos olhos, talvez não tivesse tanta convicção de suas palavras.

— Você vai me expulsar de casa, pai? É isso? — perguntou Ana, aos soluços. — No dia que consigo escapar daquele tormento, o senhor não tem um teto para me acolher?

Mesmo que conhecesse bem o rigor de seu pai, a surpresa de Ana era legítima, ao ver que ele não a aceitava de volta.

— Você não pode estar falando sério, Joel! — igualmente surpresa estava Rebecca.

— Nunca falei tão sério em minha vida — disse, virando-se para Rebecca e Ana. — Essa moça carrega o inimigo na barriga. Ela que não ouse de aproximar de mim, e nem ouse aparecer na minha casa. É minha palavra final.

Joel abandonou seus afazeres, e afastou-se das duas, aborrecido.

— Ele não pode fazer isso, filha. Aquela casa também é minha — o olhar aflito de Rebecca entregava a tristeza de uma mãe.

— Deixe, mãe. Tudo bem. Depois do inferno que passei, a última coisa que preciso é ficar enfrentando o meu próprio pai, que agora me detesta e despreza.

Ana respirou fundo, tentando se recompor. Entretanto, logo caiu aos prantos no ombro de sua mãe.

— Mas o que vai ser de você e do meu neto, filha? — olhando nos olhos da filha e com o rosto dela entre suas mãos, Rebecca sentia a tristeza atravessar-lhe a alma, e tomar boa parte de seu coração, dividido entre a angústia e a alegria pelo reencontro.

— Não se preocupe, mãe. Peço guarida a Mordecai, vai ser melhor. Ester falou que seu eu precisasse era só falar com ele — um sorriso hesitante brotou nos lábios de Ana.

— Oh, filha! Que tristeza não poder acolhê-la! — assim mãe e filha se abraçaram novamente aos prantos.

Sem Joel por perto, Rebecca precisava cuidar de seu negócio e dos clientes que começavam a chegar. Sorriu para a filha e a abençoou. Ana, com o coração apertado, encaminhou-se para a casa de Mordecai a fim de lhe pedir ajuda.

— Morar aqui?! — perguntou Mordecai, perplexo, depois de receber a moça com grande festa e ouvi-la em sua história.

— É só por um tempo, senhor Mordecai. Até conseguir um lugar para mim e meu filho — o rosto de Ana inspirava esperança. Estava certa de que ali encontraria ajuda.

— Não sei, Ana. — respondeu seco, sem olhar para a moça.

— Posso cuidar da casa para o senhor. Deixe-me trabalhar como sua criada em troca da hospedagem.

— Não é isso, minha querida. Em outras circunstâncias, receberia você aqui de braços abertos. Mas... — Mordecai andou de um lado para o outro, inquieto, coçando a barba, e completou — a última coisa que quero é atrair a fúria de seu pai.

O olhar de esperança de Ana desabou diante de sua falta de argumentos.

— O senhor está certo — disse ela, depois de respirar fundo e chorar silenciosamente. Juntou suas coisas e, se despedindo com o olhar, foi saindo pela porta.

— Ana... espere! Tudo bem, você pode ficar — disse Mordecai, com a fala pausada de quem fala enquanto reflete.

— O senhor tem certeza? — Ana não conseguia parar de chorar, desta vez de emoção.

— Só estou dividindo com você a aflição que me dá irritar o seu pai, mas jamais negaria um teto ou um prato de comida a você. Ainda mais na sua condição — e guiou a moça até uma cadeira para que se sentasse.

— Não vai se arrepender depois? — Ana chorava, mas agora notava-se um sorriso nos lábios da moça desamparada.

— De jeito nenhum! Você é muito bem-vinda. Pode ficar com o antigo quarto de Hadassa. Vocês sempre foram tão amigas... Tenho certeza que ela se agradaria disso.

— Obrigada, senhor Mordecai! Que Deus lhe recompense em dobro! — disse emocionada, segurando as mãos de seu anfitrião.

— Recompensa, minha querida, será Deus aplacar a mágoa de Joel. Espero que um dia ele possa lhe perdoar.

Alegre por ajudar Ana e triste por vê-la naquela situação, Mordecai também chorou, lembrando o quanto Joel estava magoado e enraivecido com a filha.

***

Ester chamou Quinlá para lhe ajudar com seus afazeres matutinos, e aproveitou para dividir com sua confidente sua preocupação com o rei:

— Assuero não me quis esta noite, Quinlá — entrando em seus aposentos, a rainha tinha uma expressão triste no rosto.

— Deve estar muito ocupado com questões de guerra e com o luto por Memucã. Eram muito amigos.

— Eu sei, e justamente por isso gostaria de consolá-lo, mas ele não quis... — Ester sentou-se frustrada em sua cama. Em seguida, Harbona entrou nos aposentos.

— Mandou chamar, minha rainha?

— Mandei sim, Harbona. Quero que não se esqueça de mandar registrar no livro das crônicas do rei o feito de Mordecai, que salvou a vida do grande Assuero.

— Vou providenciar, senhora — respondeu, prestativo como sempre.

Ester aproveitou a presença de Harbona para saber de Assuero, já que ela mesmo estava afastada do marido desde o dia anterior.

— O grande Assuero está em audiência com o novo primeiro-ministro — respondeu o eunuco, com ar solene.

— E quem vem a ser o novo primeiro-ministro? — Ester esboçou um sorriso ao ver que o rei estava bem o bastante para tratar de novos assuntos.

— Hamã — com a resposta de Harbona o sorriso de Ester desapareceu por completo. O que ficou foi a expressão de preocupação e o olhar perdido.

***

Os próximos dias se arrastaram no palácio. As horas se sucediam em conta-gotas para Ester, longe do rei. Sua preocupação crescia a cada dia e a imaginação dava conta de supor vários motivos pelos quais ele não a chamava havia tanto tempo para junto de si. Ester passeava com Quinlá no jardim próximo ao harém e dividia com ela seu pesar. As duas se sentaram um pouco para conversar naquele lindo dia colorido pelo som dos pássaros.

— Não fique desse jeito, minha senhora. Ânimo — Quinlá sempre tinha uma palavra amiga para a rainha.

— Como, Quinlá? Meu coração está mais pesado a cada dia que passa — no rosto de Ester notava-se apenas tristeza.

— O rei deve estar imerso em suas preocupações — disse para tranquilizá-la.

— Faz tempo demais que não nos vemos. Amanhã vai fazer exatamente um mês que o rei não me procura — a rainha contava os dias para revê-lo.

— O senhor dos senhores é tão ocupado, senhora. Deve estar assoberbado com tantos aborrecimentos.

— Queria acreditar nisso. Mas a impressão que tenho é que Assuero se esqueceu de mim — as lágrimas brotavam nos olhos de Ester à medida que compartilhava sua preocupação.

— Duvido — Quinlá, certa de que o rei mantinha o mesmo sentimento por Ester, sorria descontraída.

— Ele tem procurado alguma mulher do harém? Ele chamou alguma virgem para se distrair? — a rainha demonstrava ciúme em suas palavras. Seria frustrante, embora compreensível dada a situação e à tradição, se o rei chamasse alguma virgem em vez de sua própria rainha.

— De jeito nenhum. E pode confiar em mim! — vendo a preocupação doída da rainha, Quinlá respondeu séria. Não queria que Ester pensasse que ela menosprezava sua dor.

— Confio. Na verdade não posso reclamar. Deus tem me abençoado e muito — Ester encarava o nada, pensativa...

Ao longe, Tafnes avistou a conversa e, ardilosa, intrigou-se com a presença de Ester em área tão próxima à do harém. Sorrateira, caminhou com ar despretensioso até conseguir ouvir, por entre os arbustos, a egípcia se esgueirou sem que fosse percebida.

— Isso me faz lembrar da pobre Ana. Como ela estará se virando lá fora? — o carinho de Quinlá por Ana a fazia preocupar-se com a moça mesmo ela não estando mais no harém.

— Muito melhor do que aqui, pelo menos lá ela tem a família — Ester não podia prever que Joel não havia aceitado Ana de volta.

— Será que Ana se entendeu com o pai da criança?

— Creio que não. Os pais com certeza não vão aprovar esse namoro. O rapaz é amalequita, inimigo mortal dos judeus. Eles nos odeiam!

Num lapso, sem que percebesse, Ester havia revelado ali seu grande segredo.

— *Nos* odeiam? — Quinlá reagiu surpresa.

— Quinlá, por favor! Não conte a ninguém! — o coração de Ester deu um salto ao perceber o que havia feito. A aflição da rainha estava marcada em seu olhar e no desespero em suas palavras.

— O que está dizendo, senhora? — igualmente assustada estava Quinlá.

— Também sou judia. Meu primo me convenceu a esconder minha origem. E acabei me tornando rainha! — Ester chorava com o peso de sua revelação.

Tafnes, ali escondida, arregalou os olhos. Ela agora tinha um novo segredo para manipular em suas tramas doentias.

— Senhora, isso é muito perigoso! Muitos no palácio não gostam dos judeus! — Quinlá já não estava somente surpresa, estava aterrorizada só de imaginar o que poderia acontecer a Ester por ter escondido sua origem.

— Eu sei disso. A começar pelo primeiro-ministro — quando o assunto era inimigo dos judeus, Ester logo se lembrava de Hamã.

— O rei não sabe? — Quinlá perguntou ofegante.

— Não! Ninguém sabe. Só você. Foi até bom dividir esse segredo com alguém. Já não aguentava mais.

A reação de Quinlá foi abaixar a cabeça e levar a mão à testa, refletindo sobre o grande problema que acabara de descobrir.

— Uma rainha judia! Por essa eu não esperava! — Tafnes decidiu sair das sombras e, aproximando-se por detrás das duas, falou baixo essas palavras, assustando Quinlá.

— Cobra peçonhenta, que rasteja sem ser ouvida! — Quinlá deu um salto de onde estava sentada para confrontar Tafnes. Sua paciência já havia esgotado havia muito tempo.

— Mas escutei muito bem as palavras que vão me tirar desse pesadelo! — disse a moça, triunfante.

— Tafnes, por favor! Eu lhe peço! — Ester colou-se de pé diante de Tafnes para pedir seu silêncio.

— Você tem coragem de pedir pra eu me calar?! Escondeu do rei a sua origem! Judia suja! Trapaceira como todos os judeus!

— Lave sua boca para falar de mim e do meu povo! — finalmente, depois de meses e meses, era a primeira vez em que Ester levantava a voz para Tafnes, mesmo já tendo sofrido tanto com suas insinuações.

— Se tentar fazer algum mal à rainha, tudo vai se voltar contra você — advertiu Quinlá.

— Rainha? Essa mentirosa que está aí não é rainha nenhuma! Quando eu contar para o grande Assuero, a judia vai cair em desgraça e eu serei coroada como devia ter sido desde o princípio! — o olhar de Tafnes era profundo, sarcástico e cheio de brilho.

A egípcia levantou seu vestido e saiu dali apressada. Não queria cometer o mesmo erro que aconteceu com relação a Ana. Estava disposta a delatar Ester imediatamente.

A rainha lançou-se desconsolada ao chão, sabendo o destino que lhe aguardava, agora que estava nas mãos de Tafnes. Quinlá, boa amiga que era, ficou a seu lado, tentando consolá-la.

Tafnes caminhou apressada em direção aos aposentos do rei, mas foi interpelada por Harbona no caminho.

— Onde você pensa que vai, senhorita?

— Preciso falar com o rei.

— Melhor não! — Harbona se pôs a seguir Tafnes pelos corredores.

— É muito importante — Tafnes continuava avançando.

— Você não pode passar! Finalmente Harbona alcançou a moça e colocou-se em sua frente, embarreirando seu caminho.

— Saia da minha frente, eunuco — rosnou Tafnes com arrogância. — O que tenho a dizer para o grande Assuero vai fazer a Pérsia inteira se ajoelhar aos meus pés em agradecimento, inclusive você.

Tafnes deu a volta em Harbona e continuou caminhando em direção aos aposentos reais.

— Duvido muito. Você vai acabar é morta! — Harbona seguiu a moça mais uma vez e colocou-se em seu caminho novamente.

— Vou ter de bater em você?! — perguntou a egípcia, desafiadora.

— Estou protegendo sua vida, mulher tola! Qualquer um que entrar sem ser chamado, até mesmo a rainha, pode morrer. Somente se o piedoso rei levantar seu cetro perdoando a ofensa o invasor sobreviveria.

Harbona era duro, mas paciente com Tafnes. Embora conhecesse muito bem as regras cerimoniais, sabia contemporizar. Afinal, foi justamente uma invasão que havia salvo a vida de Assuero, algumas semanas atrás.

— Depois que o rei me ouvir, não só me deixará viver, vai me alçar ao mais alto dos céus! Agora saia da minha frente!

Em seus aposentos, o rei estava reunido com Hamã, que finalmente havia encontrado uma brecha para tratar do assunto que tanto lhe interessava e afligia.

— É um assunto muito delicado que preciso tratar com o senhor — disse solenemente, aparentando falar com a razão, e não por capricho ou mero folclore.

— Pode falar, Hamã. Ninguém há de nos perturbar.

— É sobre esse povo que contamina as ruas da Pérsia.

Hamã foi interrompido pela entrada repentina de Tafnes aos aposentos do rei.

— Rei Assuero! — dirigindo-se ao rei, Tafnes tinha pressa em compartilhar com ele o que havia descoberto.

— Que absurdo é esse?! Quem a chamou aqui? — bradou o rei.

— Só pode estar louca para entrar desse jeito! Mande-a para a forca como diz a lei, meu senhor! — Hamã, igualmente perplexo, aconselhou o rei.

— Não! Você não vai me matar, Assuero! Vai me agradecer de joelhos pelo resto da vida! — a arrogância e a autoindulgência de Tafnes não conheciam limites.

— Não me desafie, mulher! Sou o imperador, o escolhido dos deuses! Não me ajoelho para ninguém! Fale logo ou mando lhe matar aqui mesmo! — o rei gritou, aproximando-se de Tafnes.

— É sobre alguém que traiu a Pérsia e meteu os seus dentes podres nessa fortaleza!

Hamã meteu-se na conversa. Seu medo era o de que a egípcia estivesse falando dele próprio:

— Olhe lá o que vai falar! Talvez seja melhor matá-la logo, senhor.

— Uma mulher imunda desgraçou nossa pátria com sua presença pérfida! Falsa! Mentirosa! Que não devia pisar aqui nem como escrava!

Movida por todo o ódio e inveja que acumulara ao longo dos últimos meses, Tafnes falava de Ester com uma violência que sequer abria espaço para o que viera delatar.

— Mas de quem está falando?! — agora o rei mostrava-se interessado e um pouco mais calmo.

— De Ester de Susã!

— Cale-se! Não admito que fale assim da minha rainha! Guardas! — fora de si com o cabedal de ofensas que acabara de ouvir, o rei não queria ouvir mais nada.

Os homens que montavam guarda atrás das portas ouviram e entraram imediatamente.

— Senhor, deixe que ela... — vendo a revelação não tratava a seu respeito, Hamã interessou-se em ouvir o que dizia a moça. Entretanto, depois de tantos insultos, furibundo, o rei não lhe deu ouvidos.

— A rainha é uma impostora! Ela merece a forca! — gritava Tafnes, enquanto era imobilizada pelos guardas.

— Quem vai para a forca é você! — sentenciou Assuero. — Façam essa mulher se calar! Levem-na daqui agora!

Os guardas agarraram Tafnes e a arrastaram para fora. Colocando a mão sobre a boca da invasora, por mais que tentasse, não era possível mais que entendessem palavra do que ela gritava ao se debater, desesperada.

Assim, Tafnes foi levada para a forca. Estava agora entregue ao destino que havia cavado com as próprias mãos, movida por sua sede de poder e intriga.

— Perdão, senhor. Quando vi, a concubina já tinha entrado — disse Harbona, constrangido diante de seu insucesso.

— Ficamos sem saber o que ela tinha a dizer — comentou Hamã, como se pensasse alto.

— Não admito que falem da rainha! — disse Assuero. — Não há em todo o reino alguém mais generoso e honesto do que Ester.

— O senhor está certo — confirmou Harbona, falando em nome da equipe dos eunucos. — Tafnes é conhecida no harém pelas suas intrigas. Esta foi uma tentativa desesperada de caluniar a rainha. Com licença, senhor.

Harbona deixou os aposentos reais. Ficaram por ali, novamente, somente o rei e Hamã.

— Que balbúrdia... — lamentou o rei, tentando se recompor, enquanto se acomodava em seu trono novamente. — Mas continue, Hamã, do que você estava falando?

— Falava para o senhor de um povo. Um povo que precisamos exterminar! — sempre que falava sobre os judeus os olhos de Hamã brilhavam, como se estivesse em suas poderosas mãos a missão de concluir uma rivalidade que atravessava os séculos.

— E por que deveríamos eliminar esse povo do qual você fala? — ainda distraído com a confusão, o rei não conseguia retomar completamente a atenção, nem tratar o assunto com a devida gravidade.

— São cidadãos inferiores! São uma praga! Pior que os gafanhotos quando atacam a plantação! Se reproduzem como coelhos e logo tomarão conta da Pérsia! — atacava Hamã, com convicção.

— Se são tantos e mando matá-los, serão menos impostos para nosso império — disse o rei, calmo, quase que desanimado com o rumo da conversa.

— Mas não convém ao rei tolerar um povo que não se curva para adorá-lo. Um povo que segue suas próprias leis e costumes, e não as do imperador. Não respeitam nada que não seja o seu próprio Deus. Um povo espalhado, dividido entre outros povos em todas as províncias do seu reino. Um povo que aguarda a chegada de outro rei, que não o meu senhor, para governar sobre eles.

— Não tenho cabeça para decidir isso agora, Hamã. Ando tão sombrio depois da morte de Memucã — o rei tinha o semblante cansado, dirigiu-se até uma cadeira e sentou-se, respirou fundo e continuou ouvindo Hamã.

— Mas não deixe esse assunto para depois, senhor dos senhores. Eu garanto, esse povo é um perigo iminente! São rebeldes, podem influenciar outros povos a desobedecerem às suas leis. Se bem parecer ao rei, decrete-se que os matem e eu colocarei dez mil talentos de prata na tesouraria real à disposição para que se execute esse trabalho. Assim não terá perda alguma quanto aos impostos, meu senhor.

Percebendo o momento de fragilidade do rei, Hamã continuou a dar-lhe ideias, e mais, a dispor a si mesmo para solucionar o problema. Era tudo o que um rei atormentado precisava ouvir. Era como se Assuero não estivesse ali, mas longe em seus pensamentos, perdido em seu sofrimento e luto por Memucã. Os argumentos circulares embolavam-se como ecos em sua mente e tudo soava indistinguível agora, como em um sonho ruim.

Quase que delirando, Assuero finalmente aprumou-se e decidiu colocar um fim na audiência.

— Pois que assim seja! Tome o meu anel, que lhe dará poder para redigir o decreto. Faça com esse povo o que bem desejar.

— Obrigado, meu senhor! — nada que Hamã havia vivido até ali comparava-se àquele momento. O poder lhe causava um frenesi silencioso ao comtemplar o anel real que finalmente lhe daria o que tanto sonhou: a morte de todos os judeus.

Em sua fraqueza delirante, o rei sequer havia entendido que o povo a quem Hamã queria exterminar era o povo judeu. Agora com o anel real, Hamã tinha plenos poderes para pôr em prática a sua vendeta. Então chamaram os escribas do palácio e, conforme tudo quanto Hamã mandou, escreveram em nome do rei Assuero e com o anel do rei se selou.

***

No dia seguinte bem cedo, o decreto já estava exposto nas paredes dos prédios principais de toda Susã em grandes tábuas de barro. Em pequenos grupos, depois, grandes multidões, os descendentes de Israel se aproximavam para conferir com seus próprios olhos o que os boatos já faziam circular pela província.

— Treze de adar é o dia que o rei escolheu para a nossa morte! — Mordecai estava perplexo, lendo os decretos para os amigos Joel e Rebecca, ainda sem conseguir digerir a informação. Todos ali murmuraram apavorados.

— O que está dizendo? — Joel achou que não havia escutado bem.

— O rei quer nos matar?! — apavorada, Rebecca perguntou ao amigo.

— "Que se destrua, mate, faça perecer a todos os judeus, desde jovem até ao velho, crianças e mulheres, em um mesmo dia, a 13 do mês de adar" — para que todos ouvissem e não restassem dúvidas, Mordecai leu em voz alta o que dizia o decreto.

— Com que direito decretam um dia para exterminarem todo o povo judeu? — Rebecca reagiu revoltada.

— É o poder que sempre exerceram! A tirania! A maldade! O horror! — compartilhava da revolta de Rebecca, Joel, inconformado com a notícia.

— Ó piedoso Deus, será que nos abandonaste? — também presente ali, próxima aos pais, Ana via o mundo desabar diante de seus olhos mais uma vez.

— Temos de fugir daqui, Joel! Precisamos sair da Pérsia antes de adar! — era a única saída na qual Rebecca conseguiu pensar.

— É isso que eles querem! Amedrontar-nos! Expulsar-nos de nossas casas! — embora todos estivessem com medo e muito revoltados, Mordecai destacava-se em sua angústia e perturbação.

— Não há como fugir! A lei vale para todo o império! Onde estivermos, no dia 13, seremos executados! — constatou Joel em tom de derrota.

— Será que Ester sabe disso?! — Ana perguntou à mãe. Ela sabia que Ester faria algo para impedir o aniquilamento dos judeus se soubesse o que estava acontecendo.

— Covardes! Covardes! Eu vou para as portas do palácio! A minha dor será ouvida em toda fortaleza de Susã! — assim que Mordecai soube do decreto do rei, saiu pela cidade, rasgou as suas vestes e bradou com um grande e amargo clamor.

— Por quê?! Por que, meu Deus?! O que fizemos pra merecer esse castigo?! Por que nos desamparaste?

E em todas as províncias onde a palavra do rei e a sua lei chegavam, havia entre os de ascendência judaica grande lamentação, jejum, oração e choro. Muitos estavam deitados em sacos e cobertos de cinzas, simbolizando a morte iminente.

— Ai de mim! Ai do meu povo! Tão injustiçado! Pobres judeus! Condenados à morte! — era o clamor de Mordecai, enquanto gritava pelas ruas de Susã, desesperado e em lágrimas.

Depois de atravessar o dia em penitência e oração, conforme havia prometido, Mordecai caminhou até a porta do palácio logo que anoiteceu, para manifestar sua dor e indignação. Ruben, em seu turno de trabalho, passava pelo portão e reconheceu o amigo. Então foi até ele para entender o que estava acontecendo.

— O que aconteceu? Por que o senhor está vestido de pano de saco? — o rapaz estava assustado com as vestes de Mordecai exatamente porque sabia dos costume de vestir-se assim em sinal de tristeza.

— Eu vou morrer, Ruben! Todos nós vamos morrer! — disse, com os olhos inchados de tanto chorar.

— Todos nós vamos morrer? Do que está falando, senhor Mordecai? Não estou entendendo nada!

— Ah, miserável homem que sou! Quanta infelicidade, meu Deus! — Mordecai não respondeu, apenas continuava chorando e lamentando.

— Senhor Mordecai, por favor, me diga o que está acontecendo? — desesperou-se. — Por que o senhor está se lamentando dessa forma? Venha! Vou levar o senhor para casa!

— Não! Não! Largue-me! Meu lugar é aqui! Na vigília! Esfregando minha dor nas escadarias do palácio! Para todo mundo ver! — Mordecai estava inconsolável e mal ouvia o que Ruben lhe dizia.

— O senhor precisa de um banho. Venha! — e Ruben tentou guiar Mordecai para dentro do palácio para que cuidasse dele. Porém a ajuda foi recusada.

— Deixe-me, Ruben! Deixe-me com minha dor! — Ruben então desistiu, deixou Mordecai por ali e entrou no palácio decidido a encontrar Ester para contar que seu primo não estava nada bem.

Em seus aposentos, Ester conversava com Quinlá, que servia vinho à rainha. As duas boas amigas falavam sobre Tafnes.

— Morta?! Condenada à forca?! — a rainha estava surpresa com o destino da moça egípcia.

— Isso, senhora. Tafnes foi executada por ter invadido os aposentos do rei. Não teve nem tempo de revelar seu segredo.

— Coitada. Apesar de tudo, tenho pena dela — mesmo com toda a maldade de Tafnes, Ester não desejava que ela tivesse aquele fim.

— Já vi gente indo para a forca injustamente. Essa aí teve o que mereceu — comentou Quinlá, aliviada, de certa forma, por saber que não teria mais a presença de uma pessoa tão má no palácio.

— Com licença, minha rainha. Preciso lhe falar! — Ruben foi direto aos aposentos de Ester falar sobre Mordecai.

— Fale, Ruben. — respondeu, calma.

— Senhora! Mordecai está à porta do palácio. Vestido de saco, coberto de cinzas, numa dor até não mais poder.

— Mas o que houve? Por que Mordecai está vestido dessa maneira? — Ester reagiu assustada. Pulou de sua cama onde estava sentada e caminhou rapidamente até Ruben.

— Deve ter acontecido algo muito grave... — Quinlá conhecia Mordecai e sabia que ele não tomaria tal decisão sem razão.

— Por favor, Ruben! Leve umas roupas limpas aqui do palácio para ele se vestir. E pergunte o motivo de tanto sofrimento.

— Mas senhora... — Ruben quis explicar que Mordecai não queria ajuda.

—Vá depressa! Ajude-o, Quinlá — Ruben e Quinlá retiraram-se imediatamente para fazer o que a rainha havia pedido. Ester ficou em seus aposentos, aflita, imaginando o que poderia ter acontecido para que seu primo estivesse tão triste.

Ruben foi até Mordecai, que ainda chorava e gritava, e levou as roupas limpas enviadas por Ester.

— Não quero essas roupas! Estou de luto, Ruben! Como todos os judeus! Como a rainha também deveria estar! — foi a resposta já esperada por Ruben.

— Por que você diz isso, senhor? Por que esse luto? Ester também ficou muito preocupada quando contei a ela sobre o seu estado.

— Ester? — gritou Mordecai de volta ao eunuco, num tom de tristeza e decepção. — Onde está nossa rainha, Ruben? O que Ester vai fazer a respeito da nossa condenação? Será que se acostumou com a realeza e se esqueceu de nós?

Mordecai gritava para quem quisesse ouvir. A dor o deixava fora de si a ponto de duvidar das convicções da própria prima que havia criado como filha. Na desconfiança dele, era improvável que Ester, como rainha, não soubesse da condenação dos judeus. Por outro lado, era dilacerante que, sabendo, não houvesse feito nada para ajudar seu povo.

— Que condenação, senhor? Por favor, me explique o motivo de tanto desespero! — pediu Ruben, confuso diante de tantas e tão fortes palavras.

Foi só então que Mordecai conseguiu voltar a si depois da grande aflição ao ler o decreto.

— Então você ainda não sabe? — perguntou, intrigado.

— Não sabe o quê, senhor Mordecai? Por favor, me diga o que está havendo! — a aflição de Ruben apenas aumentava.

— O rei Assuero decretou a morte de todos os judeus no dia 13 de adar! — as lágrimas de Mordecai rolavam em seu rosto.

— Não é possível... — a perplexidade de Ruben o impediu de falar mais que essas palavras. Mordecai virou-se para pegar a cópia do decreto que havia arrancado de uma das paredes das ruas e mostrou a Ruben.

—Veja você mesmo, aqui está! Uma cópia do decreto real! Todos nós pereceremos!

— Meu Deus... Eu não sabia... — Ruben mal conseguia pensar diante da tragédia que acabara de saber.

— Foi Hamã que tramou contra nosso povo! Ele ofereceu dez mil talentos de prata aos tesouros do rei pela nossa destruição.

— Não acredito! Ele pagou pela nossa morte? — a história ficava cada vez pior.

— Sim, e pagou muito bem. São 340 toneladas de prata! — enquanto conversava com Ruben, Mordecai enfatizava os valores em voz alta, mostrando sua revolta contra o governo do rei Assuero.

— Pelo que percebi, a rainha Ester não tem conhecimento de nada disso!

— Então vá, Ruben. Leve esta cópia do decreto e faça com que ela saiba de todo o nosso sofrimento! Conte sobre a oferta sórdida de Hamã e como ele tramou nossa destruição...

Mordecai tinha em seu coração a esperança de que Ester pudesse fazer algo para ajudar o seu povo. Ele permaneceu na porta do palácio enquanto Ruben correu até a rainha com a cópia do decreto em mãos. Pelos corredores escuros, com o contrastes dos archotes ardendo nos muros de pedra, seu caminho pareceu muito mais longo, tortuoso e delirante do que o normal.

Ester recebeu a cópia do documento, segurou-a com as mãos trêmulas e suadas e leu rapidamente, tensa com toda a situação. Quando terminou de ler ficou de pé e disse.

— Meu Deus! Mas isso é uma tragédia! Não pode ser!

— Do que fala esse decreto, minha rainha? — Quinlá perguntou, preocupada pela angústia de Ester.

— O rei decretou a morte de todos os judeus do império, no dia 13 de adar, todos, sem exceção — Ester estava em choque, tudo parecia um pesadelo.

— Mordecai disse que em Susã não se fala em outra coisa, o dia que os judeus vão morrer. Dia 13 de adar. Está escrito para quem quiser ler, com o carimbo real.

— Não pode ser verdade! O Assuero, não! Meu Deus! Como eu não soube disso antes? Por que ninguém me contou? — perguntou dirigindo-se a Quinlá.

— Também não tinha conhecimento, minha rainha. São assuntos do rei... — Quinlá respondeu com semblante triste.

— O senhor Mordecai mandou lhe dizer que foi Hamã quem incitou o imperador contra nós, minha rainha. Ele ofereceu dez mil talentos de prata aos tesouros do rei pelo direito de, por um dia, matar os judeus!

— Hamã!... Agora que é primeiro-ministro ficou ainda mais perigoso! — afastando-se um pouco de Ruben, Ester chorava o trágico destino que havia se abatido sobre seu povo.

— O senhor Mordecai pediu que a rainha vá até o rei suplicar pelo nosso povo e clamar por sua misericórdia.

— Mas eu não posso fazer isso! — Ester virou-se novamente para Ruben, desesperada. Ela sabia que não poderia ir até o rei sem ser chamada, ou poderia ser morta.

Inconsolável, Ruben tomou o caminho da saída do palácio. Seus passos, desta vez, eram tristes e pesados. Ao encontrar Mordecai novamente, não tinha outra coisa a dizer a não ser que Ester nada podia fazer se não lhe fosse dada a oportunidade.

— Como não pode? — a frustração tomou conta de Mordecai, que não entendia a atitude de Ester.

— A rainha não é procurada pelo rei há muito tempo... Ela manda dizer que qualquer pessoa, mesmo ela, pode ser condenada a morte se entrar na presença do rei sem ser chamada.

— "Salvo se o rei estender o cetro de ouro, para que viva", eu sei. Conheço bem a lei — Mordecai completou, reagindo impaciente.

— Ester teme que ele não estenda o cetro para ela. Faz trinta dias que ela não é chamada para ir à sua presença.

— Pois volte lá, Ruben e diga a ela, que não imagine no teu íntimo que por estar na casa do rei, escapará só ela entre todos os judeus. Porque se ela se calar nesta hora, socorro e livramento virão de outra parte para o nosso povo, mas ela pagará com a vida. Quem sabe se não foi para um momento como este que ela chegou à posição de rainha?

Ruben disse à Ester exatamente o que Mordecai havia mandando. A rainha ficou ainda mais angustiada, sem saber o que fazer e finalmente disse:

— Preciso falar com Mordecai!

— Calma, senhora! É muito perigoso! — interveio Quinlá, com preocupação legítima. — A rainha não deve sair do palácio. E não é seguro que ninguém os veja juntos, ainda mais agora, com essa lei!

Quinlá temia pela segurança da rainha, pois imaginava que algo ruim pudesse acontecer se ela fosse flagrada conversando com Mordecai, uma figura proeminente entre a comunidade judaica de Susã.

— Ruben, conduza Mordecai até o jardim real — ordenou Ester. — É lá que eu e meu primo devemos nos falar.

Segura de sua decisão, Ester colocou-se ela própria a caminho do jardim. Discretamente, Ruben levou Mordecai até um portão, perto do qual ele deveria falar com a rainha.

— É aqui, senhor Mordecai — Ruben e Mordecai traziam tochas consigo para que pudessem iluminar o caminho por onde haveriam de passar. A noite estava estranhamente vazia, com um sufocante ar parado e quente. Não havia sinal de ninguém por perto.

— E onde é que ela está? — perguntou, ansioso.

— Já está chegando.

Ester surgiu carregando também um archote, vestindo um grosso manto para cobrir seu rosto, para que ninguém a identificasse.

— Mordecai! — ele ouviu, de uma voz familiar, vinda de entre as folhagens.

— Hadassa! Hadassa, minha querida! — emocionado, Mordecai não continha as lágrimas ao reencontrar sua menina.

—Vou deixá-los a sós, com licença. Ruben retirou-se para que eles conversassem.

— Que falta que o senhor me faz! Como é duro caminhar sozinha! Sem seus conselhos guiando meus passos! — também emocionada, Ester não podia deixar de honrar aquele que moldou seu caráter e, ao mesmo tempo, confessar sua insegurança.

— Que falta você me faz, filha... — as lágrimas de Mordecai eram como as de um pai separado de sua filha.

— Acabei encontrando o amor, Mordecai. Mas parece que tal amor me abandonou. O rei me esqueceu e se mostrou um tirano. Fiquei chocada quando soube do decreto. Nunca podia imaginar! — embora quisesse falar-lhe de muitas outras coisas, Ester tinha de ser rápida.

— O imperador quer matar a todos os judeus — disse Mordecai, também com objetividade, enquanto acariciava o rosto de sua prima. — E só você, a rainha, pode salvar o nosso povo. O seu povo.

OITO

Ester é a única que pode salvar os judeus

Apesar do pouco tempo que tinha ao lado do primo e da quantidade de sensações e impressões que precisavam compartilhar, Ester calou-se.

Era preciso voltar a si para tentar entender como tudo aquilo havia acontecido de modo tão rápido. Além de rainha, ela era agora a única esperança de seu povo, frente a um decreto tão cruel e repentino que condenava os judeus sem um julgamento sequer.

— Não entendo por que motivo Assuero decretou a destruição do nosso povo, Mordecai.

— O rei foi influenciado por Hamã, minha filha — respondeu ele, cansado e frustrado. — Antes mesmo de essa lei maldita ser decretada, Hamã já tramava contra nós. Mandou construir uma forca enorme e espalhou aos quatro ventos que era destinada a mim.

Ester abaixou a cabeça, envergonhada pelo pouco que sabia do muito que acontecia fora das muralhas do palácio.

— Que absurdo! Será que algum dia esses amalequitas vão deixar de perseguir nossa gente, meu primo?

— Quando nos exterminarem. E Hamã encontrou a oportunidade perfeita para nos destruir. Ele quer se vingar não só de mim, mas de todos os judeus!

Sem o desespero de quando Ruben o encontrou, Mordecai conseguia analisar melhor toda a situação. Ester ergueu a cabeça com os olhos úmidos e suspirou.

— Meu Deus! O que será do povo de Israel?

Uma paz e clareza tomaram conta dos olhos de Mordecai.

— Hadassa, mesmo que seja arriscado ir ao rei sem ser chamada, você é a única pessoa que pode interceder por nós.

A rainha entendeu exatamente tudo o que o conselho do primo implicava. Diante de tamanha responsabilidade ficou pensativa, emocionada e temerosa. Mordecai continuou falando:

— Lembra que seu pai sempre dizia que Deus tinha grandes planos para você?

A emoção lhe subiu à garganta num rompante de choro. Ester lembrou do rosto, da voz e da expressão de seus pais de forma tão vívida que se calou por longos segundos. Finalmente, conseguiu tomar o fôlego necessário para responder.

— Meu pai falava que Deus realizaria grandes feitos por meio da minha vida.

— Pois chegou a hora, Hadassa.

No olhar profundo que trocaram naquele momento, estava selada a conversa. Ester suspirou, tomou coragem e fez um único pedido a Mordecai.

— Então vá, meu primo. Junte todos os judeus que se acharem em Susã, e jejuem por mim, e não comam nem bebam por três dias, nem de dia nem de noite. Eu também jejuarei. E assim irei ter com o rei, ainda que não seja de acordo com a lei. E se perecer, perecerei.

— Três dias de jejum?

— Exatamente, Mordecai. Faça saber entre todos os nossos! Que se espalhe pela cidade, até os confins do império!

— Pode ficar tranquila! Os judeus de toda Pérsia estarão unidos com você nesse jejum pela nossa vida.

— Mesmo nas províncias mais distantes, que fazem fronteira com outros reinos, mesmo lá este pedido deve chegar! — Ester não tinha mais a expressão frágil de antes no rosto. Falava decidida, firme e com o coração cheio de esperança.

— Chegará, minha rainha! — a esperança também brotava no coração de Mordecai que sorria diante da postura corajosa da prima.

— Precisamos ter fé, Mordecai. Vamos clamar ao nosso Deus em uma só voz por três dias! E que seja feita a vontade dEle! — não havia mais dúvidas para Ester quanto à sua missão, e isso ficava cada vez mais claro em suas palavras.

— Eu creio que Deus quer que vivamos para que Seu nome seja proclamado! Ele há de nos salvar! — emocionado com a providência de Deus, de conceder ao seu povo esperança por intermédio de Ester, Mordecai chorava e sorria ao mesmo tempo.

— Então vá, meu primo! Cada segundo é precioso! Avise o nosso povo ao raiar do dia. Também vou me recolher com minhas criadas para jejuar.

— Adeus, filha amada! — as mãos de Mordecai procuravam, pelas frestas do portão, as mãos de Ester, que chorava muito. — Tenho muito orgulho de você! Que Deus esteja contigo!

Ester soltou um suspiro de alívio, ao receber a aprovação do primo a respeito de suas atitudes. A rainha beijou a mão do homem que a havia criado com imenso amor, e então os dois se separaram.

Finalmente uma esperança, não apenas para Mordecai, mas para todos os judeus. A vida da rainha e de seu povo estava agora nas mãos de Ester.

***

Os judeus se desesperavam com a chegada de 13 de adar, mas na casa de Hamã a data era esperada com muita ansiedade e celebrada antecipadamente por parte da família.

— À destruição dos nossos inimigos! — brindou Hamã, erguendo uma taça cheia de um de seus vinhos mais caros. — Finalmente, o destino dos judeus está selado!

— Que vitória, meu querido! Que glória! — no olhar sombrio de Zeres era possível ver uma luz de satisfação brilhar.

— Pena Tafnes ter morrido. — Dalfom disse, pensativo.

— E o que essa mulher queria contar ao rei a ponto de arriscar a vida? — sempre atenta aos detalhes, Zeres ficou curiosa com o empenho de Tafnes em falar com o rei.

— Por um momento, achei que fosse nos entregar, mas depois vi que era apenas uma desavença com a rainha — desconfiado, como quem tem muito a esconder, Hamã vivia sempre às voltas com a tensão de ser entregue ao rei.

— Pobre Tafnes. Endoideceu. Talvez tenha sido melhor. Já não servia para mais nada mesmo. E andava me pressionando — a frieza de Dalfom quase podia ser sentida. Estava acostumado a usar e descartar as pessoas, como havia aprendido com o pai.

— Mas ela acabou me ajudando. O rei ficou tão desnorteado que me deu o anel real para que eu decretasse o que quisesse. Nem se deu conta de que eu me referia aos judeus — Hamã se aproveitou do momento em que o rei se encontrava: distraído pela confusão com Tafnes e ferido demais pelo luto por Memucã. A família ria e brindava, satisfeita com o deslize do rei, que havia transferido o poder diretamente para as mãos de Hamã.

Aridai, porém, não estava tão contente quanto o restante de sua família. Como todos em Susã, ele também soubera do decreto que condenava os judeus. Não hesitou em atravessar a sala a passos pesados vindos da rua e ir diretamente falar com o pai sobre tal absurdo.

— Pai! Que lei é essa?! Como é que o rei Assuero teve coragem?! Tenho certeza que foi o senhor! — Aridai entrou na sala interrompendo a alegria dos familiares.

— Eu livro a Pérsia de uma praga e você não me agradece? — ironizou, dando a volta por trás do filho.

— Eles são gente, como nós! — protestou.

— Como nós, não! — interrompeu Zeres, irritada com as atitudes do filho. — Só se for como você, que é um fraco! Um traidor de seu povo!

— Eu cumpri com o prometido! Nunca mais procurei a Ana! Vocês têm coragem de matar seu próprio neto? — o desespero estava estampado no rosto de Aridai que, mais uma vez, buscava encontrar misericórdia no coração do pai.

— Você insiste em se torturar, meu irmão. Eles já estão mortos. Agora é lei. Esqueça essa judia de uma vez! — Dalfom sempre opinava, embora Aridai não tivesse se dirigido a ele. Como para o pai, na visão dele, os judeus eram dignos somente da morte.

— Estou falando com você, pai! — Aridai chamou, ignorando Dalfom. — Peça ao rei! Peça para anular esse decreto maldito! Por favor, pai!

— Um decreto real não pode ser anulado, Aridai. Nem o próprio rei poderia voltar atrás — enquanto falava, Hamã evitava os olhos do filho Aridai, não pelo risco de compadecer-se por seu sofrimento, mas porque nada do que ele dizia lhe interessava ou o faria mudar de ideia.

— Treze de adar será um dia de glória! Foi a vontade dos deuses! — completou Zeres, levantando sua taça.

***

A maldade da família do primeiro-ministro já havia causado grande reviravolta e sofrimento na vida de muitas pessoas, inclusive na de Simion, que agora, totalmente recuperado do envenenamento que sofrera, se apresentava novamente para o trabalho diante de Harbona.

— Tem certeza que está bem mesmo, Simion? — Harbona perguntou, preocupado.

— Já estou muito melhor. Posso voltar a meu posto hoje mesmo! — sorridente, Simion sentia-se satisfeito pelo simples fato de estar vivo.

— Que coragem! Quase morreu envenenado e não tem medo de continuar provando o vinho do rei.

— Ser copeiro é uma grande honra. É claro que tenho medo, mas sigo confiando em Deus — disse tomando nas mãos a concha de prata, usada para provar a bebida do rei, presa ao seu pescoço por uma corrente.

— Seu Deus deve ser realmente muito forte. Somente Ele para salvá-lo — Harbona seguia impactado pela fé de Simion, que contou apenas com seu Deus para curá-lo.

Em seguida, o eunuco deixou a cozinha e logo Ruben apareceu por ali correndo para falar com o amigo.

—Você não vai acreditar, Simion!

— Que cara é essa, Ruben? — perguntou, intrigado.

— Nós todos vamos morrer! Dia 13 de adar! — ofegante, Ruben mal conseguia falar.

— Do que é que você está falando?!

— Um decreto real! O grande rei Assuero condenou todos nós à morte! Todos os judeus. velhos, mulheres, crianças, todos!

— Meu Deus... — a perplexidade de Simion lhe impedia de dizer qualquer outra coisa.

Aquela noite agitada e cheia de surpresas desagradáveis finalmente chegava ao fim. Um novo dia raiou sobre Susã, e com o novo dia, a esperança de que Ester, guiada por Deus, pudesse livrar os judeus daquele trágico destino que Hamã lhes havia imposto.

***

Rebecca e Joel trabalhavam normalmente naquela manhã. Mesmo que os problemas viessem, e por mais angustiante que fosse a situação, eles estavam sempre ali, firmes no trabalho como que em uma missão dada por Deus.

Rebecca vendia alguns tecidos, simpática e educada como sempre. Com a venda concluída, começou a dobrar alguns cortes na banca. Joel, procurava por algo em toda a barraca.

— Não acho o barbante em lugar nenhum. Você viu, Rebecca? — propositalmente Rebecca não o respondeu. — Rebecca? Estou falando com você. Não vai responder?

— Acabou, não tem barbante — disse duramente.

— Ainda brava comigo?

— Claro que sim! Que espécie de pai você é?! — Rebecca dava leves tapas no tecido que dobrava, alisando-o para depois fazer as dobras. Expressava ali também sua angústia.

— Sou da espécie que exige respeito com nossos costumes. Com o passado sofrido do povo judeu — calmo, porém sério, Joel explicou-se à esposa.

— Ana errou, Joel. Errou muito, mas você errou muito mais ao negar abrigo a nosso neto que está para nascer. Não sei o que seria de nossa filha se Mordecai não a tivesse acolhido em sua casa — Rebecca não parou para olhar para Joel, em pé, atrás dela, e continuou dobrando os tecidos.

Joel então afastou-se um pouco e sentou-se, suspirando.

— Ah, minha Rebecca. Estou tão confuso. Não me julgue dessa forma, trago o coração despedaçado. A dor pela qual estou passando não me deixa agir diferente.

— Perdoe nossa filha! Por favor! Sou eu que estou pedindo! — Rebecca agachou-se perto do marido para lhe falar. No rosto, a tristeza profunda estava marcada.

— Não consigo. Ainda sinto muita mágoa. Dê tempo ao tempo, Rebecca. Tudo passa, afinal — disse com o olhar perdido.

— Nós não temos muito tempo, Joel. O mês de adar e o dia marcado para nossa morte estão muito próximos.

— Como Deus pôde permitir uma lei que pretende aniquilar seu próprio povo? Não entendo! — o tom de Joel era de revolta ao falar da justiça de Deus.

A conversa do casal, porém, foi interrompida pela chegada de Mordecai, muito agitado.

— Joel! Rebecca!

— Mordecai?! O que foi?! Aconteceu alguma coisa com Ana? Com o bebê? — como viviam em tempos difíceis, eles já esperavam uma má notícia.

— Não. Eles estão bem — assegurou sorrindo.

— O que foi então, homem? Por que chegou tão afobado?

— Consegui me encontrar com Hadassa! Ela prometeu que vai interceder em favor do nosso povo junto ao rei Assuero! — Mordecai transbordava alegria e esperança.

— Graças a Deus! Se há alguém capaz de amolecer o coração do imperador é sua prima! — disse Rebecca, suspirando, agora mais aliviada por um novo caminho que se mostrava possível diante de toda a tragédia.

Joel interrompeu o riso para transbordar sua amargura:

— Pois eu acho que nem mesmo ela consegue reverter esse decreto maldito.

— Calma, Joel... Ainda há uma esperança. Vamos levantar um grande clamor ao nosso Deus. Hadassa pediu para que todos os judeus jejuem e orem por três dias e três noites em seu favor. Depois disso, ela falará com o imperador mesmo se não for chamada.

— E por que ele não a chamaria? — perguntou Rebecca, assustada.

— Já faz um bom tempo que minha Hadassa não vai à presença do rei. Mas ela vai se arriscar mesmo assim.

— Isso é loucura! A lei não permite, Mordecai! — Joel via o perigo iminente na atitude da rainha.

— Ela irá à forca! Nem a rainha está livre de ser punida! — o coração alegre de Rebecca tornou-se sombrio novamente.

— Por isso ela precisa tanto de nossas orações. O futuro de todos nós depende disso — Mordecai avisou, cauteloso e enfático.

Ruben, que já soubera do propósito de jejum e oração por intermédio da própria rainha, foi apressado contar a Simion, para que ele também fizesse parte do clamor.

— Um jejum por três dias?! — Simion perguntou, carregando uma bandeja com várias taças de volta à cozinha. Ruben o seguia logo atrás.

— Exatamente! Foi o que a rainha nos pediu. Para nos juntarmos a ela em oração por esse tempo.

— Como é que eu vou jejuar, Ruben?

— Todos do nosso povo devem se unir.

— Mas se minha função no palácio é justamente provar a comida e a bebida do rei!

— Verdade — disse, dando-se conta da situação de Simion. — O grande Assuero não jejuará, com toda certeza!

— E o que eu vou fazer? — perguntou, desesperançoso.

— Invente alguma coisa! Não seja você o elo fraco entre os judeus que arruinará nosso pedido de socorro — Ruben pediu, sério.

— Harbona não vai aceitar isso! Estou perdido! — pensativo, Simion tentava encontrar uma maneira de ajudar seu povo por meio do jejum.

Não demorou para que Harbona chegasse até a cozinha para dar as instruções da próxima refeição do rei a Simion. O eunuco teria agora de dar um jeito para não comer e beber por três dias, como faria o seu povo.

— O grande Assuero vai fazer sua refeição em seus aposentos. Leve a comida para o rei — Harbona ia deixando a cozinha.

— Harbona! Era justamente o que queria lhe dizer. Posso até levar a comida, mas hoje não posso provar — disse, olhando para o chão.

— Está bebendo vinho escondido, eunuco? — alterado com o que acabara de ouvir, Harbona encarou o copeiro com reprovação.

— Claro que não, senhor!

— Só pode estar bêbado para me enfrentar desse jeito! Que história é essa de fugir de suas funções?

— Não estou passando muito bem. Tudo que eu como, volta.

Mais uma vez Simion desviava o olhar de Harbona. Escolheu a mentira como meio para conseguir que não tivesse de provar a comida do rei, e assim permanecer em jejum pelo seu povo.

— Mando-o para o calabouço agora mesmo, rapaz. Você não me engana — e aproximou-se de Simion para amedrontá-lo.

— Tem piedade de mim, Harbona! Eu conto a verdade!

— Já devia ter feito isso.

— Você sabe que nós judeus estamos com os dias contados.

— Isso não é desculpa. Pode até ser injustiça para com os judeus, mas, enquanto viver no palácio, terá de cumprir com suas obrigações — Harbona reagiu, impaciente.

— Uma líder de nosso povo pediu que todo judeu faça um jejum de três dias e três noites — ali, Simion apostou tudo. Ao dizer a verdade para Harbona ele corria sério risco de ser repreendido e ter seu pedido negado.

— Quem pediu esse jejum? Que líder é essa, afinal? — disse intrigado.

— É uma mulher de Deus, de generosidade sem igual. Ela é nossa única chance! — explicou Simion, pensativo.

— Esqueça que é judeu que você se salva — foi a solução sugerida por Harbona.

— Se renegar meu Deus, Harbona, fechar os olhos para o massacre do meu povo, aí é que não há salvação alguma... — emocionado, Simion permaneceu firme diante de Harbona, não o enfrentando, mas expondo sua fé e sua dor.

Harbona observava Simion como se quisesse ler seus pensamentos, gestos e pudesse extrair dali a verdade. Finalmente falou:

— Está bem. Tome seu lugar nesse tempo do jejum, mas nem um dia a mais!

— Muito obrigado, bom Harbona! Muito obrigado! — Simion chorou, emocionado e constrangido com a generosidade de seu chefe. Falando a verdade, ele teve a oportunidade de ver algo que não seria possível com a mentira: o poder do agir de Deus.

***

Quando o dia amanheceu, os descendentes de Israel já estavam em oração e jejum para suplantar seu temor. Entre os líderes do império, entretanto, pouco se mencionava da angústia do povo judeu.

Na sala do trono, discutia-se estratégias de guerra contra os gregos. O assunto dividia opiniões, e a reunião rapidamente transformou-se numa verdadeira confusão, com todos os conselheiros falando ao mesmo tempo, querendo que suas ideias fossem ouvidas. O rei permanecia sentado em seu trono, com uma expressão cansada.

— A Pérsia não deve mais esperar! Precisamos expandir ainda mais nossas fronteiras! Falta pouco para transformar o mundo em um único império! A Terra inteira se curvará a seus pés, grande Assuero! A guerra é iminente! — Hamã discursou a todos os presentes com a autoridade que o cargo de primeiro-ministro lhe dava.

— Silêncio — disse Assuero, severo, em voz tão baixa que obrigou à sala silenciar imediatamente para que fosse ouvido com respeito. — Quem está aqui sabe que o príncipe Hamã é, de todos, em quem mais confio. Em todo o reino, não há alguém mais próximo de mim do que o justo e sábio Hamã.

— Obrigado, senhor dos senhores. Sabe que o estimo mais que aos do meu sangue. Amo o meu rei como meu deus e irmão.

O orgulho de Hamã mal cabia em si mesmo por ser exaltado pelo próprio rei em público.

— E ouço com muito respeito os seus conselhos, Hamã. Mas quanto à Grécia, a morte de Memucã me fez repensar este assunto — disse, movendo o olhar que repousava sobre o primeiro-ministro e dirigindo-o a todos os presentes.

— Não me diga que vai desistir — temeu Hamã.

— Devemos esperar, pelo menos. Memucã era contra e sua morte me fez refletir que talvez não seja esse o momento certo para um ataque.

— Como não, supremo rei? O momento é perfeito! Já está tudo preparado. Os persas serão vitoriosos na terra dos helênicos — continuou Hamã.

— Pela memória de Memucã, não desejo mais guerrear contra a Grécia. Vou me ater aos assuntos internos do reino, por enquanto — as palavras de Hamã não surtiram nenhum efeito sobre o rei, que continuou firme em sua decisão, que comunicou a todos ali mesmo.

— Mas, meu senhor...

— Essa é a minha decisão final, Hamã! — disse estendendo a palma da mão contra Hamã, para que ele não insistisse.

— Se assim deseja, poderoso rei, então que se cumpra. Vamos esperar alguns anos, enquanto crescemos em estratégia... Mas não nos esqueçamos dos gregos! De tempos em tempos, eles expulsam um de seus líderes. São sempre boa fonte de informação.

— Assim faremos. Daqui a três anos, passado o luto de Memucã, voltaremos a este assunto — sentou-se novamente em seu trono e deu o assunto por encerrado.

— Como queira, senhor. Considerando melhor, conselheiros, é até bom não irmos à guerra. Assim o exército do rei ficará disponível para ajudar no extermínio dos rebeldes no dia 13 de adar — Hamã falava como um cão rosnando para um estranho. Sua sede pelo sangue dos judeus era visível em seus olhos.

***

Pelas vielas de Susã, Dalfom e Aridai caminhavam e discutiam como já era de costume. Aridai estava cada vez mais revoltado com a sua família, com a maldade que não parecia ter limites. O rapaz se sentia como um estranho quando estava junto deles, pois o que os alegrava entristecia profundamente seu coração.

— Não adianta se revoltar, meu irmão — disse Dalfom. — Se não tivesse se envolvido com uma judia, não estaria tão incomodado com a morte desse povo desprezível. Você deveria ter orgulho dos feitos de nosso pai. — Dalfom fez questão de parar o irmão puxando-o pelos ombros para falar-lhe.

— Você quer que eu me orgulhe de uma matança? — e, livrando-se, continuou caminhando.

Novamente Dalfom puxou o irmão e o fez parar. E falou em tom de conselho:

— Os judeus são inimigos do nosso povo, Aridai! Não se lembra das histórias de nossos ancestrais? De como o rei de Amaleque foi humilhado e morto pelo profeta Samuel? De como fomos amaldiçoados pelo povo de Israel?

— E o que fez Amaleque? — questionou Aridai. — Eu e você descendemos de um povo cruel e desumano, que foi capaz de atacar os judeus pelas costas, covardemente, quando estavam desfalecidos e abatidos ao sair do Egito.

— Ainda defende nossos inimigos? — dessa vez o olhar de Dalfom para o irmão era de desprezo.

— Só acho um absurdo o nosso pai querer continuar com essa rivalidade que começou antes mesmo de nascermos! Até quando inocentes vão pagar pelos erros de nossos antepassados? Essa lei contra os judeus é injusta!

Dalfom agarrou Aridai novamente, desta vez com força dobrada. Com as mãos calejadas, apertou-o e jogou-o contra a parede. Então aproximou-se, ameaçador, e falou-lhe junto ao ouvido com rispidez:

— Seja como for, nenhum judeu em Susã e em todas as províncias da Pérsia vai escapar da morte! Nossa raça será vingada! — assim Dalfom largou o irmão e continuou caminhando sozinho.

Aridai permaneceu no canto onde seu irmão o havia pressionado. E depois de Dalfom partir ele viu uma moça muito parecida com Ana passar com um jarro de água. Ele não perdeu tempo, e seguiu a moça.

— Ana! — disse chegando por trás da moça.

Ao escutar a voz de Aridai um calafrio percorreu o corpo de Ana. Ela fechou os olhos em um misto de alegria e profunda dor e virou-se lentamente, evitando os olhos do rapaz.

— Aridai, quanto tempo...

— Ana... por favor... — Aridai tomou sua mão delicadamente e apontou com os olhos para um canto da rua estreita onde eles poderiam se falar melhor sem que ninguém os observasse.

— Ana — ele tocou os ombros da moça, ainda de costas, emocionado em vê-la.

— Não encoste em mim, por favor, Aridai.

— Não faça assim comigo, Ana! Não me negue a alegria de encontrá-la aqui fora, livre! — tocada pelas palavras de Aridai, ela finalmente se virou. — Meu amor... como sua barriga cresceu! — em meio às lágrimas, Aridai tocou a barriga de Ana para sentir seu filho.

— Você não merece meu amor — Ana tinha um olhar cheio de mágoa, assim como as suas palavras. — Esqueceu-se de mim e do nosso filho no palácio. Nunca mais foi nos ver.

— Não sabe como me doeu não lhe procurar, Ana. Minha mãe me fez jurar pelo meu sangue que não ia mais atrás de você. Fui obrigado ou eles iriam denunciá-la.

— Devia ao menos ter se despedido! — disse, ainda ríspida.

— Ana, por favor... Não pense que a abandonei. Fiz isso para preservar a sua vida e a do nosso filho.

— E do que adiantou? Padeceremos do mesmo modo por causa dessa lei absurda contra os judeus. Tudo arquitetado pelo seu pai, Aridai! — a amargura de Ana atravessava-lhe a alma. Não havia mais traços da moça meiga e alegre. Naquele momento, ela sentia toda a revolta contra os amalequitas que, por tanto tempo, procurou evitar.

— Eu sei e lamento muito. Mas não compactuo com essa injustiça. Esta maldita lei não me deixa dormir.

— Imagine os do meu povo como não estão, Aridai!

— Quero ficar ao teu lado, Ana! Não vou permitir que nada de mal aconteça nem a você nem a nosso filho. Prometo a você! — Aridai quis abraçá-la, mas Ana distanciou-se rapidamente.

— Não diga nada, Aridai, por favor! Nada que você fale agora vai aplacar minha solidão — as lágrimas de Ana rolavam sem parar.

— Também me senti só, desolado sem poder vê-la. Mas agora nós estamos juntos, meu amor. Não vou deixá-la sozinha nunca mais! Amo você, Ana. Para sempre...

Aridai aproximou-se de Ana e roubou-lhe um beijo. Mesmo relutante e triste, não apenas pela própria situação mas por seu povo, Ana não pôde resistir ao beijo do homem que amava e de quem esperava um filho.

***

Exatamente como Ester lhe ordenara, Mordecai tratou de convocar todos os descendentes de Israel que vivessem em Susã. E foi a partir daí que o pedido da rainha rapidamente se espalharia por todos os judeus do vasto império persa.

Havia uma grande aglomeração em torno de Mordecai enquanto ele discursava discretamente, avisando a todos das instruções de Ester. Entre o povo estava Rebecca e Joel.

— Peço a todos que jejuem por três dias — dizia Mordecai. — Não comam nem bebam nem de dia nem de noite, para nos purificarmos em nossas orações e ajudarmos a rainha a encontrar uma maneira de salvar nosso povo!

— De que nos servirá jejuar, Mordecai? Com todo respeito à rainha e sua vontade de nos ajudar... Mas já estamos condenados! — Joel deduziu desanimado.

— Essa lei vale para todas as províncias do império! Nem se formos para Jerusalém estaremos a salvos! — mesmo que não compartilhasse das opiniões pessimistas do marido, nesta situação, Rebecca concordava com ele.

— Rebecca está certa! Nem todos os jejuns do mundo adiantarão para nos livrar dessa sentença! O rei Assuero nos condenou à morte sem direito a qualquer julgamento! — a fala de Joel produziu comentários entre o povo. Eles, que ouviam Mordecai calados com fé, agora duvidavam se o jejum realmente adiantaria.

— Tenham fé, meus irmãos! Tenham fé porque Deus é capaz de produzir milagres impensáveis para a mente humana! Jejuem e orem por três dias, é o que lhes peço! Ao fim deste período Deus nos concederá um livramento! Tenham fé! — Mordecai tentava animar o seu povo, lembrá-lo dos grandes milagres que o Deus de Israel era capaz de realizar e já havia realizado.

— Só um milagre mesmo! Só um milagre! Venha Rebecca, vamos voltar pra nossa barraca — disse Joel, enquanto tomava a esposa pela mão. Os dois saíram dali abatidos.

Mordecai viu alguns de seu povo curvando-se para alguém que chegava por ali. Olhou adiante e viu Hamã que se aproximava. Agora acompanhado por guardas, desde que fora nomeado primeiro-ministro Hamã chegava com pompa ainda maior.

— Mas o que é que está acontecendo aqui? — Hamã indagou diante do aglomerado de judeus que agora começava a se dispersar amedrontados. Mordecai tentou retirar-se sem ser notado, mas, do alto da pequena escadaria de onde falava, Hamã o avistou rapidamente.

— Mordecai! O que você está fazendo, judeu?

— Nada que lhe diga respeito, Hamã! — respondeu em tom altivo.

— Curve-se diante do primeiro-ministro! Curve-se agora! Isso é uma ordem!

Porém, Mordecai não se curvou, continuou firme, de pé.

— Continua contestando minha autoridade? Muito bem! Mas de nada vai lhe valer me enfrentar. Todos os judeus vão morrer e você será o primeiro, Mordecai! Sua forca já está pronta! — triunfante em sua fala, Hamã estava descontrolado em seu íntimo pelo ódio que sentia por aquele judeu insolente. Sua vontade era exterminá-lo ali mesmo, mas agora, como primeiro-ministro devia medir ainda mais suas ações. Além disso, uma atitude precipitada poderia colocar todo o seu plano de poder em risco.

— Quem decide a hora da minha morte é Deus, não você! — Mordecai continuava firme tanto nos gestos como nas palavras.

Hamã teve a frieza de aproximar seu cavalo lentamente para poder responder bem próximo do rosto de Mordecai:

— Quero ver esse seu Deus livrá-lo dessa vez! — disse, antes de sair sorrindo, certo de que a vitória lhe pertencia.

Joel e Rebecca voltavam para a barraca da família e conversavam sobre que haviam acabado de ouvir de Mordecai.

— Mordecai pensa que é Deus e que pode produzir milagres — amargo em suas palavras, Joel agora fraquejava em sua fé.

— Nós temos de fazer o que Mordecai pediu, Joel. Sustentar a nossa rainha em oração — Rebecca ponderou.

— E você acha mesmo que vai funcionar? — como era de se esperar, Joel opinava de forma pessimista. Sua visão de mundo havia ficado assim diante de tantos problemas pelos quais vinha passando.

— Para Deus não existe impossível! E você sabe muito bem disso! Quantos e quantos livramentos que...

Rebecca interrompeu sua frase diante do barulho de pessoas gritando e correndo, uma massa de medo que se aproximava rapidamente de sua barraca. Um grupo de amalequitas se ocupava de destruir mercadorias e derrubar as tendas em seu caminho que pertencessem ao povo judeu. A onda de destruição se aproximava como uma avalanche de Joel e Rebecca.

Sem se darem conta do que acontecia perto dali, Aridai e Ana ainda estavam juntos. O rapaz tentava recuperar a confiança da moça e provar que nunca a havia esquecido.

— Eu não devia... — lamentava Ana depois de beijar Aridai.

— Devia, sim, Ana, me escute! Acredite, por favor! Quantas vezes vou ter de repetir que só parei de ir ao palácio porque meus pais ameaçaram entregá-la ao rei? Precisava defender sua vida e a de nosso filho.

— Está dizendo a verdade? — expressando dúvida, porém acariciando o rosto de Aridai, em seu íntimo, Ana sabia que Aridai era sincero.

— Claro que sim!

— Achei que tinha decidido me esquecer.

— Nunca! Jamais! Como seria possível esquecer o amor da minha vida? — declarou-se o oficial.

Ana lhe devolveu a declaração com o primeiro sorriso abertamente alegre. E se beijaram novamente, apaixonados, desta vez sem receios.

— Agora me conte — propôs Aridai assim que se fartou do beijo da amada. — Que milagre foi esse que a trouxe de volta para meus braços novamente?

Ainda não havia dado tempo de Ana contar para ele como havia se livrado do harém.

— Foi Ester... A rainha intercedeu junto ao rei e conseguiu me libertar — Ana sorria ao falar da amiga — Se não fosse por ela, talvez estivesse morta a essa hora. Uma moça do harém descobriu minha gravidez e me denunciou.

— Não sei como você conseguiu esconder essa gravidez por tanto tempo... — Aridai não conseguia manter as mãos longe da barriga de Ana, acariciando-a com grande amor.

— Nem eu. Mas as pessoas estavam começando a desconfiar. A barriga já está grande. Quando a Tafnes...

— Tafnes? — ao ouvir o nome da egípcia, Aridai interrompeu Ana, assustado.

— É. A moça que me denunciou.

— Tafnes se encontrava com o meu irmão! — imediatamente, Aridai ligou todos os pontos daquela trama asquerosa.

— Como assim?

— Dalfom e meu pai conspiraram pra que ela se tornasse rainha. Mas não deu certo. Ele deve ter contado a ela a seu respeito.

— Meu Deus! Será!?

A frieza e maldade de Hamã continuavam assustando Ana. Agora ela tinha a real noção do risco que corria estando no palácio.

— Não acredito que meu irmão teve coragem! Ele sabia que isso poderia levá-la para a forca! — sem que percebesse, Aridai começou a levantar o tom de voz, guiado pela raiva que sentia por Dalfom.

— Calma, Aridai! — disse Ana.

Nesse momento, o rastro de vandalismo dos amalequitas se aproximou do casal.

— Que confusão é essa? — Aridai perguntou.

— Parece que o barulho vem da rua dos comerciantes. Vamos lá ver!

A cena que encontraram não poderia ser mais revoltante. Dalfom pessoalmente se encarregava de destruir a barraca que era o sustento de Joel e Rebecca. Virava tábuas, rasgava tecidos, pisoteava e arruinava todas as mercadorias do casal.

— Todos vocês vão morrer, judeus malditos! — Dalfom gritava para Joel.

— Parem! Covardes! — ao tentar impedir a destruição, Joel se interpôs a Dalfom, que o empurrou violentamente contra a barraca que ficava em frente à sua. Ele caiu, desnorteado.

— Velho idiota! Quem você pensa que é? Quer morrer antes do dia 13 de adar? — do alto de seu poder e irresponsabilidade, Dalfom não se importava em matá-los antes mesmo da data prevista em decreto.

— Não! Por favor, piedade! — Rebecca implorou pelo marido.

— Piedade? Vocês já estão com os dias contados!

— Se vamos morrer, por favor vá embora e nos deixe em paz! — mesmo sendo resistente ao enfrentar o inimigo, Joel, prostrado no chão, percebeu que não havia nada que pudesse fazer.

— Ir embora por que? Está tão divertido... — Dalfom ria e fazia troças do pavor do judeu.

Logo, não havia pilha de tecido sobre sua prateleira, nem tapeçaria que não estivesse imunda ou rasgada. Dalfom então caminhou ameaçador em direção ao velho judeu, indefeso no chão. Foi quando irrompeu um grito de mulher, forte e impaciente, movido pela revolta e raiva que não se podiam mais conter:

— Pai!

Era o grito de Ana, desesperada ao ver Joel sob o domínio do amalequita. Ao procurar a origem do grito, Dalfom viu seu irmão se aproximando com a moça grávida. Movido pelo impulso maldoso, apanhou bastões e caixas da barraca mais próxima e lançou-os furiosamente em direção ao casal.

— Ana, filha! Está tudo bem? — Rebecca correu para Ana.

— Sim mãe, foi só um susto — as duas abraçaram-se ali.

— Você me paga, Dalfom! Armou para ela ser morta! — Aridai correu, furioso, ao encontro do irmão, agarrando-o pelas vestes.

Naquele momento, não houve laço fraternal nem racial que aplacasse seu ódio. Aridai derrubou Dalfom e os dois se atracaram.

— Traidor! Defendendo esses judeus sujos! — disse Dalfom, durante a luta. — Tenho vergonha de ser seu irmão! Você vai se arrepender!

Logo, outros vândalos amalequitas se aproximaram e a luta foi encerrada. Dalfom levantou-se e foi embora com eles.

— Tenho vergonha de ser seu irmão! Você vai se arrepender! — disse Dalfom, olhando para trás e limpando o sangue em seu rosto.

— Machucou-se, Ana? Está tudo bem? — preocupado, Aridai passava a mão pelo rosto e pela barriga de Ana para certificar-se que nenhum mal havia lhe acontecido.

— Está tudo bem.

— Não encoste nela! Não se aproxime da minha filha! — ordenou Joel.

— Por favor, senhor. Só estou querendo ajudar.

— Não toque nela! Você não tem o direito de pertencer a nossa família. Você desgraçou a vida da minha filha. Fora daqui!

— Só queria que o senhor soubesse que eu não sou como os da minha famíl...

— Fora daqui! — gritou Joel, com toda força que lhe restava.

Ferido em seu corpo e em seu coração, desprezado por sua família natural e pela família da mulher que amava, ainda assim Aridai foi compreensivo. Despediu-se com um olhar triste de Ana e se afastou, sem certeza sobre aonde ir.

— Será que você percebe, Ana, o tipo de gente com quem você se meteu? — perguntou Joel, tomado pela amargura.

— Mas você nem o deixou terminar de falar pai...

— Não fale nada! Não ouse defender esse amalequita. Não quero nem mais uma palavra — Joel afastou-se da filha e desviou do assunto buscando pelo chão algo que pudesse ser aproveitado em sua barraca. Por mais que olhasse com atenção, não encontrava nada que não houvesse sido destruído.

***

O jardim real havia se transformado em um lugar fundamental para a vida da rainha Ester. Era ali onde ela passava horas meditando, elevando seu pensamento para o Alto e buscando discernir a Voz do Deus Eterno. Naquela manhã, ainda remoendo a visceral conversa que tivera na noite anterior com Mordecai, Ester pensava no primo e em seus conselhos. Seu pensamento repousou em sua infância, na breve convivência que teve com seus pais e em como os ensinamentos que recebera deles ficaram tão fortemente guardados em seu coração. De maneira vívida e cristalina, Ester se recordou do dia em que, aos 10 anos, seu pai lhe ensinara sobre a história de Moisés.

Era uma tarde de sol, agradável e bonita. Abiail escrevia em algumas tabuletas de barro enquanto colocava outras no forno. Lia tecia um vestido para sua filha. Hadassa, sempre curiosa, ficava por perto até quando seus pais estavam ocupados, queria aprender sobre suas atividades mais cotidianas.

— Por que o papai coloca as tabuletas no forno, mamãe? — a menina perguntou, passando as mãos pelos cabelos da mãe.

— Para que as palavras durem, minha filha. Para que a água não as apague.

— O barro, quando vai ao fogo, não se amolece mais com a água, entende, filha? — Abiail explicou, paciente e docemente.

— Entendi! E o que é que você está escrevendo, papai? — retornando este à escrita, Hadassa o seguiu para ver de perto o que ele estava fazendo.

— Estou copiando a história de Moisés, filha. Ele foi um homem de muita fé — disse, em tom solene e respeitoso.

— Abençoado o dia em que nossos ancestrais escaparam da escravidão do Egito. Graças a ele! — lembrava Lia, voltando os olhos para o alto em agradecimento.

— Moisés era um rei? — Hadassa perguntou, com a simplicidade que apenas uma criança pode ter.

— Não. Mas ele cresceu entre os mais poderosos do Egito. Foi criado pela filha de Faraó, mas abdicou de tudo para salvar o povo de Israel e conduzi-lo até a terra prometida de Canaã — satisfeito pelo interesse da filha, Abiail explicava todos os detalhes para Hadassa, certo de que, se ela não entendesse naquele momento, depois seria capaz de compreender tudo. Era seu dever ensinar a história do povo de Deus para sua filha.

— Devia ser bem corajoso esse Moisés... — comentou Hadassa, pensativa.

— Na verdade, quando Deus o chamou para liderar o povo, Moisés teve medo. Mesmo assim, ele obedeceu e pôde ver grandes milagres e maravilhas acontecerem — contou Abiail, enquanto escrevia.

— Que tipo de milagres? — perguntou curiosa

— Muitos, filha. Quando o povo estava fugindo do exército inimigo, por exemplo, eles ficaram sem saída ao se deparar com o mar Vermelho. — Lia também fazia questão de ensinar Hadassa sobre a história de seus antepassados. Lembrava com muito orgulho os feitos de Deus no meio de seu povo.

— Eles iam ser pegos! Não tinham para onde ir! Mas Deus mandou Moisés seguir em frente — completou Abiail.

— Mas, e o mar? — perguntou a menina, preocupada.

— O mar se abriu, Hadassa! E o povo judeu passou tranquilamente! — a empolgação de Lia era tanta que parou um pouco suas atividades ao tear para responder as perguntas da filha.

— Quando o povo chegou do outro lado, o mar se fechou novamente e o exército egípcio não conseguiu apanhá-los! Não é maravilhoso? — fazendo também uma pausa em seus escritos, Abiail olhou para Hadassa, feliz por sua filha entender desde cedo a importância do Deus a quem seguiam.

— É sim, papai! Um milagre mesmo! — os pequenos olhos negros de Hadassa brilhavam, fascinados pela história.

— O povo ficou quarenta anos no deserto, filha — disse Lia. — E nenhum dia sequer faltou comida. Chovia maná dos céus, para saciar a fome de todos!

Ao falar das misericórdias de Deus, Lia era enfática e precisa, equilibrando a vibração de seu coração, a alegria ao recordar as bênçãos sobre seu povo e a dedicação ao estudo das Escrituras. Enquanto falava, Lia sabia o quanto a pequena Hadassa se inspirava nela, sonhando com a grande mulher que, quem sabe, ela se tornaria no futuro. Abiail completou o raciocínio da esposa:

— E mesmo o povo tendo se rebelado e murmurado tantas vezes, Deus sempre permaneceu fiel, e supriu todas as suas necessidades.

— Só não entendo por que Deus deixa seu povo sofrer — a alegria e o sorriso haviam sumido do rosto de Hadassa. A pergunta era profunda demais para uma criança. O casal trocou olhares e Abiail respondeu:

— Filha, por mais sombrios que pareçam os tempos, nunca duvide de uma coisa: Deus estará sempre olhando por você. Pode até parecer que não há saída, mas Ele fará o mar se abrir, e o socorro virá.

As palavras, as cores e os perfumes daquela tarde rondavam, tanto tempo depois, os pensamentos da rainha. Uma mulher feita, invejada em um dos postos mais cobiçados de seu tempo; ao mesmo tempo, em seu íntimo, naquela manhã, era apenas uma pequena menina judia em busca de entender os mistérios de Deus, diante de uma situação tão complicada, na qual dependia somente da misericórdia de Deus para que tudo desse certo e seu povo pudesse ser salvo.

Os ensinamentos de seu pai lhe davam esperança e força e faziam trazer à lembrança as tantas provações que seu povo já havia atravessado e também aos muitos milagres a que assistiram.

— Será que o socorro virá dessa vez, meu Deus? — seus olhos turvos miravam as nuvens procurando materializar a imensidão e beleza do Deus Eterno. — Por que nosso povo, o teu povo, tem de sofrer tanto? Para quê tantas provações? Desde impensados tempos, vagando por terras estrangeiras. Escravizados, exilados, fugitivos. O que fizemos, Senhor?

Ester abria seus mais profundos temores e inseguranças diante de Deus. Com ele, a rainha podia ser sincera como não o era com mais ninguém. Podia expor seus medos, suas angústias. Podia lembrar, na companhia de Deus, os momentos tristes que marcaram sua vida, como quando sua mãe morreu, com o corpo em seu colo de criança.

Ester interrompeu seu passo e se sentou à sombra de uma oliveira. Emocionada, rememorou cada palavra que trocou com a mãe naquele dia tão triste que marcaria sua história para sempre. Lembrou dos cavalos correndo pelas ruas, do choro, dos gritos vindos de toda a parte, o pavor estampado no rosto de cada um do seu povo. A separação de seu pai que, por amor, enfrentou o inimigo e acabou morto por sua espada.

Ester se lembrava do medo ao ver que sua mãe estava ferida, e a coragem e força que ela teve para continuar caminhando com a filha a fim de que pudesse sobreviver. Por fim, ela se lembrava das últimas palavras de sua mãe: "Você vai ter de fugir sem mim..." O gosto salgado de suas lágrimas misturando-se ao ferimento da mãe. "Tenha sempre orgulho de seu povo... Nunca, jamais deixe de ser fiel ao nosso Deus." As mãos trêmulas de sua mãe segurando, com o fiapo de força que lhe restava, a pedra de calcedônia que até hoje ela carregava no pescoço.

Ester tinha um peso insuportável no peito. Ao mesmo tempo, sentia-se íntegra com sua própria história, seus dilemas e seus desafios. Nunca se sentira tão sozinha, mas raras vezes sentiu-se tão acolhida por seu Deus. Ali, no jardim do palácio, ela fechou os olhos e orou:

— Deus misericordioso, de todo poder, peço-Te que livres os judeus dos que tramam contra nossa vida. Que o Senhor, do Alto de Tua bondade, não Te cales diante da morte de tantos inocentes. Dá-nos forças para não sucumbir ao desespero. Ilumina nossos inimigos para extirpar o mal de seus corações. Não permitas tamanha injustiça contra o Teu povo, Senhor! Eu Te imploro!

Ainda de mãos postas, a concentração de Ester foi interrompida assim que seus olhos se abriram e notou, surpresa, a presença de mais alguém.

— Sim? — disfarçou Ester.

— A assustei? — a bela e misteriosa mulher perguntou, aproximando-se da rainha.

— Estava distraída. Pois não?

— Há muito tempo estou para lhe fazer uma visita, rainha Ester. Meu nome é Zeres, sou esposa do primeiro-ministro, Hamã.

— Eu sei quem você é — fria, porém cordial, Ester observava cada movimento de Zeres. — Em que posso ajudá-la?

— Eu é que gostaria de saber se posso ajudar a minha senhora. Com poções mágicas, leitura do futuro, previsões...

— Não, obrigada.

— Então quem sabe poderíamos conversar — Zeres tomou a liberdade de sentar-se próximo à Ester e dividir a sombra da oliveira. — Podíamos nos conhecer melhor, sou uma ótima confidente! A rainha deve se sentir um pouco solitária no palácio, não? Veio de fora, não tem amigos...

— Obrigada pela preocupação, Zeres. Mas fique tranquila, tenho bons amigos aqui dentro. E o rei também é uma excelente companhia — Ester mantinha um sorriso sem graça para Zeres quando, na realidade, não estava suportando suas perguntas e sua companhia. Sabia, porém, que não devia demonstrar antipatia por ela, ainda mais tratando-se da esposa de Hamã.

— Quando se pode usufruir dela, não é mesmo? — comentou em tom de ironia. Zeres sabia como chegar até onde mais doía na rainha. Havia sido assim com Vasti e ela acreditava que seria assim com Ester.

— O rei é um homem muito ocupado — respondeu Ester com os olhos baixos a principio. Mas rapidamente retomou a postura firme diante de Zeres.

— Não fique chateada se ele não a procurar... Era assim com a rainha Vasti também. Às vezes, ficava meses sem chamá-la em seus aposentos.

— Esse assunto não lhe diz respeito, Zeres — disse, endurecendo mais sua postura. — É só isso?

Vendo que Zeres observava seu colar, o que ganhara de sua mãe ainda quando criança, Ester colocou a pedra para dentro do vestido.

A amalequita, embora tenha ficado desconcertada com a franqueza da rainha, insistiu em seu propósito de aproximar-se.

— Talvez queira discutir política. Soube que a rainha é letrada e inteligente. Deve sentir falta de uma companhia feminina para discutir ideias mais elevadas. A rainha veja, por exemplo, o extermínio dos judeus. Um decreto pleno de sabedoria, não acha?

— Você está falando da morte de centenas, milhares de pessoas inocentes! — surpreendida pelo assunto, Ester alterou-se.

— Os judeus não têm nada de inocentes! Finalmente ficaremos livres deste povo que tanto atrapalha o reinado do piedoso Assuero, seu marido — Zeres argumentou.

— Não vejo por que eles atrapalhariam. São súditos que pagam seus impostos em dia como qualquer outro — a rainha era incisiva com a amalequita, mesmo que ela ainda não pudesse defender seu povo publicamente, não podia se calar diante daqueles impropérios.

— Está dizendo que simpatiza com os judeus? — o rosto de Zeres ganhou uma expressão desconfiada.

— Estou dizendo que não concordo com o extermínio de nenhum povo dessa maneira tão inconsequente. Agora, se me dá licença! — Ester retirou-se do jardim visivelmente irritada e deixou Zeres ali, desconfiada pela reação da rainha.

Ester foi diretamente para seus aposentos, onde poderia ficar realmente sozinha, sem a intromissão petulante de Zeres ou de qualquer outra pessoa para lhe aborrecer. Ali ela pensaria em paz, embora fosse perto da natureza que se sentia mais próxima de Deus. Mas se aproveitar o ar puro significaria ter de aturar a esposa de Hamã e suas ofensas ao povo judeu, então era necessário privar-se disso.

Quinlá e Hegai chegaram aos aposentos da rainha para trazer-lhe uma bandeja com grande variedade de frutas. Porém, Ester as recusou.

— Não, obrigada, Quinlá.

— Mas a senhora precisa comer!

— A rainha não deve se deixar tomar pela tristeza! — aconselhou Hegai com mansidão.

— Não estou me deixando tomar. Estou em jejum. O jejum serve para purificar o espírito e nos aproximar de Deus — Ester deu um longo suspiro — Temo tanto por meu povo!

— Seu povo? Como assim, seu povo? — Hegai sentou-se no ressalto próximo a cama da rainha, intrigado com o que acabara de ouvir.

— Os judeus, Hegai! Fomos todos condenados à morte — a rainha falou em tom de desabafo e revolta.

— Quer dizer que a rainha também é judia? — perguntou, chocado.

— Sou, mas ninguém aqui no palácio pode saber, além de vocês dois — pediu, dirigindo-se também à Quinlá com o olhar.

— Pode confiar no meu silêncio, senhora. Mas nunca podia imaginar... — o eunuco tentava puxar na memória algum detalhe que pudesse ter dado indício da origem de Ester, mas não havia nada. Ela realmente sabia esconder um segredo.

— Pobrezinha... Tem sofrido tanto desde que soube do decreto — como uma boa amiga, Quinlá se compadecia da situação de Ester.

— Por isso estou de jejum. Não precisam trazer comida nem bebida por três dias.

— Três dias! É muito tempo, a rainha pode até ficar doente! — Hegai ainda estava muito surpreso com o fato de Ester ser judia. Estava com um olhar perdido, embora prestasse atenção nas palavras da rainha.

— Não importa, Hegai. Deus não há de me desamparar, tenho certeza. E quando terminar o jejum de três dias me apresentarei diante do rei! — disse, decidida.

— Mas isso é uma temeridade, minha rainha! — Hegai via-se na obrigação de aconselhá-la.

— É muito arriscado! A rainha sabe que pode morrer se for à presença do rei sem ser chamada! — Quinlá também não podia se calar ao ver uma tragédia iminente.

— Não tenho outra alternativa. Lamento que o rei não me procure mais, mas mesmo assim vou à sua presença.

— Eu já disse à rainha, o poderoso Assuero está ocupado com os assuntos de guerra, por isso não a procura!

As palavras de Quinlá estavam cheias de aflição. O medo de que algo ruim acontecesse a Ester enchia-lhe o peito de angústia.

— A rainha deveria esperar pelo chamado do rei — Hegai tentou alertá-la.

— Quanto tempo isso pode demorar? E se ele não chamar? Não posso deixar meu povo perecer sem fazer nada.

Quinlá e Hegai entenderam que nada faria Ester mudar de ideia, nem mesmo o risco da morte. Se era aquela a única saída para tentar ajudar seu povo, ela o faria. Quinlá, entretanto, tomou a iniciativa de se apresentar como mais do que uma serva, mas uma amiga verdadeira. Tomou as mãos de Ester nas suas e lhe disse, olhando nos olhos:

— Temo pela vida da minha rainha.

— Minha vida está nas mãos de Deus, Quinlá! Se tiver de morrer, que seja pelo meu povo! — Ester tinha um sorriso resignado nos lábios ao falar do povo judeu.

Em seu coração ecoava a alegria de cumprir o que havia prometido à sua mãe, quando esta desfalecia em seus braços: sempre se orgulhar de seu povo.

***

Na casa de Hamã, a euforia havia dado lugar à insatisfação. Ele compartilhava com a esposa seu ódio por Mordecai. O casal amalequita contava os minutos para o dia 13 de adar, dia do massacre dos judeus.

— Não suporto mais ser afrontado por Mordecai! — grunhiu o primeiro-ministro.

Nas mãos Hamã, uma pequena fruta virou migalhas diante da força com que ele a apertou. O amalequita mirava o suco da fruta escorrendo por seus dedos e imaginava o sangue dos judeus pelas calçadas do reino.

— A vingança não tarda, meu marido. Acalme-se — rápida em aplacar o descontrole do marido, Zeres surgiu por trás de Hamã, acariciando-lhe as costas.

— Não vejo a hora de ver aquele judeu pendurado na forca! Serei lembrado pelo nosso povo como aquele que exterminou todos os judeus da Pérsia!

— Assim será, meu querido...

Zeres rodou o marido e se colocou precisamente diante dele. Ela sabia que capturaria imediatamente a atenção de Hamã com o que tinha a dizer.

— Sabe que hoje estive no palácio conversando com a rainha?

— Conseguiu conquistar sua amizade? — perguntou Hamã, interessadíssimo, acomodando-se.

— Por enquanto não. É uma tola. Não me deu muita atenção. Ficou indignada quando falei do decreto contra os judeus.

— É um assunto delicado, Zeres. Ela não deve entender o bem que isso trará ao império. Mas não se preocupe. Aos poucos, você ganhará a confiança da rainha, tenho certeza.

Se havia alguém no mundo que importava a Hamã era Zeres. Sua fiel companheira em todas as suas tramas. Ele queria demonstrar a ela o mesmo incentivo que ela lhe proporcionava em sua trilha de destruição.

— Nem sei se devo me preocupar com isso. Em breve não haverá rei Assuero e a coroa da rainha será minha!

Zeres falava com tanta segurança que lhe parecia impossível os planos do casal darem errado. A excitação do poder era irresistível ao casal. Hamã se levantou, abraçou Zeres e a beijou ardentemente.

A intimidade dos planos progredia para o romance quando a paz do casal foi interrompida pela voz de Dalfom, que adentrava revoltado, gritando com que estivesse à sua volta.

— Aridai hoje passou dos limites!

— O que houve, meu filho? — Zeres perguntou, descendo as escadas.

— Ele defendeu a família da judeu e ficou contra mim! É um absurdo! — Dalfom pegou uma maçã na bandeja sobre a mesa e cravou os dentes na fruta, descontando sua fúria.

— Aridai continua encontrando essa judia? Já não era para ela estar morta, Dalfom? Tafnes não ficou de denunciá-la? — intimidado, Hamã aproximou-se do filho para questioná-lo.

— Não sei o que aconteceu. Ela estava lá com o meu irmão. Saiu do harém ilesa! — respondeu, frustrado.

— Saiu como? — Zeres interveio.

Antes que Dalfom pudesse responder a pergunta da mãe, Aridai chegou, gritando o nome do irmão.

— Você não tinha o direito de agredir Ana! Covarde! Uma mulher grávida! — Aridai agarrou o irmão pelas vestes como havia feito na rua dos comerciantes e só o soltou quando a mãe os separou.

— Claro que tinha! Ou você não entendeu o decreto? Todos os judeus devem morrer! — mais uma vez Dalfom parecia programado para repetir o discurso de Hamã.

Aridai pensou por um momento que não valia a pena agredir o irmão, então se afastou, mas disse:

— Você não presta, Dalfom! Pediu para Tafnes denunciar Ana, sabendo que ela podia morrer!

— Essa era a ideia! — respondeu Dalfom, irônico.

— Você me paga! — Aridai não resistiu e, mais uma vez, pulou sobre o irmão para agarrá-lo.

— Parem com isso os dois! — Hamã ordenou, e logo foi obedecido.

— É a lei, Aridai! A lei! Não tem como voltar atrás! Todos os judeus vão ser exterminados! — dessa vez, Aridai tapou a boca de Dalfom com as mãos.

— Chega, Aridai! Chega de brigar por causa daquela judia! — com a repreensão de Zeres, finalmente a briga cessou e cada um dos irmãos foi para o lado oposto ao outro.

As tramas maquiavélicas de Hamã progrediam, mas em sua própria casa havia raiva, confusão, culpa e rancor.

***

Já era noite quando Ester sentou-se no chão de seus aposentos a fim de falar com Deus a respeito de seu povo. Seu coração amargurado precisava buscar o sopro de Deus para que pudesse ter forças em sua missão. Então, orou:

— Ó Senhor, meu Deus, guia os meus passos! Coloca na minha boca as palavras que tocarão o coração de Assuero. Por que, meu Deus... Por que o grande rei se esqueceu de mim? Por que ele não deseja mais me ver? Faze-o se lembrar de seu amor por mim. Faze-o desejar a minha companhia. Apenas peço que coloques um pouco de ternura em seus olhos. Pedirei pelo povo judeu, mesmo se tiver de abrir mão de minha própria vida. Que Assuero perdoe minha impertinência e ouça minhas palavras com paciência e compaixão.

Naquele exato momento, em centenas de casas judeus havia um clamor pelos mesmos motivos. Por todas as províncias, milhares de judeus, homens e mulheres, velhos e crianças, jejuavam e oravam para que o Deus de Israel tivesse piedade de Seu povo e amparasse a rainha Ester.

Na casa de Mordecai, muitos se reuniram para orar, entre eles Rebecca e Joel. Mesmo relutante, Joel foi até lá para clamar a Deus pelo seu povo. Quando viu sua filha, não sentiu raiva, apenas aceitou de modo silencioso sua presença entre a de todos os outros para que orassem juntos. Naquele momento, não havia mais diferenças. Todos intercediam noite adentro, clamando em uma só voz ao Deus que cobrira seus antepassados de milagres.

No palácio, Ruben também buscava a Deus em suas orações, dizendo:

— Protege-nos e guarda-nos, eu Te peço... Sei que não tenho Te buscado em oração ultimamente. Mas ainda há fé em meu coração, Senhor. Confio no Senhor, meu Deus. Tem piedade de nós! Ajuda-nos a sobreviver! Salva o nosso povo!

Na quietude da cozinha, Simion ajoelhou-se e colocou diante do Criador um coração comovido e cheio de fé e esperança:

— Por favor, Senhor. Carecemos da Tua compaixão. Mas queremos viver, meu Senhor. Deixa-nos viver!

Harbona chegou a cozinha do palácio e observou Simion respeitosamente um pouco antes de interrompê-lo. Finalmente o chamou.

— Simion.

— Desculpe-me, Harbona. Já vou voltar ao trabalho — disse o judeu apavorado, já de pé.

— Não se preocupe, pode fazer suas orações.

— Obrigado, senhor. Tem sido muito generoso. Nem todos respeitam a nossa fé — uma luz brilhou nos olhos de Simion, agradecido a Deus por abrir a mente de Harbona.

— Sua fé é grande, Simion, e torço pelo seu povo. Mas do jeito que as coisas estão... — Harbona hesitou, encolhendo os ombros em sinal de dúvida.

— O que, Harbona? Pode falar.

— Perdoe minhas palavras, mas eu duvido que os judeus escapem da morte — Harbona não pretendia ser cruel com Simion, apenas não via saída para aquela situação.

— Eu tenho fé que sim.

Emocionado, Simion conseguia ver além do momento difícil que seu povo vivia. Acreditava em tempos prósperos, em um destino repleto de alegria e felicidade para si e para todos os judeus.

***

Havia forças espirituais diferentes rondando a noite de Susã. Os judeus buscavam seu Deus para se verem livres de uma sentença cruel e sem fundamento. Zeres, por sua vez, colocou-se diante de seu altar para buscar em seus deuses garantias de que nenhum de seus planos sairia de seu desejo. Que, em suma, os judeus realmente morressem todos.

No círculo do chão, preenchido por terra, Zeres jogou os ossos de animais, concentrada, de olhos fechados.

Um caldeirão com líquido viscoso fervia em um cadinho, e a fumaça doce encheu o ambiente. Zeres colocou ingredientes no caldeirão: frutas, legumes, pães, penas, ossos de pequenos animais. A cada vez novo ingrediente, ela invocava seus deuses.

— Clamo-te, deusa Ishtar e os demônios dos sete ventos! Evoco Abubu, dilúvio destruidor! Dilacera meus inimigos. Que eles padeçam, um a um. Rimom, Reshef, Ganzir, Sebitti, Gingal, Irkala. Que sejam protegidos meu sangue, minha carne e minha descendência! Que a casa de Amaleque esmague o sangue de Jacó! Destruí a estrela de Davi! Fazei padecer o povo judeu! Todo o povo de Israel!

Zeres fazia sua lenta e estranha dança, invocando os poderes pagãos, até que a sala foi tomada por uma fumaça mais e mais densa.

***

Foram setenta e duas horas de incontáveis orações entre os filhos de Israel. Famílias se reuniam e se consolavam, cada vez mais pessoas se juntavam para orar e jejuar em favor da rainha e do povo judeu. Ester também não deixou de buscar a Deus por um segundo sequer. Ao anoitecer, amanhecer e até mesmo durante a madrugada, a rainha estava sempre firme, voltando seu pensamento e suas palavras para Aquele que era o Único a ter o poder para livrar os judeus da morte certa.

Já não eram vozes espalhadas, mas uma única voz, alinhada numa mesma vontade, num mesmo propósito, falando ao Único e Todo-Poderoso Deus, sem cessar.

Assim os três dias de jejum e oração se passaram e o dia da grande ousadia de Ester — dirigir-se até o rei sem ser convocada — finalmente havia chegado. Ester estava especialmente linda, e espiritualmente pronta para sua missão. Era visível em seu rosto, assim como sua determinação e fé.

— Senhora, desista dessa ideia! — pediu Hegai, desesperado, ajudando Quinlá a dar os últimos retoques na rainha, ainda em seus aposentos.

— Não posso, Hegai. Meu povo precisa de mim — virando-se para Hegai, Ester foi firme como havia sido até então.

— Se o rei Assuero não levantar o cetro, a senhora estará condenada à morte! — repetiu Quinlá, angustiada, colocando delicadamente a coroa na cabeça de Ester.

— Deus está comigo — respondeu a rainha, olhando com gratidão a serva. — E Ele decidirá o melhor!

— Se não há meio para fazê-la desistir, que o seu Deus lhe proteja, minha amada rainha — emocionada, Quinlá lhe sorriu. Ester aproximou-se dela comovida por sua amizade e segurou-lhe as mãos deixando que seu olhar dissesse o que não poderia ser dito em palavras naquele momento.

— Que o Deus dos judeus olhe pela minha senhora! — disse Hegai, despedindo-se.

— Deus ouviu minhas orações, Hegai. Eu sei que ele ouviu. Agora preciso agir.

Mais uma vez, Ester sorriu docemente, ergueu a cabeça e encaminhou-se para a sala do trono, onde o rei Assuero estava reunido com os conselheiros, entre eles Dalfom e Aridai.

Aridai, por sinal, havia retornado às reuniões do conselho real, uma vez que o motivo que levou sua família a afastá-lo já não estava mais presente. Hamã, também na sala do trono, era figura importante em todas as reuniões, como primeiro-ministro, sempre apressado em mostrar serviço ao rei e tentar influenciar suas decisões de algum modo, sempre de forma impiedosa.

— Duas províncias ao norte estão em conflito. O que fazer? — o rei questionava.

— Essas duas províncias, meu caro rei, já deviam ter sido aniquiladas! Não é de hoje que são um problema para o império! Queimem tudo, é a minha opinião! — Hamã foi o primeiro a se manifestar durante a reunião por julgar sua opinião a mais importante.

— Elas não têm direito de guerrear entre si, mas reprimi-las com mais violência é tolice! — a voz de Aridai surgiu entre os conselheiros.

— O que meu caro irmão aconselha? Mandar cestos de flores para o norte pedindo para que façam as pazes? — a ironia típica de Dalfom surgia mais uma vez, e todos os presentes gargalharam pelo comentário.

— Silêncio, Dalfom! — ordenou Assuero, sério, fazendo um gesto para que Aridai continuasse.

— Acho que o grande rei deveria destacar um oficial que fosse investigar essas terras e nos dizer a verdadeira situação.

— Aridai está certo — declarou o rei. — Esse conflito está turvo, não sabemos quem começou. Mandarei um investigador hoje mesmo! Ele será meus olhos e ouvidos.

Esta foi a palavra final do rei sobre o assunto. Enquanto Assuero falava aos conselheiros e aos demais presentes, um guarda chamou Harbona discretamente, pedindo que fosse até a porta da sala do trono.

— Muito sábio da sua parte, senhor dos senhores. — o primeiro-ministro queria mostrar-se sempre favorável às atitudes do rei, quaisquer que fossem. Com o olhar, entretanto, reprovou a atitude de Aridai.

— Próximo assunto, Dalfom? — prosseguiu o rei.

— As plantações ao sul do império, as constantes pragas que estão levando pobreza àquela região que... — Dalfom parou de falar quando, boquiaberto, viu a rainha entrando na sala do trono, embaixo das advertências insistentes de Harbona, dizendo, sem jamais colocar as mãos em Ester, que não entrasse e não falasse com o rei.

Ester continuou caminhando firme, calada, olhando para o chão. Chegou até o rei Assuero e curvou-se diante dele. O rei perplexo com a presença de Ester e com semblante muito sério, olhou-a com incredulidade.

O silêncio tomou conta da sala do trono. Ninguém ousava dizer uma só palavra. Todos aguardavam agora pela reação do rei Assuero, observando o rosto belo e enigmático da rainha e a mão do rei, que se mantinha imóvel sobre o cetro.

NOVE

Prendam Ester!

O guarda-mor abriu espaço com seu corpanzil, a mão direita sobre a bainha da espada.

— Ninguém pode entrar na presença do rei sem ser chamado! Prendam-na!

Ester ouviu a ordem do oficial surgindo de trás de sua cabeça. Um calafrio percorreu toda a sua espinha. Entretanto, ainda estupefato, Assuero levantou sua mão em direção ao guarda, vindo em socorro.

— Não — disse o rei, intrigado. Assuero levou sua mão até o cetro real e o apontou para Ester, encontrando-a pálida, com respiração ofegante. A rainha tocou a ponta do cetro e então fechou os olhos, aliviada. Estava salva.

— Obrigada, meu senhor — e curvou-se, profundamente agradecida.

Assuero recostou seu cetro no lado direito de seu grande trono, próximo aos chifres de um touro entalhado em marfim. Uma expressão de leveza tomou conta de seu rosto, como se, naquela sala só houvesse ele e Ester.

— O que deseja, minha rainha? — perguntou calmo e com uma expressão leve no rosto. — Vamos, me diga. Qual é a sua petição? Até metade do reino lhe darei, se o quiser.

O poderoso Assuero sorriu para Ester. Era visível a paz que ela trazia sobre ele.

Ainda abalada pela situação de estar entre a vida e a morte minutos atrás, a rainha tomou fôlego para se recompor e falar. Era preciso aproveitar a rara oportunidade com sabedoria sem, entretanto, se expor desnecessariamente diante de olhares sabidamente hostis.

— Se parecer bem ao rei — disse ela, com delicadeza e graça — venha hoje ao banquete que vou lhe preparar no jardim real.

— Mas é só isso, minha rainha? — perguntou, novamente intrigado, olhando Ester nos olhos.

— Sim, grande Assuero. Perdoe-me se interrompi sua reunião. Muito me alegrará se o senhor — Ester virou-se para Hamã, cordialmente — e também o primeiro-ministro me concederem essa honra.

— Será um grande prazer, minha senhora! — respondeu Hamã. — E muito lhe agradeço pelo inesperado convite!

O orgulho de Hamã era transbordante, e se materializou em um largo sorriso nos lábios. Assuero, por sua vez, quase levitando de amor, continuava curioso, e insistiu:

— Não há nada mais que queira além disso?

— Permita que banqueteemos e então falaremos mais — ela respondeu, com sábia convicção.

O rei então estendeu sua mão direita para Ester, que a recebeu delicadamente.

— Faz tempo que não nos víamos, Assuero.

— Olhando novamente sua beleza é que dei por mim. Como ando perdido em meu luto por Memucã... Como pude passar tanto tempo sem lhe procurar, Ester? — pensativo, o rei sorriu ao perceber novamente a importância de Ester em sua vida.

— Precisava muito ver o meu rei. Agora, me dê licença. Vou preparar uma mesa digna do senhor dos senhores — curvando-se novamente, Ester despediu-se, deixando seu sutil perfume pela sala do trono.

Ao passar pela porta, mesmo sem parar de caminhar, Ester fechou seus olhos e agradeceu a Deus pela proteção e inspiração. Dentro da sala do trono Dalfom também voltava seu pensamento para as divindades.

— Quanta honra... Nosso pai foi favorecido pelos deuses! — sussurrou para si.

O homem mais poderoso do mundo acompanhou os movimentos da sua rainha com os olhos até que a sombra dela desaparecesse da sala do trono. Por longos e doces segundos, manteve-se aéreo e sorridente diante de todos. "Ester era sempre imprevisível", ele pensou. Desde a primeira vez que a viu, atravessando a parada real para proteger corajosamente uma garotinha, foi assim. E isso era fascinante para o rei.

— Muito bem, senhores. Onde estávamos?

Sem dissolver o sorriso em seu rosto, o imperador retomou a reunião com sua equipe.

***

Nos aposentos da rainha, Hegai e Quinlá aguardavam por Ester numa apreensão que já beirava a agonia. Durante todos aqueles meses, eles haviam aprendido a gostar dela com sinceridade. Foram cativados por sua simpatia e simplicidade. Agora, temiam não tê-la mais por perto.

— Consegui! Assuero estendeu o cetro para mim! — a rainha entrou correndo em seus aposentos, emocionada em dar a notícia para os amigos.

— Está viva! Eu sabia! Sabia! Nunca tive dúvidas! O rei jamais condenaria a rainha Ester! — tomando-a pelas mãos, Hegai chorou de felicidade, eufórico e aliviado.

— Minha rainha... — saudou Quinlá, carinhosa. — Por um segundo temi que não fosse lhe ver novamente.

— Também tive medo, Quinlá. Quando entrei na sala do trono, senti a morte muito próxima. Mas minha fé me fez prosseguir.

Poder partilhar abertamente com amigos verdadeiros e tão queridos sua vitória lhe dava ainda mais força para ir adiante.

— Vitória! Vitória! Vamos celebrar! — explodindo de alegria, Hegai gritava de braços abertos.

— Ainda não! — Ester sentou-se em sua cama, pensativa. — Vitória será quando salvar meu povo dessa lei tirana. Nós ainda temos muito trabalho pela frente.

— Mas, não revelou ao rei que é judia? — preocupada, Quinlá não havia entendido.

— Ainda não, Quinlá! Convidei Assuero e Hamã para um banquete.

— Não entendo! Em vez de mostrar para o rei que Hamã é um pérfido, você convida o inimigo para um banquete? — a euforia de Hegai havia passado, dando lugar à preocupação.

— Ele é astuto. Convenceu Assuero da matança dos judeus. Tenho de me aproximar de Hamã para entender como ele age.

— Minha rainha, cuidado com esse Hamã! Conte logo para o rei que você é judia — Hegai aproximou-se ao pés de Ester e a aconselhou mais uma vez, temendo por sua vida.

— Calma, Hegai. Tem de ser no momento certo. Quando for a hora de me revelar, saberei. E agora, quero que me ajudem a preparar o melhor banquete que o rei Assuero já teve na vida! Quinlá e eu vamos cuidar das iguarias do cardápio... Quero instruir os cozinheiros do palácio pessoalmente. Hegai, prepare o jardim real com lindas flores, quero flores de todos os tipos.

Ester continuou explicando para eles, em detalhes, como o banquete devia ser preparado. Nada poderia sair errado, sua vida dependia disso, bem como a vida de todo o seu povo.

Em casa, Hamã contava para Zeres o honrado convite que havia recebido diretamente da rainha.

— A própria rainha! — exultava Hamã para a esposa, assoberbado consigo próprio. — Convidou-me pessoalmente para o banquete! Que honra maior um persa pode esperar?

Sempre pronta a apoiar as tramoias do marido, dessa vez Zeres foi mais prudente. Deitada em um estreito sofá de pele de carneiro, levando a mão ao queixo, disse:

— Tem alguma coisa errada — murmurou Zeres.

— Nada errado! Os outros príncipes estavam todos ali, mas quem vai tomar vinho com Ester e o rei sou eu! — a ideia de despertar inveja nos outros príncipes enchia Hamã de prazer.

— Não é possível que você não estranhe a rainha ter arriscado a vida apenas para promover um banquete.

— Quem é que sabe da intimidade de um casal senão os dois? Talvez ela já soubesse que não iria morrer. Estava com saudade do rei, oras — sempre astuto, a vaidade parecia cegar Hamã.

— Não. Ester arriscou a vida sim. Nem mesmo a rainha deve ir ao senhor dos senhores sem ser chamada. É a lei.

— Isso não importa! — Hamã deu de ombros. — Ela vai preparar o banquete apenas para nós dois, o rei e eu!

Zeres se sentou, como se quisesse romper a membrana de orgulho que encobria o entendimento de seu marido.

— Hamã, você sabe que minha intuição raramente se engana.

— Querida — suspirou o primeiro-ministro — você está com ciúme, é isso?

— Mas é evidente que não! Estou apenas alertando o meu marido! Algo muito grave está para acontecer, é o que sinto! — a inquietação de Zeres a fez levantar do sofá para falar a Hamã.

— Basta do seu pessimismo, Zeres! Preciso me arrumar! Tenho de voltar logo ao palácio para o banquete.

Nada nem ninguém poderia arruinar aquele momento, nem mesmo os pressentimentos de sua esposa, nos quais costumava confiar, mas não naquela situação, não quando tudo ia tão bem quanto num sonho.

— Prometa-me então que terá cuidado? — vendo que não o convenceria, fez apenas um pedido final.

— Cuidado?! Mulher! Estarei no lugar mais seguro do império! Na companhia do rei e da rainha! "Cuidado"... — ao repetir as palavras de Zeres, Hamã gargalhava fortemente.

***

Simion pediu licença para se ausentar por alguns minutos do trabalho. Com a agilidade de quem conhecia as ruas de Susã desde a infância, corria e encurtava caminho em direção à casa de Mordecai. Ele queria dar a notícia pessoalmente. Encontrou o velho amigo num pequeno círculo de oração, ao lado de Joel e Rebecca. Ana participava em silêncio, mantendo-se pelos cantos como acontecia toda vez que seu pai resolvia passar na casa de Mordecai, pois não queria levá-lo à irritação.

— Repita, Simion! Repita para que eu tenha certeza de que não estou sonhando! — pediu Mordecai, emocionado.

— Ester foi até o rei e o grande Assuero estendeu o cetro, salvando a vida da rainha!

Uma onda de alegria e gratidão varreu cada centímetro daquela casa. Rebecca, que tinha as mãos erguidas em agradecimento aos céus, baixou-as para perguntar, ainda com um sorriso no rosto:

— Então ela pediu por nós, judeus?

— Bem — Simion ficou sério — parece que não, mas não posso afirmar com certeza.

— Como assim, não pode afirmar? Conte essa história direito! — preocupada, Rebecca pôs-se de pé, em aflição.

— Tudo que eu sei foi o que Harbona me disse. Ester foi até lá e convidou o rei Assuero e Hamã para um banquete — novamente Simion ria, desta vez porque achou o convite de Ester inesperado e curioso por envolver Hamã, o próprio inimigo.

— Hamã? — com os olhos arregalados, Rebecca agora, além de temerosa, estava ansiosa e francamente desorientada. — Hamã também?

— Mas por que ela foi convidar o maior inimigo dos judeus? — Joel perguntou, igualmente intrigado.

— Não faço ideia — respondeu Simion, sem graça.

— Então Ester não contou que é judia? — saindo do canto de onde estava, Ana não se conteve e meteu-se na conversa.

— Creio que não — Simion respondeu, um tanto constrangido. — Ou Harbona me contaria.

Joel voltou a seu mal humor típico. Cruzou os braços, sentou-se e grunhiu:

— Vai ver não teve coragem.

Mordecai, que ouvia tudo seguro de sua fé e sereno, juntando as informações e discernindo espiritualmente todas aquelas notícias, respondeu ao pessimismo de Joel.

— Não! Ainda não era o momento, Joel! Ester tem de ser cautelosa! A vida de todos nós depende disso.

Mordecai confiava em sua prima, mas também, e principalmente, confiava em Deus.

— A conversa está boa, mas tenho de correr para o palácio — disse Simion com jeito de menino. — Só escapei rapidinho porque precisava dar a notícia.

— Muito obrigado, caro Simion! Suas palavras encheram meu dia de esperança — agradeceu Mordecai, dando um forte abraço no amigo.

Um a um todos vieram à porta se despedir do copeiro. Ana aproveitou para se aproximar fisicamente da família. Ao perceber o movimento da filha, Joel tratou de se despedir também:

—Vou embora! Tenho de reconstruir minha barraca!

— Pai, espere! — disse Ana, com lágrimas nos olhos. — Preciso falar com o senhor!

— Não sou pai de ninguém. Com licença — e, de fato, Joel se retirou.

— Joel?! — tentou impedir Mordecai. Ana ficou ali chorando, desesperada pela atitude do pai. Rebecca ofereceu o colo para a filha já adulta, em sinal de consolo. Sua expressão de dor fez com que a mãe temesse por sua gravidez:

— Filha, não chore... Sente-se aqui.

Na porta, vendo o amigo avançar na distância, Mordecai enrugou o rosto e deu um leve tapa de revolta nos batentes de madeira.

— Mas é uma mula empacada mesmo!

— Deixe, mãe. Tudo bem. Ele tem direito de me odiar — conformava-se Ana.

— Não filha! Seu pai a ama! — dizia Rebecca para tentar aplacar a dor de Ana.

— Rebecca! — a voz de Joel se fez ouvir de longe, chamando pela companheira de trabalho.

— Preciso ir, filha... — obedecendo ao chamado, Rebecca deu um último beijo no rosto de Ana, levantou-se, recolheu suas coisas e olhou com gratidão profunda para Mordecai. — Mais uma vez, obrigada por acolher minha filha, amigo.

Mordecai apenas sorriu, com um olhar de solidariedade, lendo nos olhos de Rebecca a dor pela separação que o esposo impôs à sua família.

—Vá em paz, Rebecca.

Ao fechar a porta e voltar à ficar a sós com Ana, Mordecai tratou de consolar a moça:

—Tenho certeza que um dia seu pai vai perdoá-la.

Embora estivesse comovido pela dor de Ana, as palavras de Mordecai eram sinceras. Ele realmente acreditava que Deus tocaria o coração de Joel para o perdão.

***

No palácio, Assuero já havia encerrado os trabalhos da manhã, e pediu para Harbona ajudá-lo com os preparativos para o banquete. Com o eunuco, como sempre, ele pôde confidenciar sua animação com o encontro:

— Fazia tanto tempo que nada me surpreendia assim!

— A entrada da rainha na sala do trono foi realmente inesperada! — Harbona comentou, sorrindo.

— Foi um presente para meus olhos! No começo desse dia enfadonho surge Ester, mais bela do que nunca! Por que fiquei tanto tempo longe dela, Harbona? Por que não a chamei antes? — andando de um lado para o outro com uma taça de vinho nas mãos, o rei questionava a si mesmo.

— Bem, o senhor esteve muito ocupado ultimamente, supremo rei — respondeu Harbona, tentando ajudá-lo a organizar o pensamento. — E ainda estava pesaroso com a morte de Memucã.

— É verdade. O luto exagerado me fez esquecer dos que ainda estão vivos. Nunca mais havia procurado Ester.

— Mesmo assim, a rainha teve coragem de ir até o senhor.

Assuero interrompeu seu passo diante da grande janela que dava para o jardim real. Com uma mão segurava sua taça. Com a ponta dos dedos tocou na cortina de algodão cru e ficou pensativo:

— Obriguei minha amada a desrespeitar uma lei ancestral, colocando em risco sua própria vida.

Com um sorriso, Harbona foi cordial e contextualizou a situação.

— Certamente, ela contava com o amor do rei.

— Ah, Ester, minha doce Ester... Como estava esplêndida! Mal posso esperar pelo banquete!

Animado novamente, o rei continuou sua ronda pela sala. Após tomar um pequeno gole de seu vinho, voltou a pensar alto diante de seu confidente.

— O que será que Ester quer me pedir?

Nem por um instante, o imperador imaginava que poderia perder o seu grande amor. Absorto em questões administrativas e estratégicas, distraído com seus afazeres burocrático, Assuero jamais poderia supor que sua amada Ester fora condenada à morte por um decreto assinado por um membro de sua equipe, autorizado por ele mesmo.

***

Hegai havia mobilizado um pequeno exército de funcionários do palácio e escravos para preparar no jardim rapidamente um banquete digno daquele evento: o reencontro do casal real. Entre os que trabalhavam, Ruben e Simion cuidavam da disposição das louças e das taças.

— Está quase na hora. Está me dando um nervoso — Ruben comentou.

— E eu? — perguntou Simion de volta, enquanto distribuía o vinho nas jarras correspondentes. — Será que Ester consegue reverter essa situação?

— Vai saber. Impossível prever a reação do rei quando souber que ela é judia — a principal preocupação de Ruben era com a segurança de sua amiga.

De repente, um grito de pavor ecoou entre os preparativos:

— Ah! Há um vilão entre nós! Quem fez isso?! — Hegai gritava apavorado, se aproximando. — Quem pretende arruinar o banquete da rainha?! Ruben, foi você?!

— Eu o que, senhor Hegai?! — Ruben respondeu sério, porém despreocupado.

— Que colocou essas almofadas horrorosas para o rei Assuero se sentar!

Ruben negou com a cabeça e apenas apontou para outro jovem eunuco mais afastado.

— Incompetente! Tudo eu tenho de repetir! Vá buscar as de seda! Essas aqui só servem para travesseiro de escravo! Vocês não fazem nada direito! — Hegai atirou as almofadas no eunuco como se fossem pedras.

— Pelo jeito não somos só nós que estamos tensos com esse banquete — Simion comentou bem-humorado e os dois amigos riram discretamente.

— O que é que vocês estão cochichando aí?! — aproximando-se de Ruben e Simion, Hegai estava impaciente a ponto de implicar com tudo à sua volta.

— Nada, senhor Hegai! — de cabeça baixa, Ruben respondeu.

—Vocês sabem muito bem da importância desse banquete! Nada pode sair errado! Os convidados da rainha já estão para chegar! Andem com isso aí. Quero tudo impecável!

Não era impaciência. Hegai sabia que, assim como sua amada Ester, também os eunucos eram judeus. Ou seja, a vida deles também dependia daquele encontro.

Em seus aposentos, Ester recebia os últimos cuidados para o banquete. Como sempre, confiava esse trabalho a Quinlá.

— E então, acha que estou bem? — perguntou, apreensiva, enquanto se analisava no espelho. — Será que o rei vai apreciar sua rainha?

— A senhora só pode estar brincando! — Quinlá ria da pergunta da rainha, porque a resposta lhe parecia óbvia demais. — Está lindíssima! O rei Assuero vai se alegrar muito com a sua companhia.

— Assim espero — visivelmente aflita, Ester mantinha o olhar fixo no horizonte, como se procurasse por algo.

O toque final era a delicada coroa real. Quinlá a tomou nas mãos e gentilmente a repousou na cabeça de Ester. Próxima ao rosto da rainha, a serva deu um conselho:

— Tenha cuidado, minha rainha. Hamã é traiçoeiro. Ele pode tentar virar o rei contra você — a angústia de Quinlá evidenciava também seu apreço pela rainha.

— Eu sei. Esse é meu maior medo. Mas Deus vai iluminar meus atos e minhas palavras — respondeu, enchendo o peito de confiança.

— Com licença, minha rainha! — Hegai disse, aproximando-se pela porta. — O grande Assuero já está no jardim à sua espera. Ele e o nobre Hamã — ao pronunciar do nome do primeiro-ministro, Hegai revirou os olhos, fingindo estar nauseado.

— E o banquete? — a rainha quis saber.

— Tudo perfeito, como a senhora indicou. É só mandar servir — respondeu o eunuco, satisfeito com mais um dever cumprido.

— Então vamos. Estou pronta — majestosa, Ester ficou de pé.

— Desejo que tudo saia bem! — Quinlá disse, tomando as mãos da rainha nas suas.

— Obrigada Quinlá, que assim seja — Ester respirou fundo e seguiu para o jardim acompanhada de Hegai e Quinlá.

***

O local do banquete estava lindamente decorado. Os detalhes nos tecidos e nas flores iam muito além do simples trabalho dos escravos: eram cuidados reservados para alguém a quem todos no palácio haviam aprendido a amar e querer bem.

O rei Assuero e Hamã conversavam, enquanto Harbona os acomodava para o banquete. Havia várias tendas no jardim, dispostas umas próximas às outras, adornadas por tecidos finos e leves. A comida estava em louças impecavelmente polidas e brilhantes. Havia vinho à vontade e o dia estava agradável, bonito, de céu limpo e um calor amigável. Foram colocados sofás nas tendas e debaixo de árvores para que a rainha, o rei e Hamã se sentassem. Havia tapetes coloridos na grama e almofadas de seda para que se recostassem.

— Gostaria que soubesse que estou muito lisonjeado com esse convite — Hamã fazia questão de mostrar sua gratidão. — É uma grande honra, senhor.

Até aquele momento, era o mais próximo que Hamã havia se aproximado da intimidade do rei. Por dentro, o primeiro-ministro quase explodia de orgulho.

— Tivemos um mês conturbado — respondeu Assuero. — Depois de tudo, um banquete no jardim na companhia da rainha realmente é muito gratificante.

— Foi mesmo um mês atípico, senhor. Quantos problemas pelo vasto império... — comentou Harbona, sempre acompanhando o rei.

Hamã foi ainda mais longe em sua empolgação.

— Mas esse gracioso convite da rainha só pode ser um sinal de boa fortuna para Pérsia e para todos seus cidadãos!

Foi quando a voz de Simion, que servia bebida ao rei, anunciou, num suspiro involuntário:

— É ela!

Ester surgiu linda no jardim, iluminando ainda mais o cenário à sua volta. Ela era seguida de Quinlá e Hegai, seus fiéis amigos e servos.

Mesmo tendo se transformado em rainha do império mais poderoso do mundo, Ester ainda conservava a doçura e a simplicidade de Hadassa. E era impossível não se render a ela.

— Chegaram cedo, meus nobres senhores! — disse aos seus convidados.

— Ester... Estava ansioso por sua companhia! E também para saber qual é a sua petição — disse o rei tomando a rainha pelas mãos, deslumbrado com sua beleza e carisma.

— A senhora conseguiu atiçar-nos a curiosidade! — disse Hamã, enquanto a saudava, cordialmente.

— Perdoem-me se inquietei o coração dos senhores, mas devo dizer que meu pedido se fará em seu próprio tempo — a rainha sabia que havia de ter cautela para então poder falar ao rei a respeito de seu povo. De nada adiantaria apressar-se e colocar tudo a perder.

— Ora, não me faça esperar mais, Ester. Faça o quanto antes seu pedido! — o rei respondeu com ternura.

— Meu pedido será feito, meu rei, na hora devida. Por favor, tenha paciência — sempre doce em suas palavras, esperava que o rei a compreendesse.

— Está bem. Se é assim que deseja. O que seria da vida sem uma pitada de mistério? — brincou, olhando primeiro para Ester e depois para Hamã. O primeiro-ministro, como não poderia deixar de fazer, riu descontraidamente.

— Obrigada, meu senhor. Agora, por favor, não pense mais nessa questão. Apenas deguste com carinho o banquete que mandei preparar especialmente para o rei e para o nobre Hamã.

— Será um prazer, minha senhora — tão contente que estava, o primeiro-ministro não conseguia parar de sorrir diante de tamanha honra.

O rei Assuero e Hamã saborearam o banquete muito satisfeitos com tudo o que Ester havia preparado. A conversa fluiu simpática e sobre trivialidades. O rei não pretendia falar de assuntos sérios, já lhe bastava sua rotina cansativa guiada pelas obrigações reais.

Ao fim do banquete, a rainha e seus convidados sentaram-se em alguns dos sofás espalhados pelo jardim, escolheram os que estavam debaixo de uma árvore, onde soprava um vento fresco.

Harbona, Simion, Ruben, Hegai e Quinlá permaneceram no jardim para servir ao rei e a rainha, porém, numa região mais afastada de onde o casal real estava com Hamã.

— Há tempos não me sentia tão bem. Você é uma alegria para meus olhos, Ester — o rei bebia vinho olhando para a esposa.

— Poderia alegrá-lo todos os dias, meu rei. Mas entendo que anda muito ocupado para desejar minha companhia...

— Sempre desejo sua companhia... O problema é ter me acostumado à solidão, Ester. Minha mente tem sido tomada por preocupações — ao falar de suas dores o rei franziu a testa, pensando nos vários problemas que ainda estava por resolver.

— É trabalhoso governar um império tão vasto como o Persa, senhora. Se o poderoso rei não fosse, antes de tudo, um diplomata, um grande mediador de conflitos, já teríamos sucumbido — apesar de seu elogios e bajulação serem previstos, o fato é que Hamã estava, naquela tarde em especial, muito à vontade, com a guarda baixa, levemente embriagado pelo vinho.

— Aprendi com o meu pai que o melhor a fazer é transformar os povos conquistados em membros do império, e não em escravos — exemplificou Assuero, ao mesmo tempo em que rendia seu tributo ao rei Dario.

— Parece uma boa estratégia para manter o reino unido e em paz — disse Ester.

— E mesmo assim ainda existem povos que não se curvam diante do imperador. Querem suas próprias leis, seguem seus próprios caminhos, têm seu próprio deus... — Hamã ria, como se estivesse aprovando seu próprio raciocínio.

— Gostariam de mais vinho, senhores? — ofereceu Ester.

Ela havia compreendido perfeitamente a quem Hamã se referia, mas achou por bem ignorar seu comentário. Não era a hora de confrontá-lo, nem deixá-lo acuado.

— Sim! Mais vinho para nós, caro Harbona! — e o rei levantou sua taça sendo atendido imediatamente.

À distância, sempre pronto para servir o casal real, Hegai manteve a compostura, mas não conseguiu evitar o chiste, que dividiu baixinho com Quinlá:

— Já beberam tanto vinho que seria impossível distinguir amigo de inimigo.

Quinlá riu da brincadeira do eunuco. Ela também estava tensa, ansiosa pelo desfecho daquele encontro. No entanto, apontando para a rainha com um sutil movimento da sobrancelha, notou:

— Ester não está bebendo. Ela sabe muito bem onde pisa.

A convivência com Ester havia mostrado para Quinlá como a rainha era ponderada e cautelosa em suas ações. Em outra tenda, a postos para obedecer ordens, Ruben mantinha seus pés no jardim, mas seu pensamento estava silenciosamente voltado para o Deus de Abraão, intercedendo em favor de sua amiga Ester.

— Que Deus a proteja! Só ela pode salvar o nosso povo.

Foi então que Harbona solicitou que os pratos fossem retirados.

— Foi mesmo um banquete digno do rei dos reis, o escolhido dos deuses! — elogiou Hamã.

— Estava realmente sublime. Agradeço à minha rainha — a alegria de Assuero estava estampada em seu rosto.

— Fico feliz que gostaram — respondeu, sorridente e agradecida.

— Pois bem Ester, agora já pode me dizer. Qual é a sua petição?

— Meu amado rei Assuero — Ester respirou fundo.

— Por favor, fale! Qual é seu desejo? Ele se fará! Ainda que seja metade do meu reino! — o rei insistiu.

A pequena e seleta plateia de eunucos, escravos e servos se agitou.

— Estou com as mãos trêmulas de tanto nervosismo — disse Simion.

— Protege Hadassa, meu Deus — Mantendo-se em oração, Ruben preferia se referir à rainha como Hadassa.

— É agora! Ela vai contar! — previu Quinlá!

Hegai se irritou com tamanho frisson.

— Silêncio, vamos tentar ouvir!

—Vamos, senhora! Não deixe o grande Assuero esperando! — disse Hamã, novamente bajulador.

— Se alcancei o direito de um favor seu, meu amado Assuero, se lhe parece bem conceder minha petição, venham o meu senhor e Hamã ao banquete que vou oferecer amanhã, aqui, nesse mesmo jardim.

— Outro banquete, amanhã? — repetindo as palavras, o rei tentava se certificar da curiosa proposta de Ester.

— Sim. E então farei o meu pedido — prometeu, graciosa.

Tomado pelo entusiasmo e pelo vinho, Hamã falou antes do próprio rei:

— Mas é tanta honra que nem cabe dentro de mim! — ria o primeiro-ministro, orgulhoso.

— Não seja modesto, nobre Hamã. Terá exatamente o que merece. — Ester respondeu, com um sorriso enigmático no rosto.

Aquele foi o único momento durante todo o banquete — talvez uma das primeiras em toda sua vida — em que Ester recorreu à ironia. Hamã, que flutuava preso ao próprio ego inflado.

— Está atiçando a minha curiosidade ainda mais, Ester — bem-humorado, o rei tentava disfarçar sua ansiedade diante do pedido misterioso da rainha.

— Até eu já estou ficando aflito — completou Hamã.

—Amanhã, amanhã vocês saberão — com um sorriso no rosto, Ester manteve-se firme em sua decisão de revelar seu pedido somente no dia seguinte.

— Pois muito bem. Como parece não ter outro jeito, nos vemos amanhã — disse o rei, em tom de despedida.

— Então, nos vemos amanhã, meus caros — e Ester pôs-se de pé para despedir-se de seus convidados.

— Bem Hamã, espero que tenha apreciado nosso banquete. Mas agora gostaria de ficar a sós com a rainha — o rei fez um gesto com uma das mãos para que os outros servos também se retirassem, entre eles, os amigos de Ester, e também Harbona. Assim, todos saíram e o rei e a rainha ficaram em privacidade.

—Você como sempre surpreendente... Se pretendia chamar minha atenção, conseguiu — rendido pelo amor e pela admiração que sentia pela rainha, não restava ao rei outra saída senão expressar seus sentimentos.

— Que falta o senhor me fez. Achei que tivesse esquecido sua rainha — sozinha com o rei, restava-lhe tempo para falar de seu amor e da dor da ausência.

— Como poderia? Nem se quisesse. Perdoe-me se me ausentei por tanto tempo. Nunca deixei de amá-la. Nunca.

— Não faça mais isso comigo, Assuero, eu lhe peço. Não ter você no meu dia, um pouco que seja, é doloroso demais — embora Ester falasse de tristeza, em seus lábios havia um sorriso inevitável, motivado pela presença do rei.

— Pois bem, lhe dou minha palavra. Agora que estamos a sós, me conte qual o seu pedido!

— Amanhã... — disse sorrindo.

— Que prazer em me torturar! — mais uma vez o rei escondia a ansiedade com o bom humor.

— Assuero! Tive de esperar um mês para vê-lo de novo. Você não pode esperar um dia apenas? — com sua simpatia, Ester sempre achava uma boa saída para situações complicadas.

— Eu espero, faço tudo por você... — fascinado com sua esposa, o rei aproximou-se e beijou Ester apaixonadamente. Quando finalmente se afastaram, a rainha o abraçou e então disse:

— Agora me dê licença, meu senhor. Tenho muito trabalho a fazer. Preparativos de um banquete!

Ester sorriu faceira para o rei e retirou-se, enquanto ele ficou por ali, de pé, observando Ester ser afastar, sentindo o coração bater mais forte no peito.

***

Na casa de Hamã, Dalfom estava preparado para mais um treino de espada. Atravessava a sala com a espada empunhada e treinando leves golpes. Parou quando viu Aridai na varanda, carrancudo e pensativo.

— Preparado para o treino de hoje, Aridai?

— Procure outro parceiro para treinar, Dalfom — Aridai pensou que sendo direto com as palavras, talvez Dalfom o deixasse em paz.

— Por quê? Está com medo que eu o machuque de verdade? — e deu uma risada maliciosa.

— Não me provoque! — definitivamente, Aridai não queria conversa, e se colocou a atravessar a sala em direção à porta. Dalfom o impediu, segurando-o pelo braço.

—Você é um dos melhores guerreiros de toda a Pérsia! No dia 13 de adar você terá de trabalhar, Aridai — disse, bem próximo ao rosto do irmão.

— Nem o rei Assuero me obrigaria a matar os judeus.

— Já obrigou, meu caro! É lei! Vai ter de sujar sua espada com o sangue desse povo.

Dalfom comemorava diante do irmão a aproximação de Aridai com o povo de Israel. Aridai puxou seu braço com força, desvencilhando-se da mão de Dalfom.

— Já disse para não me provocar! — Aridai desembainhou uma adaga, levou seu fio até próximo do pescoço de Dalfom e o imobilizou.

— Maldito! — rosnou, esticando o pescoço. — Dos judeus não se pode falar nada, mas o sangue do seu sangue você derramaria sem pestanejar.

— Chega! Não quero ser o assassino do meu próprio irmão — assim Aridai abandonou a varanda onde estavam para que não chegasse ao ponto de sucumbir ao ódio que sentia pelo discurso do irmão.

Nesse ponto, ironicamente, Aridai se encontrava na mesma situação que Joel, o judeu, ambos nutrindo uma mágoa incontrolável por um membro de sua família. Joel sentia muita raiva de tudo o que a filha havia feito com as tradições de seu povo. Naquela tarde, ele e Rebecca tentavam reerguer a barraca que havia sido destruída pelos amalequitas. Mas o assunto não eram os negócios.

— Você tem de parar com essa birra contra Ana e Aridai! — Rebecca aconselhava o marido.

— Não consigo nem perdoar minha filha, quer que eu fique amigo de um amalequita?

— Passa logo por cima de tudo isso, Joel! — Rebecca estava ansiosa para que o esposo e a filha se reconciliassem.

— Mas nem morto! Olhe o que sobrou da nossa barraca! A culpa é dele também! — enquanto conversavam, eles dobravam os tecidos que haviam conseguido recuperar.

— Aridai não pode responder pelas ações do irmão. Ele até que é um bom moço. Nem parece amalequita.

— Mas é, Rebecca! Você sabe muito bem de quem ele é parente! Filho do homem que quer dizimar os judeus!

As palavras de Joel eram amargas, vindas de um íntimo construídos por séculos de perseguição. Sua tristeza e rancor estavam impregnados na alma.

— Ele não é como o Hamã! Já provou isso! — Rebecca insistiu.

— Chega! Não quero ouvir! Eu não quero saber!

— E quando nascer o seu neto? Vai continuar com todo esse rancor? — a vontade de ver a família novamente em paz fazia Rebecca insistir sem cessar.

— Não quero nem conhecer essa criança! Não quero nem ver esse pequeno amalequita, tenho medo de me apegar!

Então Joel se afastou, fingindo buscar algo em algum lugar. Embora a mágoa o impedisse de perdoar, Joel sabia que não resistiria à presença de seu próprio neto. Rebecca quis falar alguma coisa, tentar convencer Joel, mas não havia mais nada a ser dito.

***

A noite caiu calma sobre Susã, trazendo um céu estrelado e limpo.

Ester sentia o doce vento da noite entrar em seu quarto enquanto Quinlá cuidava de seus cabelos. A rainha se olhava no espelho e, ao flagrar-se num sorriso involuntário, sorriu ainda mais abertamente, feliz com a própria alegria.

— Ah, Quinlá... Assuero me beijou! Ele ainda me ama! — a rainha tocava levemente seu rosto, rememorando os carinhos do rei.

— Sempre tive certeza que sim! — satisfeita pela felicidade da rainha, Quinlá sorria, radiante.

— Se não fosse a preocupação com o meu povo, eu seria a mulher mais feliz do mundo! — disse, em meio a suspiros.

— Só não entendo por que a senhora resolveu esperar ainda mais para fazer seu pedido...

— Não sei, Quinlá — admitiu. — Fiquei com receio. Algo me disse que deveria esperar mais um pouco. Por isso convidei o rei e Hamã para um novo banquete.

Desde criança, Ester aprendera a discernir a voz de Deus em meio a seus próprios pensamentos.

— Sem querer desanimar minha rainha, mas temo que não haja mais nada que o rei possa fazer.

Quinlá interrompeu a escovação, contornou a cama até ficar de frente para Ester.

— A lei já foi decretada e um decreto do rei não pode ser anulado. Como pretende salvar o seu povo?

— Não sei, Quinlá — tornou a responder, com sinceridade. — Não sei. Minha única certeza é minha fé. Sei que o meu Deus não vai me desamparar! — o sorriso de Ester era tranquilo e contagiou Quinlá que ficou mais calma ao ver a confiança da rainha.

***

Se Ester tinha dúvidas e respostas que teimava em não emergir, seu convidado, Hamã, cada vez mais seguro de si, fazia planos. Perto de se recolher, estava deitado em sua cama, recebendo de sua esposa Zeres uma massagem nos pés. O primeiro-ministro contava em detalhes seus projetos de poder e, inevitavelmente, voltava ao assunto do massacre dos judeus.

— Vou aproveitar o meu prestígio com o rei para pedir que enforque Mordecai o mais breve possível — relaxado, Hamã não se dava ao trabalho de abrir os olhos. Porém percebeu o silêncio de Zeres. — Zeres! Estou falando com você.

— Perdão, meu marido. O que dizia? — a amalequita voltou-se para Hamã como se acordasse de um profundo sono.

— Você não escutou uma palavra, não é? Onde estão os seus pensamentos?

— Meus pensamentos estão no banquete da rainha.

— De novo essa história? — Hamã encolheu a perna, tirou os pés do colo de sua esposa com violência e sentou-se para falar com ela.

— Pense bem, Hamã. É muito estranho a rainha convidar você e o rei para um banquete após o outro — notou ela

— Esqueça isso, lhe peço!

— Acontece que estou preocupada.

— Deveria estar feliz! Isso prova que a rainha gosta de mim! Senão jamais me chamaria duas vezes para estar com ela! — o orgulho de Hamã o cegava.

Mesmo quando o objetivo dos dois era o mesmo, ele estava se deixando levar pela soberba e pelo ego a ponto de não escutar a pessoa em que mais confiava na vida.

— Minha intuição diz outra coisa. Você não deve ir a esse banquete — no rosto de Zeres, estava estampada sua perturbação.

— Não posso faltar a um convite da rainha, mulher! O rei tem me exaltado! Sou o preferido do imperador! — Hamã já não falava com a calma de antes. Na verdade, gritava com a esposa, ferido em sua vaidade.

— Mas algo de muito ruim vai acontecer! Os deuses estão me avisando...

Com lágrimas nos olhos, Zeres insistia em alertar Hamã, mas em seu íntimo sabia que não havia nenhum argumento que falasse mais alto do que o orgulho do marido.

A suave brisa de algumas horas atrás se transformara em ventos úmidos, dos que trazem tempestade. Um vento repentino entrou pelas janelas da casa e sopraram no rosto do casal. Zeres ficou de pé intrigada com a brisa forte que lambeu as paredes até encontrar a lamparina que iluminava o aposento.

— O fogo sagrado se apagou! Os deuses deixaram a nossa casa!

O coração do casal palpitou, num misto de temor e surpresa.

***

O vento tempestuoso e quente que levava assombro na casa de Hamã levava reflexão a Ester. Quinlá já havia se recolhido. Sozinha, Ester ajoelhou-se ao lado de sua cama, envergonhada por não haver conseguido falar com o rei conforme planejara e elevou seu pensamento às coisas espirituais. Entretanto, havia muita coisa rondando e apertando seu coração.

Cada sílaba que organizava em seu pensamento, ela sabia, era um tempo precioso desperdiçado na missão de evitar o extermínio de seu povo.

Ao mesmo tempo, reencontrar o rei Assuero e ter de novo o seu afago a fez temer não só a morte, mas a interrupção de uma grande história de amor. Profundamente inquieta, finalmente Ester conseguiu canalizar o nó em sua garganta numa oração.

— Meu Deus, perdoa-me por ter fraquejado no banquete de hoje. Por não ter confiado o suficiente, por ter sentido medo. Clamo ao Senhor que me fortaleças e renoves minha fé para que eu consiga falar o que é necessário a Assuero. Abro meu coração diante do Senhor e me entrego totalmente em tuas mãos... Por favor, meu Deus, enche-me da Tua paz, da paz que excede a todo entendimento. E toca o coração do meu rei. Que seja encontrada uma maneira de livrar os judeus da morte! Dá-me forças, Senhor, dá-me forças...

A rainha orava emocionada certa de que Deus a ouvia. Por mais que contasse com o amor do rei, Ester sabia que só mesmo um milagre poderia mudar o que parecia completamente sacramentado pelas leis humanas.

***

Ester estava em um vestido azul, como o que usara no banquete, adornado por pedras preciosas. Ela entrava repentinamente na sala do trono, sem ser anunciada. Contava sobre a trama assassina de Bigtá e Teres e era recebida com um beijo apaixonado. A rainha, que agora parecia mais um espectro, falava ainda mais revelações, mas, apesar de seus lábios se moverem, o rei Assuero não podia ouvir. De repente, Memucã agoniza e cai, envenenado. Ao virar-se para chamar por socorro, o imperador encontra a concubina Tafnes, gritando ofensas contra Ester. A rainha não estava mais na sala do trono, mas em um banquete no jardim em que cada louça, cada móvel ou tecido de riquíssima textura derretia sob o calor do sol enquanto Ester, sorridente, prometia revelar-lhe sua petição no dia seguinte.

Em meio a esse pesadelo profundamente atormentador, o rei Assuero despertou.

Intranquilo, chamou Harbona para trazer um escriba até seu quarto, para ler. Quem sabe assim ele não pegaria no sono? Sempre pronto, Harbona não levou mais do que três ou quatro minutos para voltar com o escriba, conforme o rei havia pedido.

— Ótimo! Aproxime-se, escriba! Vamos ver se com a sua leitura eu consigo dormir.

— Às suas ordens, rei dos reis — então o escriba permaneceu de pé de frente para o rei, pronto para começar a ler o pergaminhos.

Harbona posicionou-se na lateral da cama, disposto a ficar ali de pé durante toda a noite. O rei percebeu um bocejo que Harbona não conseguiu conter e agiu com generosidade.

— Pode ir, Harbona. Quem está com insônia sou eu! Vá descansar.

— Obrigado, senhor. Boa noite e que o senhor logo consiga dormir — agradecido, o eunuco retirou-se em direção a seu quarto.

— Alguma preferência para hoje, senhor? — perguntou o escriba, dedicado.

— Não exatamente. Quero algo que me acalme, que me faça dormir tranquilo.

— Tenho aqui uma lista das riquezas de seu reino, reunidas nos últimos anos. Mil e oitocentas tapeçarias da Índia, tonéis de ouro e prata, baús de pedras preciosas...

— Não, não, riquezas não me interessam — interrompeu, impaciente. — Procure atos valorosos, atitudes heroicas... Isso sim, acalmaria meu coração.

— Bem — ponderou o escriba — o último ato heroico registrado em suas crônicas trata da ameaça a sua vida promovida pelos eunucos Bigtá e Teres, de como o rei fora salvo do envenenamento pela rainha Ester...

— Sim, está bem, leia isso. Afinal, foi por causa de Ester que perdi o sono.

Assim, o rei se recostou em algumas almofadas dispostas em sua cama e fechou os olhos, relaxando para ouvir suas crônicas. E o escriba, de voz grave e suave, começou:

— "Um judeu de nome Mordecai, oficial e escriba do palácio, denunciou à rainha Ester o complô dos eunucos Bigtá e Teres, que conseguiu chegar à sala do trono a tempo de salvar a vida..."

— Espere! — Assuero abriu os olhos, incomodado, e, num sobressalto, sentou-se para falar ao escriba. — O que foi feito para honrar Mordecai? Esse homem foi devidamente recompensado?

— Não sei. Creio que não, senhor. Não há registro de nenhuma recompensa no livro de crônicas.

O rei ficou ali, sentado em sua cama, refletindo sobre o que acabara de ouvir. Depois, acomodou-se novamente. A crônica continuou até que enfim, pegou no sono.

***

Logo que o dia raiou, o rei se vestiu, tomou seu desjejum e, como fazia todos dias, chamou Harbona a sua presença. Pediu ao eunuco para que chamasse Hamã até seus aposentos e assim ele o fez.

— Mandou chamar, poderoso rei? — como todos aqueles que têm muito o que esconder, Hamã sempre ficava temeroso com os chamados inesperados do rei.

— Mandei sim, Hamã — o rei estava sentado, escrevendo, como sempre fazia em algum momento do dia quando as coisas estavam mais calmas no palácio.

— Algum problema, senhor?

— Sim. Há um problema que precisa ser solucionado com urgência e preciso de um conselho — disse, deixando a escrita e virando-se para Hamã. — Diga-me, sábio Hamã. O que o rei deve fazer a um homem a quem deseja honrar?

O semblante temeroso do primeiro-ministro mudou completamente. Envaidecido, ele passou as mãos pelos grossos cabelos, desceu até a barba enquanto pensava na resposta e armou um grande sorriso.

— Ora, senhor, meu rei! Seria muito simples agradar a este homem!

— Então diga-me o que fazer — pediu ansioso.

— Bem, o senhor poderia mandar trazer a veste real com que o rei costuma se vestir, a coroa, e o cavalo em que costuma montar...

— Sim, continue — reagiu o rei, interessado.

—Vistam o homem a quem o rei deseja honrar com o traje real, monte-o no cavalo do imperador e coloque a coroa em sua cabeça. Peça para que um dos príncipes do rei, o mais nobre de todos, leve esse homem a cavalo pelas ruas de Susã, e apregoe em alta voz: "Assim se faz ao homem a quem o rei deseja honrar!"

— Isso bastaria, Hamã?

Assuero tornara-se rei desprezando as tecnicidades e burocracias cerimoniais. No fundo, não entendia completamente o significado que aquilo tinha para Hamã, muito menos o entusiasmo evidente do primeiro-ministro pelo assunto. Evidentemente, ignorava que o amalequita desejava, ele próprio o reconhecimento e as honras públicas.

— Sem dúvida, senhor! — respondeu, firme.

— Pois então prepare as roupas e o cavalo e vá buscar o judeu Mordecai em casa.

A expressão de Hamã desabou como num acidente fatal. Seu sorriso congelou em sua face e sua pele tornou-se cor de enjoo.

— Como?! — perguntou, logo que as palavras voltaram à sua boca. — O... judeu... Mordecai?

— Sim. Ele descobriu o complô dos eunucos que tramaram contra mim! O homem salvou minha vida e desejo honrá-lo — satisfeito com o cerimonial proposto por Hamã, o rei sorria.

— Senhor, Mordecai é um judeu. Como pode querer honrar um representante deste povo inferior, descendente de escravos? — Hamã sentia-se como num pesadelo desconexo.

— Não importa. Mordecai salvou minha vida e não foi devidamente honrado. Vá, Hamã, quero que você mesmo faça isso, antes do banquete da rainha.Vista-o com minhas roupas e leve-o a passear em meu cavalo. Harbona vai ajudá-lo a escolher a roupa.

— Por aqui, príncipe Hamã — Harbona entrou, gentilmente. Hamã engoliu seco e saiu atrás do eunuco. Depois das vestes reais devidamente escolhidas, com a coroa em mãos e o cavalo do rei pronto, Hamã partiu para cumprir o que o rei havia ordenado, por mais que o ódio lhe consumisse por dentro.

***

Em sua casa, Mordecai se dedicava a escrever em suas tabuletas de barro, sempre concentrado. Ana veio servir-lhe água, observando o trabalho do homem que a havia acolhido como a alguém da sua própria família.

— Obrigado, filha. Você é sempre muito gentil — sorriu.

— O senhor trabalha tanto que até se esquece de comer e beber!

Foi quando ouviram alguém bater à porta.

— Quem será? — perguntou Mordecai

Ana se ofereceu para atender. Levantou-se apoiando a barriga cada vez mais proeminente. Ao abrir a porta, não poderia ter surpresa maior, nem pior:

— Se-senhor Hamã?

Sem dizer uma única palavra, Hamã entrou calmamente na casa de Mordecai, acompanhado de um olhar frio e formal.

— Hamã? O que está fazendo em minha casa? — Mordecai saltou da cadeira, apavorado com a simples menção do nome do amalequita.

— Ainda não foi dessa vez que vim levá-lo para a forca, Mordecai. Hoje o piedoso Assuero me mandou aqui para lhe prestar honras — ter de engolir o próprio orgulho doía a Hamã mais do que a tortura que impingia aos filhos de Israel.

— O rei? O poderoso Assuero quer me honrar? — um sorriso brotou naturalmente nos lábios de Mordecai.

Os guardas que acompanhavam Hamã vestiram no judeu as roupas do rei e o acompanharam até o cavalo do rei, que foi levado por Hamã. Mordecai vestiu o manto real, colocou a coroa e subiu no cavalo.

Hamã saiu na frente, levando as rédeas do cavalo em suas mãos e anunciando, exatamente como havia proposto a Assuero: "Assim se faz ao homem a quem o rei deseja honrar! Assim se faz ao homem de cuja honra o rei se agrada!"

Mordecai acenava para os conhecidos de cima do cavalo real enquanto Hamã o anunciava. As pessoas ficaram muito curiosas com aquela cena, porém também muito contentes ao ver o amalequita ter de levar as rédeas de um cavalo montado por um judeu. Ainda que anunciasse em tom visivelmente mecânico, o texto reconhecia de fato a nobreza de espírito de Mordecai.

Joel e Rebecca que também passavam por ali viram a cena e reagiram em choque, porém satisfeitos.

— Olhe a cara de Hamã! — Rebecca comentou tão alegre quanto apavorada.

— Quem diria? Hamã, um amalequita, prestando honras a um judeu — compartilhando dos sentimentos de Rebecca, Joel sorria discretamente.

— Ele deve estar se sentindo muito humilhado! — comentou Rebecca em tom de justiça.

— Ele teve o que mereceu.

A cena fez tão bem a Joel quanto a todos os filhos de Israel, cujo coração aliviou-se um pouco das tristezas que vinham sentindo naqueles tempos.

Simion, que havia ido à rua do comércio para completar a despensa da cozinha do palácio, quase não acreditava no que seus olhos viam. Voltando à fortaleza, dividiu seu estupor com Ruben que, por sua vez, correu para dividir a incrível novidade com a rainha Ester. Ela o recebeu de coroa na cabeça, absolutamente pronta para o segundo banquete.

— Você só pode estar brincando, Ruben! — o rosto de Ester se iluminava de tanta alegria.

— Nunca falei tão sério em toda a minha vida!

— O príncipe Hamã prestando honrarias a Mordecai?! Tem certeza?

— Também fiquei chocado quando Simion me contou, mas é a verdade, Ester!

— Ah, como gostaria de ter visto isso... Hamã sempre humilhou tanto o meu primo!

Ruben lhe contou detalhes do manto e da coroa, do cavalo e do texto de honra que o primeiro-ministro repetia enquanto Mordecai saudava os populares. O eunuco fazia questão de empostar a voz e gesticular caricaturalmente, dando mostras de que a história ainda seria muitas e muitas vezes repetidas pelas ruas.

— Um amalequita prestando homenagens a um judeu! Nunca pude imaginar! — os olhos de Ester brilhavam de tanta alegria. — Castigo melhor do que esse não poderia haver! Hamã, na certa, quis morrer!

— E, ao mesmo tempo, Mordecai merecia mesmo essa homenagem — Ruben notou.

Hegai e Quinlá chegaram aos aposentos da rainha, caminhando a passos ligeiros.

— Com licença, minha rainha — curvou-se Hegai. — Viemos avisar que está tudo pronto para o banquete.

— Ótimo! Logo, os convidados vão chegar. Hamã, o príncipe amalequita, e o meu querido Assuero. Quero tudo perfeito!

O momento havia chegado. Aquele seria o dia em que Ester tentaria salvar o seu povo. Sensível, Hegai tratou de transmitir-lhe confiança:

— Tudo está perfeito, minha senhora. Cuidei de todos os detalhes, pessoalmente.

— Obrigada, meu bom e fiel Hegai.

— O rei deve estar ansioso para ouvir o seu pedido — sempre otimista, Quinlá acreditava que tudo haveria de dar certo, embora também não soubesse exatamente como.

— Não só ele. Todos nós estamos — Ruben completou. Afinal tratava-se também de sua vida.

— Pois vocês ouvirão! — dessa vez sem lágrimas e sem mãos trêmulas, Ester tinha confiança no coração e tranquilidade em suas palavras. Seu olhar era decidido e sua cabeça estava mais erguida do que nunca. Acompanhada de seus servos, que também eram seus amigos, caminhou em direção ao jardim com o porte e a determinação de uma verdadeira rainha.

***

Por causa da homenagem a Mordecai, Hamã chegou em casa poucos minutos antes do horário do banquete, descomposto, com os pés cansados de tanto conduzir o cavalo do rei, molhado de suor, transtornado de ódio. Suas palavras haviam se virado contra si, e nada poderia fazê-lo esquecer do momento vexatório que havia acabado de viver. Zeres e Dalfom, embora não pudessem fazer muito, estavam ali para ampará-lo.

— Nunca fui tão humilhado em toda a minha vida! O que aconteceu hoje foi uma afronta! Um absurdo! Esse dia tem de ser apagado da história! — Hamã vociferava, enquanto se lavava para o encontro com o casal real.

— Um judeu exaltado às suas custas, Hamã... Como isso foi acontecer? — perguntou a esposa em tom de revolta solidária.

— De quem foi essa maldita ideia de honrar aquele homem? — Dalfom soava como o próprio pai.

— Foi minha, Dalfom...

— Como? — sem as devidas explicações Zeres estava absolutamente confusa.

— Por que esse escriba maldito recebeu tamanha honraria? — enquanto falava, as veias na testa de Dalfom salientavam-se, mostrando seu nervosismo.

— O rei me perguntou o que deveria fazer para honrar uma pessoa. Eu imaginei que o imperador estivesse se referindo a mim — Hamã falava baixo, sentindo-se humilhado até mesmo em admitir seu equívoco. — Imaginei que fosse eu aquele a ser honrado, não um imbecil judeu! Mas eu lhe juro, ele vai pagar com a vida, Zeres. Vou matar aquele Mordecai, vou pendurá-lo na forca que mandei construir.

O ódio de Hamã era tanto que o fazia falar entre os dentes.

— Faça isso, meu pai! Ele não pode prevalecer sobre um amalequita. O que aconteceu hoje foi uma infâmia! — a revolta de Dalfom era uma sombra da de seu pai, assim como sua própria identidade.

— Esse dia vai ser esquecido, Dalfom! Eu juro pelos deuses! — declarou colocando a mão sobre o ombro do filho, como que para consolá-lo.

— Espero mesmo. Não é nada bom imaginar aqueles judeus rindo de meu pai. E Aridai ainda defende esse povo...

— Aliás, onde está ele? — Hamã perguntou intrigado.

— Na certa foi se encontrar com aquela judia — respondeu ao pai, revoltado.

Zeres, andava de um lado para o outro com o olhar vidrado, distraída.

— Sua má sorte começou, meu marido! Os deuses nos abandonaram no instante em que o fogo sagrado se apagou em nossa casa — ainda distante, Zeres falava como se fizesse uma previsão do futuro.

— Isso nunca tinha acontecido antes. É um péssimo sinal! — preocupou-se Dalfom.

— Os deuses voltaram, Zeres. O fogo voltou a queimar — e apontou para o fogo aceso perto de si. Embora não admitisse, Hamã tinha medo que Zeres estivesse certa desde o primeiro conselho.

A mulher caminhou com nervosismo até ficar bem de frente ao primeiro-ministro. Apontou o dedo indicador para ele e, olhando bem profundamente em seus olhos, gritou:

— Hamã! Você não pode ir ao banquete da rainha.

— Como não? Agora quem perdeu o juízo foi você! — Hamã gritou de volta.

— Hamã, não faça isso. Algo terrível vai acontecer — os olhos dela estavam firmes na pequena chama que ardia no fogo sagrado.

— Ora, não diga bobagem!

Definitivamente, Hamã escolhera não acreditar em Zeres. Claramente, era mais fácil crer em seus deuses pagãos quando eles o favoreciam. Numa tentativa radical, a mulher endureceu suas palavras:

— Sua queda já começou hoje diante do judeu Mordecai. Você não terá condições de enfrentá-lo. Sua ruína está próxima!

— Calma, mãe! — interferiu Dalfom, preocupado pelas previsões que Zeres estava fazendo. — O papai ainda é o preferido do rei! O único convidado da rainha, além do próprio imperador! Quer glória maior do que essa?

Finalmente, o argumento final de Zeres veio em forma de humilhação. Ela caiu de joelhos diante do marido e, com a voz trêmula, disse:

— Por favor, me deem ouvidos. Não vá, Hamã! Eu imploro!

— Pare com isso, mulher! Nada pode acontecer ao primeiro-ministro da Pérsia! Depois do rei, sou o homem mais poderoso do império! — Hamã cerrou o punho para mostrar sua força. — Agora tenho de ir...

Hamã beijou as mãos de Zeres para tranquilizá-la e partiu para o palácio. Ela ficou ali, observando sua partida como se estivesse se despedindo, e finalmente desabou a chorar pelo marido.

***

Como Dalfom havia imaginado, Aridai havia mesmo ido ver Ana. Agora que ela não estava mais presa no palácio, ele podia pelo menos falar com ela frequentemente sem que arriscasse sua própria vida e a de Ana com isso.

Eles se encontraram numa viela discreta próxima à rua do comércio de Susã. Aquele ponto, longe do olhar dos transeuntes, já estava se transformando no "lugar de sempre" para o casal.

— Aridai... — o abraço e o beijo vieram seguidos por um suspiro sofrido de Ana, feliz por rever o amado.

Aridai abaixou-se para beijar a barriga de Ana e assustou-se de repente.

— Eu senti, Ana! Ele mexeu!

— Ele, ou ela! Pode ser uma menininha — disse passando as mãos nos cabelos do amado.

— Menino ou menina, tanto faz. Só quero que venha com saúde e que se pareça com você! — retribuindo o carinho, Aridai acariciava o rosto de Ana.

— Comigo?

— Isso mesmo! Os seus olhos, a sua boca, os seus cabelos... Vai ser uma criança linda igual à mãe! Ah, minha Ana! Como eu a amo! Nós vamos ser muito felizes com nosso bebê.

— Será mesmo, Aridai, que nós teremos um futuro para o nosso filho? — o semblante de Ana modificou-se completamente. Séria, deu um passo decidido para trás.

— Claro que sim! Eu vou levá-la para bem longe daqui, meu amor. Já estou pensando em tudo. Dê-me mais alguns dias apenas e fugiremos de Susã.

— Mas como vou sair por aí com um bebê na barriga? No meu estado?

Mais uma vez a alegria do casal sonhador era dilacerada pela realidade.

— Eu vou cuidar de vocês dois! — ele prometeu.

Depois de passarem por tantas dificuldades, Aridai acreditava que aquela não era a pior fase para o casal. De fato ele cria que conseguiria ficar com Ana, apesar de tudo.

— É muito arriscado, Aridai. Tenho ficado mais cansada agora. Não vou conseguir correr, nem andar por muito tempo nem dormir em qualquer lugar...

— Mas se ficarmos, o perigo será bem maior. Nosso filho não terá nenhuma chance! Os judeus serão perseguidos e mortos segundo o decreto do rei!

Embora seu ponto de vista fosse duro de encarar, Aridai tinha razão em suas palavras.

— Que tragédia, meu Deus! Por que tem de ser assim? Não vejo saída para nós! Nem sei se nosso filho vai nascer — Ana chorava copiosamente.

— Vai, claro que vai! Você sempre foi uma mulher de tanta fé, Ana. Não esmoreça agora, não agora! — procurando consolar sua amada, Aridai a abraçou apertado.

***

Ester chegou ao jardim e, como no dia anterior, Assuero já lhe esperava para o banquete, ansioso por sua presença e curioso sobre seu pedido. Aquele era um dia de luta para Ester, um dia desafiador em que dependia de sua fé definida no Deus de Israel para que o impossível acontecesse. Mesmo com a preocupação por seu povo, Ester encontrava momentos raros para aproveitar a companhia de seu amado rei.

— Grande rei — Ester o saudou. O rei Assuero tomou a mão da rainha e beijou-a carinhosamente.

— Deslumbrante Ester... Você ilumina minha vida — o olhar do rei era sereno e apaixonado.

— O senhor, como sempre, muito gentil. Obrigada por ter vindo — disse cordialmente.

— Nem o anúncio de uma guerra me faria perder este banquete. Estou curioso para saber o pedido da minha rainha.

Era incrível como a alegria de ter novamente a companhia de Ester fazia o rei ficar bem-humorado e esquecer-se completamente dos problemas.

— O senhor saberá! Mas primeiro vamos degustar o banquete que preparei para o senhor, assim que o outro convidado chegar.

Assim que mencionou o primeiro-ministro, Hamã apareceu. Tenso, porém, perfeitamente vestido e recomposto, disfarçava muito bem seu nervosismo.

— Salve, grande rainha da Pérsia! Peço que me perdoe pelo atraso — pediu, curvando-se diante de Ester.

— Príncipe Hamã, não há o que perdoar. Está aqui, é o que importa. — Ester era sempre muito cordial com Hamã, porém um tanto formal.

— É um prazer voltar à sua presença, minha senhora. Como vai, imperador? — curvou-se novamente cumprimentando também o rei.

— Ansioso para conhecer o desejo da minha rainha — e olhou sorridente para Ester, que estava ao seu lado.

— Eu também, meu rei! — Hamã concordou.

— Por favor, acomodem-se — pediu a rainha, gentilmente, apontando as almofadas de seda coloridas preparadas por Hegai. Os três então sentaram-se. Estavam novamente debaixo da mesma grande árvore do dia anterior.

— Por favor, Simion, sirva os meus convidados.

— Sim, senhora — Simion, muito próximo, distribuiu o vinho conforme Ester pediu.

Não muito longe dali, Hegai, Ruben, Harbona e Quinlá, servos do casal real, estavam a postos novamente, como era o costume. A ansiedade de Hegai, entretanto, só fizera multiplicar desde o dia anterior:

— Não sei se terei unhas o suficiente para aguentar até o anúncio da petição da rainha.

— Roendo as unhas, Hegai? Justo você que sempre abominou esse hábito nas moças do harém — repreendeu Quinlá, bem-humorada.

—Vai me dizer que não quer roer as suas também? Que posso fazer? Olhe como estou tenso, Quinlá!

Harbona riu discretamente. Em seguida, deu um passo para o lado, em direção a Hegai para assegurar o que apenas ele, confidente do imperador, podia dizer:

— Relaxe. O rei está de ótimo humor. Encantado com a rainha.

—Vamos ver se o humor do imperador continuará o mesmo depois que a rainha revelar seu desejo — Ruben torcia pela amiga de infância mais que tudo, torcia pelo seu povo e esperava que Assuero tivesse uma boa reação.

Como no dia anterior, a conversa entre os três durante a refeição fluiu com naturalidade e leveza. Ester soube se precaver para que os assuntos jamais tendessem para política e administração, mas sempre se posicionando com sabedoria, inteligência e graça. Os convidados de Ester comeram, beberam e riram. Ao final do banquete, já estavam perfeitamente relaxados.

— E, então, minha querida Ester? — provocou Assuero, ajeitando-se entre as almofadas, saciado e feliz. — Não vai me dizer? Já não posso mais esperar... Já saboreei dois deliciosos banquetes seus. Diga agora o que quer de mim.

No coração do rei, misturava-se a curiosidade com o desejo de cumprir o pedido de sua amada.

— Confesso que também estou curioso — completou Hamã, como sempre, reforçando o que Assuero dizia.

— Estão satisfeitos? — perguntou Ester, educadamente.

— Até demais! — o rei afirmou, alegre. Hamã também assentiu com a cabeça.

Ester então respirou fundo, olhou nos olhos do rei, olhou também para Hamã e sentiu um calafrio percorrer todo o seu corpo. E enfim falou:

— Senhor — Ester levantou-se, caminhou até o lado do rei, sentou-se novamente e prosseguiu — se perante ti, achei favor, e se bem parecer ao rei, poupe a minha vida e a vida do meu povo. Este é o meu pedido e o meu desejo. Pagaram pela nossa destruição. Ainda se tivéssemos sido vendidos como escravos, eu ficaria calada, mas não, nosso inimigo quer nos aniquilar de vez!

— Quem se atreveu a uma coisa dessas? Quem é o inimigo de seu povo, Ester? — o rei estava pálido, sério, confuso e desesperado por uma resposta de Ester.

A rainha respirou com vagar. Então voltou seu olhar para o lado e disse:

— Estou falando de Hamã!

— De mim? — o amalequita pôs-se de pé, assombrado e encurralado.

— Ele é o inimigo do meu povo.

Ester também se levantou. Assuero, o homem mais poderoso do mundo, tinha diante de si sua rainha e seu primeiro-ministro num confronto mental de vida e morte. Sentindo a gravidade da situação, mas sem entendê-la totalmente, o rei continuou:

— Seu povo? Mas do que você está falando, Ester? — ele perguntou, e também se levantou, colocando-se entre a rainha e Hamã. À distância, Hegai, Quinlá e os outros servos desesperaram-se ao verem os três de pé, evidentemente tensos.

— Eu sou judia, meu rei — disse Ester, com os olhos firmes e úmidos. — E agora estou condenada à morte por causa de um decreto do imperador.

DEZ

O parto de Ana

Assuero teve dificuldade em manter-se de pé. Sua visão turvou-se, sua respiração passou a vir severa, seus pés como que se soltaram do grosso e luxuoso tapete persa que unia os sofás de madeira maciça sobre os quais os três estavam sentados até pouco tempo. Agora os três estavam de pé diante deles, algumas almofadas derrubadas ao chão.

— A minha rainha Ester é... é judia? — perguntou o rei, assombrado.

— Sim, meu rei. Sou da tribo de Benjamin. E agora estou condenada à morte, eu e todo o meu povo por causa desse decreto!

Ester apontou com o globo ocular para Hamã. Estava apavorada com a situação, mas menos do que o rei, que fora pego de surpresa com revelação tão grave.

— Rainha, eu não sabia... Perdoe-me! — desconcertou-se Hamã. Até ali, o primeiro-ministro ainda acreditava na chance de sair ileso daquela situação.

— Hamã odeia os judeus e o incitou contra nós, meu senhor — prosseguiu Ester. — Pagou dez mil talentos de prata pelo nosso massacre.

A respiração de Assuero tornou-se ainda mais ofegante, seus lábios, mais rijos, seu olhar, mais nervoso:

— O primeiro-ministro me falou sobre um povo rebelde, que precisava ser punido — e olhou para Hamã, como se o interrogasse. — Não sabia que ele se referia aos judeus! Só fui saber depois que o decreto havia sido distribuído em todas as províncias.

— E se soubesse, faria alguma diferença? — quis saber Ester.

Sua pergunta surgiu desafiadora, porém sem tom de desrespeito, embora triste.

— Não — o rei respondeu sem olhá-la nos olhos. — Mas se soubesse que você era judia, nunca teria permitido tal coisa.

A cada nova fala, o desespero percorria mais avassaladoramente aquele pequeno espaço no jardim. Por diversas vezes, Hamã movimentou as mãos como se tomasse coragem para falar, mas não lhe ocorriam argumentos.

— Meu povo nunca foi rebelde, senhor — continuou Ester, com as lágrimas brotando inevitavelmente em seus olhos. — Jamais causamos problema a alguém. O que fazemos é manter nossa fé em Deus, nossos costumes, da forma que se permite aos povos do império persa.

— E essa é a política que pratico! — concordou o rei

— Hamã só quis nos prejudicar por interesses próprios — agora Ester iria até o fim para revelar ao rei quem era realmente seu primeiro-ministro.

— Não é verdade, senhora! Minha vida é servir ao meu rei! — interrompeu Hamã. — Achei que estava fazendo o que era melhor para o império!

Desnorteado, trêmulo e fisicamente exausto, o amalequita tentou lançar as cartas que melhor sabia manipular: a bajulação.

— Cale-se, Hamã! Confiei em você! — as palavras brotaram na boca do rei com decepção e raiva.

Misturavam-se em sua mente a injustiça contra toda uma raça de seu império, a morte iminente da mulher a quem mais amou na vida, a traição do homem forte de seu ministério, mas também a culpa por ter deixado que tudo aquilo acontecesse diante de seus olhos. Assuero levou as duas mãos à cabeça, tocou em sua coroa como se sentisse indigno dela e se afastou para pensar.

Hegai, Quinlá, Ruben e Simion estavam atônitos assistindo a tudo que acontecia no jardim. Se durante o banquete eles se esforçavam para ouvir as conversas ao longe, agora os gritos eram perfeita e assustadoramente claros.

— Então o rei não sabia que tinha decretado a morte dos judeus? — Hegai repetia os fatos para si mesmo, atônito, como se pudesse dar-lhes tempo de fazerem sentido.

— Vamos ver o que vai acontecer com a rainha agora — preocupado com a amiga, Ruben temia que o rei se virasse contra Ester.

— Com a rainha e com o nosso povo — assim como os outros presentes, Simion não se permitia um segundo de distração, preocupado com o destino da rainha e de seu povo.

Assuero, apenas alguns metros distante de Ester e Hamã, tentava se refazer da revelação que acabara de lhe ser feita para então poder tomar uma decisão. Harbona, seu fiel servo, discretamente se aproximou do rei o suficiente para atender seu desejo, mas mantendo-se distante o baste para não pressioná-lo.

— Minha rainha é uma judia! — Assuero disse ao eunuco, com uma dor lancinante nos olhos. — Pelo decreto ela tem de morrer, Harbona!

— Calma, grande rei, há de ter uma saída — Harbona também tentava buscar argumentos razoáveis para ajudar a dissolver aquela confusão, mas somente podia oferecer sua solidariedade.

— Não há saída! Nem eu, o imperador, posso revogar meus decretos! É a lei! Que todos os judeus sejam mortos no dia 13 de adar! Maldito Hamã!

Sem poder voltar atrás em sua própria decisão, Assuero se via encurralado. Constrangedoramente sozinho na tenda junto à rainha, Hamã não viu outra solução a não ser quebrar o silêncio e clamar por sua vida, com lágrimas nos olhos:

— Por favor, minha rainha, eu lhe imploro que me perdoe! — disse, com a voz embargada. — Eu não sabia! Juro pelos deuses que não sabia! Jamais ia desejar o mal da minha senhora!

Ester o olhou com uma firmeza que jamais imaginou ter e disse:

— Se deseja o mal ao meu povo, deseja o mal a mim também.

Diante da rainha irredutível, o amalequita, lançou-se ao chão. Ajoelhado, chorando muito, tomou a mão de Ester entre a sua e lhe suplicou:

— Rogo-lhe que me deixe viver! Suplico por sua misericórdia!

Assustada, Ester não conseguia pensar em outra coisa além de sua própria situação.

— Solte a minha mão, Hamã!

— Interceda junto ao rei, rainha! Defenda o seu servo! — insistiu segurando a mão da rainha ainda mais forte, e falando ainda mais alto.

Assuero ouviu os gritos de Hamã e imediatamente correu de volta para a tenda.

— Como ousa importunar a rainha dentro de minha própria casa?

— M-meu rei, p-por favor! Não entenda mal! — aos prantos, Hamã soltou Ester e se levantou. — Apenas suplicava por minha vida, grande Assuero!

Tudo o que restava a Hamã era humilhar-se e esperar que o rei tivesse piedade. Não foi o que aconteceu, entretanto.

— Guardas! — e os oficiais do palácio se aproximaram rapidamente, segurando Hamã pelos braços. O rei aproximou-se de seu primeiro-ministro e o encarou:

— Tire o anel real. — ordenou a Hamã.

Assim ele o fez. Quando o anel passava de sua mão para as mãos de Assuero, ficou claro para todos os olhos o quanto ele tremia. Vendo aquela cena, Harbona finalmente falou:

— Soube que Hamã mandou construir uma forca para pendurar Mordecai, meu rei. O judeu que lhe salvou a vida.

Assuero voltou-se novamente para o amalequita e sentenciou:

— Pois que Hamã seja enforcado na mesma forca que mandou construir.

O rei declarou a sentença condensando em suas palavras toda a raiva que sentia por se ver naquela situação.

— Meu rei! Não! Por favor, lhe imploro! Senhor! Não!

Hamã foi levado gritando e se debatendo, implorando pela misericórdia do rei que assistia à cena muito sério, sem esboçar nervosismo nem compaixão.

Naquela mesma tarde, os guardas o levaram para a forca que ele mesmo havia construído, arrastando-o pela cidade de Susã. Por onde passava os gritos de Hamã chamavam a atenção. Gente de todos os povos de Susã interrompiam seus afazeres para ver o desfile de horror de um homem prestes a morrer.

— Nãooo! Larguem-me! Não façam isso! Deixem-me! Eu sou um nobre! Um príncipe! Sou um deus!

Os gritos de pavor de Hamã cessaram somente quando ele foi colocado diante da forca. O vento da morte lhe tomaram as palavras e lhe secaram as lágrimas, enquanto observava o carrasco preparando a corda e o cadafalso. Seu próprio orgulho e ganância havia lhe reservado um lugar na forca que ele havia construído com tanto cuidado para pendurar Mordecai. Agora se via ali, impotente, humilhado e prestes a ser morto por ordem do rei que, durante toda a vida, fingiu servir devotadamente. Apoiando-se no fiapo de orgulho que tinha em si, diante da forca, Hamã se calou estranhamente.

A notícia do enforcamento público do primeiro-ministro correu rápida as pequenas ruas de Susã. Dalfom, que estava por lá, como de costume, achacando e zombando dos judeus, viu uma agitação rara e correu para o local da execução.

***

— Pai?! — Dalfom quis desembainhar a espada, mas foi detido por dois guardas. A presença do filho mais velho, repentinamente rompeu o silêncio de Hamã, que gritava enquanto subia os degraus:

— A rainha é judia! Ela jogou o rei contra mim! — justificava-se, usando da versão em que lhe convinha acreditar. — Dalfom! Vingança, Dalfom! Mate todos os judeus!

Mesmo na hora de sua morte, as últimas palavras de Hamã foram de ódio aos filhos de Israel. Os guardas passaram a corda pelo pescoço de Hamã e o enforcaram, conforme o rei havia ordenado.

Dalfom assistia a tudo desolado, lágrimas de luto pelo seu pai misturavam-se ao ódio pelos judeus que agora ganhavam força ainda maior em seu peito.

***

Um clima pesaroso recaiu sobre os jardins do palácio enquanto os escravos retiravam em um silêncio funesto as louças e desmontavam a decoração do banquete. Na cozinha, Harbona, Simion e Ruben, que estiveram presentes durante todo o evento, não conseguiam se livrar do assunto.

— Sempre achei o primeiro-ministro um homem muito perigoso — Harbona confessou aos colegas.

— Ele queria a nossa morte e a encontrou antes de nós! — Simion não escondia o leve sorriso que tinha nos lábios.

Harbona se aproximou como quem sabia da importância do que pretendia perguntar:

— A líder de seu povo que pediu o jejum de três dias era a rainha Ester, não era, Simion?

— Sim. E agora só ela é capaz de amansar o coração do rei para que ele revogue o decreto contra os judeus — uma luz de esperança brilhava nos olhos de Simion.

— Infelizmente, ninguém pode derrubar um decreto real — disse o eunuco, com o olhar baixo, com a certeza de quem conhecia bem as leis e era muitíssimo próximo de Assuero.

— Nem mesmo o rei dos reis? — perguntou Ruben, preocupado.

— Nem mesmo o rei dos reis. É a lei persa. Temo que o imperador terá de encontrar uma nova rainha.

Embora fosse a realidade, em seu íntimo, Harbona também torcia para que isso não precisasse acontecer.

***

Depois de semanas afastados um do outro, finalmente Ester e Assuero estavam novamente a sós, nos aposentos do rei. As circunstâncias, entretanto, não poderiam ser menos românticas e mais tensas. Ester não tinha mais nada a pedir, porque conhecia os limites da lei para que o decreto fosse revogado. Assuero não sabia o que dizer diante do sofrimento de sua amada.

— Eu a amo muito, Ester! Não posso ficar sem você! — o rei acompanhava a rainha em suas lágrimas.

— Estou apavorada! — a rainha então virou-se para o rei e lançou-se aos seus pés, pedindo: — Assuero, por favor, eu lhe imploro, revogue a lei desse amalequita! O meu senhor é o dono do mundo! Pode tudo! — havia um desespero no coração e nas atitudes de Ester que nem mesmo ela conhecia.

— Minha querida, rainha, levante-se! Se pudesse faria tudo para ver o seu sorriso novamente. Mas não posso ir contra a lei, não há o que fazer.

— O que vai ser de mim agora, Assuero? Como vou conseguir ver a destruição de meu povo? — Ester distanciou-se do rei com o olhar perdido e em um pranto desesperado. — Meu Deus! Homens, mulheres, crianças e velhos, todos vão morrer por conta desse decreto!

— Ah, que arrependimento! Jamais poderia supor que minha rainha é judia. Não quero que morra, Ester! Também não quero que seu povo sofra.

— Eu ainda creio num milagre. Eu sei que o meu Deus, o Deus de Israel, vai livrar novamente nosso povo!

— Então, clame a Ele, Ester! Está nas mãos dEle agora — disse, enfraquecido, diante da situação.

Novamente o silêncio se impôs entre o casal real. Era claro para ambos que cada nova palavra só lhes dilaceraria ainda mais a carne. Juntos, se colocaram a pensar até que Ester falou:

— Mordecai, o judeu que denunciou o complô dos eunucos, deixe-me vê-lo, Assuero. Mordecai é meu primo. Ele me criou como filha depois que meus pais morreram, assassinados por amalequitas.

O rei balançou a cabeça, chocado, como se não conseguisse acreditar que ainda havia mais revelações às quais pudesse ser confrontado:

— Por que não me disse que Mordecai é seu primo? Por que não me disse antes que é judia, Ester?

— Porque Hamã poderia ter tentado me prejudicar — Ester respondeu impaciente, como quem ressaltasse uma obviedade. — Ele sempre odiou os judeus. Se tivesse revelado minha origem talvez não chegasse a ser rainha do meu senhor.

Percebendo sua dor, o rei aproximou-se e a tomou em seus braços, carinhosamente.

— Vou pensar numa forma de salvá-la, Ester — prometeu, em seu ouvido. — Se morrer, minha vida também estará acabada.

O rei e a rainha ficaram ali abraçados, compartilhando da mesma dor, misturando suas lágrimas.

***

Ao escutar algumas batidas na porta, Ana foi atender. A moça já estava grávida de sete meses, e até então sua gravidez não havia tido paz. Encontrou um homem negro e alto, vestido com as roupas dos eunucos do palácio. Ao lado dele, dois guardas reais.

— Mordecai está?

— Ele ainda não chegou, senhor — respondeu séria, sem saber do que se tratava.

— Sabe se ele demora? — delicadamente, o eunuco entrou na casa e ficou observando tudo à sua volta. — Tenho ordem de só sair daqui acompanhado de Mordecai.

— Creio que não demora, senhor.

— Vou esperar.

Ana assentiu com a cabeça e ficou de pé fazendo companhia para o visitante. De fato, Mordecai não demorou. Na verdade, quando avistou os guardas na porta de sua casa, correu, preocupado.

— Filha, o que foi? — disse ele, à porta.

— Esse senhor...

— Harbona! — interrompeu o oficial, identificando-se.

— Ele vem em nome do rei — Ana continuou.

— Vim para levá-lo ao palácio, senhor. O rei Assuero e a rainha Ester desejam lhe falar — ao comunicar a notícia, Harbona sorriu discreta e tranquilizadoramente. Mordecai ficou emocionado, olhou para Ana com os olhos cheios de lágrimas e acompanhou Harbona até o palácio.

***

Na casa de Hamã o luto pela sua morte era profundo. Ainda que Zeres tivesse previsto algo ruim, no fundo nutria a esperança de que seus deuses mudassem o curso da história e que Hamã saísse com nada mais que prestígio daquele banquete.

— Estejam certos de que farei justiça — disse Dalfom, com o choro lhe escorrendo pelo rosto até os dentes cerrados. — Não vou deixar vivo um judeu sequer! No dia 13 de adar meu pai será vingado!

Aridai entrou correndo em casa, subindo as escadas com raiva e desespero.

— Mãe! Por que meu pai está pendurando numa forca? Por quê?

— Seu pai morreu por causa desse povo judeu que você defende!

Se havia alguém naquele momento sobre quem Zeres podia descontar sua mágoa essa pessoa era Aridai. Dalfom deu um passo em direção ao irmão para explicar o ódio da mãe.

— A rainha armou uma cilada contra o nosso pai.

— O que a rainha tem a ver com isso? — Aridai estava ainda mais confuso.

— A rainha é judia! — gritou, finalmente, sua mãe.

Aridai se colocou pensativo, andando em círculos sem nada dizer. Dalfom se irritou com a falta de apoio do irmão:

— Judia! Imunda! Traiçoeira! Como todos os judeus!

Aridai se aproximou de Dalfom, tocou-o nos braços e, com lágrimas nos olhos, lhe disse:

— Dalfom, não percebe que nosso pai tramou sua própria morte? O que ele fez com os judeus caiu sobre ele mesmo.

— Ainda tem coragem de ir contra o próprio pai!

As lágrimas rolavam grossas pelo rosto de Hamã ao deparar-se com o desprezo do irmão pela morte de Hamã. Seu impulso era dar-lhe um soco violento, mas, cansado e abatido, apenas deu um passo para trás para chorar mais. Zeres, soluçando, gritou, agarrando Aridai pelas vestes:

— Não vou tolerar mais a sua ingratidão! No dia 13 de adar você vai lutar ao lado dos seus irmãos e destruir os nossos inimigos em memória do seu pai!

— Desculpe, mãe, mas eu não vou matar ninguém.

Atingida por mais uma decepção com Aridai, Zeres apertou o pescoço do filho como se quisesse enforcá-lo com suas mãos trêmulas, mas logo o soltou, caindo em prantos novamente.

— Deixe mãe, eu faço isso com o maior prazer — disse Dalfom amparando Zeres ao mesmo tempo que encarava o irmão com desprezo. — E vou começar agora!

Dalfom tomou o rumo da saída. Aridai quis segui-lo, e impedir seu rumo, mas Zeres o impediu ameaçando-o com uma faca.

—Você fica! — ordenou a mãe.

O destino de Dalfom era procurar Ana para começar sua vingança contra os judeus o mais breve possível. Andou pelas ruelas de Susã perguntando pela moça grávida, filha dos comerciantes de tecidos, e rapidamente descobriu que ela havia encontrado guarida na casa do judeu Mordecai.

A gravidez avançada fazia com que Ana se movimentasse devagar pelos cômodos da pequena casa de Mordecai. Ela cuidava de tudo, queria deixar a casa bem arrumada e limpa para agradar a Mordecai assim que ele voltasse do palácio. Afinal, ele a havia recebido com tanto carinho em um momento delicado de sua vida, e a tratava como uma filha.

Ana havia interrompido seus afazeres domésticos para atender um senhor muito pobre que lhe havia batido à porta. Deu-lhe água e pediu que aguardasse do lado de fora enquanto ela partia um pedaço de pão para lhe dar de comer. Foi quando sentiu que estava sendo observada.

Olhou para a janela e viu Dalfom. Seu coração disparou. Apavorada, Ana correu para fechar a porta, que estava aberta por causa do mendigo à sua espera. Movido pela sede de vingança, porém, o amalequita foi mais rápido e conseguiu entrar antes disso.

— Isso é jeito de receber uma visita? — perguntou Dalfom movendo seu corpanzil para dentro da casa, falando como um bêbado, levado para fora de si pela raiva. —Você bateu com a porta na minha cara?!

—Vá embora daqui! — pediu Ana, apavorada, enquanto se entrincheirava em um dos cantos da sala.

— Mas acabei de chegar! Está com medo de quê, judia?

Irônico, demoníaco, Dalfom reforçava cada sílaba da palavra "judia".

— E-eu vou gritar — ameaçou Ana, apavorada de medo.

— Grite — desafiou.

— O que você quer, Dalfom?

— Sabe que você é mesmo linda? A pele suave, macia, deve ter sido difícil para o meu irmão resistir — o amalequita aproximou-se de Ana tocando-lhe o rosto e movendo seu dedo indicador até o colo da moça.

— Por favor. Vá embora! Não quero confusão! — Ana tentou esquivar-se de Dalfom, mas ele a agarrou pelo braço.

— Se você não fosse judia... — e olhou Ana de cima embaixo.

— Solte-me! Respeite-me! Respeite Aridai! — em meio as lágrimas Ana tentou parar Dalfom ao falar de seu irmão, mas foi ignorada.

— Que respeito? Você não passa de uma judia suja! Foi por causa do seu povo que meu pai morreu — Ana foi empurrada com violência e caiu ofegante.

Sem piedade, Dalfom desembainhou a espada e se colocou pronto para atacá-la.

— O que é que você vai fazer? — em seu desespero Ana não conseguia sequer levantar-se do chão, o pavor estampado no rosto.

—Vou cobrar a morte do meu pai com o sangue desse filho bastardo que está no seu ventre. Ao menos minha mãe ficará feliz.

— Não! Você é louco!

Enquanto ainda se deliciava com a perspectiva de assassinar a namorada judia do irmão, ouviu-se um grito vindo da mesma janela pela qual, minutos antes, Dalfom observava Ana:

— Filhaaa!!

Era Joel que, acompanhado por Rebecca, chegava para visitar Mordecai. Não só não encontraram o amigo, como se depararam com a horrível cena de Dalfom se preparando para matar Ana e seu bebê. Pela primeira vez em muito tempo, Joel se referiu à ela como "filha".

— Pai! — Ana gritou de volta.

Dalfom colocou Ana de pé, passou o braço pelo seu pescoço e agora a tinha sob seu domínio, ameaçada contra a sua espada.

— Pelo amor de Deus! Socorro! — Rebecca gritou apavorada ao ver a filha nas mãos do amalequita.

— Deixe a minha filha em paz! Ela está grávida! — bradou Joel.

Dalfom passou a espada rente à barriga de Ana como se fosse cortá-la, apenas para aterrorizar a família. Joel pediu para que Rebecca fugisse imediatamente para buscar ajuda. Ele pegou o que viu pela frente para enfrentar o amalequita que ameaçava a vida de sua única filha.

— O que é que vai fazer com essa enxada, judeu? Cavar sua própria cova? — Dalfom ria, impulsivo, da atitude de Joel.

— Se encostar um dedo na minha filha, eu o mato!

Dalfom não era um comerciante de tecidos, mas um soldado versado na arte do confronto. Antes que o judeu pudesse entender seu movimento, ele largou Ana e desembainhou sua espada maior. Num piscar de olhos, em um espaço que conheciam muito bem, estava um amalequita de braços abertos e olhar ágil, com uma arma apontada para Joel e outra para a filha deste.

— É uma ameaça e tanto, judeu — riu-se Dalfom. — Será que pode cumpri-la? Eu sei que posso.

***

Numa trágica reviravolta da história, em determinado momento daquela tarde, tanto o príncipe amalequita como sua mãe tinham armas apontadas para o pescoço de alguém. Zeres manteve Aridai sob a mira de sua adaga, mesmo que ele pedisse para sair.

— Isso eu não admito, disse ela! Seu pai está morto! Você é um amalequita, Aridai! Honre seu povo!

Zeres queria ter certeza de que Dalfom teria tempo o suficiente para executar sua vingança. Não imaginava que, naquele dia de tantos dissabores, sua casa seria invadida.

— Aridai! Por favor! Preciso de ajuda! — era Rebecca, a mãe de Ana, subindo correndo pelas escadas.

A judia sabia que não era bem-vinda ali, mas, sob a pressão de ver sua filha ameaçada de morte, correu em direção à casa de Aridai.

— Dalfom invadiu a casa de Mordecai! Está prestes a matar a minha filha e o bebê!

— Verme de Israel! — Zeres grunhiu de volta, ameaçando-a também com sua arma. — Saia da minha casa! Que seja amaldiçoada a sua descendência em sete gerações!

Rebecca não se intimidou.

— Deus é meu escudo e a minha fortaleza. A sua magia nada pode contra mim! — revidou.

— Judia imunda!

Quando Zeres tomou posição para atacar Rebecca, Aridai aproveitou e tomou a adaga das mãos dela, rendeu-a e saiu correndo para a casa de Mordecai.

— Aridai!

Zeres ainda quis ir atrás do filho, mas Rebecca a deteve e a empurrou. A amalequita caiu humilhada e, exausta, continuou no chão, chorando e chorando. Então Rebecca correu dali logo após Aridai para ajudar sua filha.

***

— Vamos lá, judeu! Lute! Isso é o melhor que pode fazer?

Na casa de Mordecai, Dalfom se divertia lutando com Joel. Certamente já teria matado a ele e à sua filha se assim lhe aprouvesse, mas aquela situação de ter a vida dos dois nas mãos lhe era prazerosa demais. — Lute, judeu sujo!

— Você tem o coração ruim igual ao pai!

Em apenas alguns golpes de espada, rápido e muito ágil, Dalfom fez Joel perder a enxada, que ainda lhe garantia um mínimo de segurança.

— Morra, judeu sujo! — Dalfom estava pronto para dar o golpe final em Joel quando Aridai chegou com Rebecca, já com a espada desembainhada e apontada para o irmão.

— Dalfom! Saia agora dessa casa! — o irmão interrompeu seu momento de glória em que acabaria com a vida de dois judeus.

Dalfom voltou-se contra Aridai.

— Ousa defender essa gente no dia da morte do seu pai? — disse, aproximando-se.

— Essa gente é minha gente. Vou defendê-los com a minha vida se for preciso — foi a resposta firme de Aridai. Atrás de Dalfom, Joel já estava de pé junto a Ana, protegendo-a. Rebecca via tudo do lado de fora, pela janela.

— Então que assim seja. Finalmente, vamos lutar de verdade, meu irmão. Chega de treino! — então os irmãos começaram a luta definitiva de suas vidas.

Foi um confronto movido pelo coração, por motivos passionais. Seus movimentos eram grosseiros, fortes, com intenção de encerrar a luta o quanto antes. Dalfom começou atacando, mas Aridai soube se defender e manter a espada do irmão presa à sua. Ao se soltar, entretanto, e se preparar para um golpe definitivo, Dalfom deixou seu corpo desprotegido. O mais velho era um lutador superior, mas o ódio cegava seu raciocínio. Aridai, então ergueu seu pé direito e empurrou o irmão sobre uma prateleira repleta de vasos e louças. Com o impacto, Dalfom foi desarmado e caiu indefeso diante de Aridai.

— A última coisa que quero é ter de matar você! — disse Aridai, apontando a lâmina para o irmão caído. — Deixe esta família em paz, por favor. Eu lhe suplico.

Dalfom passou a mão sobre o supercílio e percebeu no sangue em seus dedos que o irmão havia conseguido feri-lo. Então se apoiou no braço direito fingindo tentar se levantar. Quando levou a mão até sua espada, Aridai o impediu, pisando na lâmina. Dalfom estava derrotado. Nada podia fazer senão ir embora. À porta, cambaleante, voltou-se pela última vez para ameaçar Joel e Ana:

— Treze de adar! Nesse dia terei minha revanche!

Com Dalfom fora de casa, Rebecca entrou para abraçar Joel, enquanto, ao mesmo tempo, Ana corria para os braços de Aridai.

— Meu amor! Meu amor! Você me salvou!

— Ana! Agora acabou... Nosso filho está bem? — e ajoelhou-se para beijar a barriga de Ana.

— Apesar do susto, está sim — em meio às lágrimas Ana mal conseguia falar.

Havia muito mais envolvido naquele abraço. Com a família destroçada, Aridai tinha em Ana sua nova família. O desprazer de lutar contra o próprio irmão ainda latejava em seus músculos. Prostrado diante da barriga de Ana, ele só se levantou ao ouvir:

— Meu rapaz — disse Joel, timidamente — eu realmente o julguei mal. Você é mesmo diferente dos amalequitas.

Aridai entendeu a importância daquele momento e o esforço de Joel em admitir seus erros. Com os olhos mareados e os lábios trêmulos, respondeu:

— Sei dos crimes do meu pai, Joel. Se Hamã morreu foi por causa de seus próprios atos.

— Você é um bom rapaz e peço que me perdoe — dirigindo-se a Ana, Joel prosseguiu — Filha, peço que me perdoe por todo mal que lhe causei.

Ana respirou aliviada como se um grande peso estivesse sendo retirado de suas costas, chorou e abraçou o pai. Rebecca também chorava, emocionada com a reconciliação.

— Fui muito injusto com você! — Joel disse para a esposa. — Acho que estou me transformando num velho rabugento, mas só queria protege-la.

Era uma noite de reconciliação naquela casa. Ana enxugou as lágrimas e disse ao pai:

— Está tudo bem, paizinho. Também quero lhe pedir perdão. Sei o quanto o magoei.

— Ô, filha! — Joel tomou as mãos de Ana e as beijou, muito emocionado. O perigo de perder sua filha para sempre o havia despertado para o perdão.

— Assim que eu quero vê-la daqui para frente, Ana — Rebecca acariciava o rosto da filha — com esse sorriso nos lábios. E quero que o meu neto saiba que ele é muito amado.

Então pai, mãe e filha se abraçaram em meios às lágrimas. Aridai que assistia a tudo também estava emocionado e feliz por Ana e ele serem aceitos em sua nova família.

***

No palácio, Mordecai foi recebido pelos portões principais da sala do trono. Entrou ali acompanhado por Harbona. Diante dele, sua prima, a mesma menina Hadassa que acolhera na infância, paramentada como rainha da Pérsia. Ao lado dela, o homem mais poderoso do mundo, o rei Assuero.

— Mordecai, meu primo! — ela o saudou, aliviada. — Que bom que o senhor veio! Ester desceu os degraus da sala do trono apressada para abraçá-lo.

— Fiquei tão preocupado com você, minha querida. O rei já sabe que você é...

— Que é ela é uma filha de Israel? Sim, Ester me contou, Mordecai. — o rei sorriu pacifica e dolorosamente.

— Grande rei Assuero — então aproximou-se para cumprimentar o rei, curvando-se diante dele.

— "Grande rei", "senhor dos senhores", "escolhido de Deus" — enumerou Assuero. — Entretanto, sinto-me impotente, Mordecai. Nada disso me serve agora. Nada alegra a minha alma nesse momento de dor por saber que não posso livrar minha rainha nem seu povo.

As palavras do rei eram de completa frustração.

— O rei não pode revogar a lei contra os judeus, meu primo.

— Eu sei, conheço a lei persa — disse Mordecai, pesaroso.

— Esperem! — uma ideia surgiu nos pensamentos do rei. — Ainda existe algo que posso fazer. Não tenho como revogar esse decreto, mas darei a Mordecai o poder para tentar reverter essa tragédia.

Ester e Mordecai se olharam surpresos e intrigados com o que haviam acabado de ouvir do rei.

— E como isso seria possível, meu senhor? — Ester perguntou.

Mordecai aproximou-se do rei para ouvir sua ideia. Assuero então tirou o anel real do próprio dedo, o entregou a Mordecai e disse:

— Tome. Escreva aos judeus como bem entender, em nome do imperador. Sele o decreto com este anel real e o que decidir não poderá ser revogado.

— Obrigado, meu rei! — Mordecai recebeu o anel como uma grande joia, não por seu valor material, mas pelo que simbolizava; ali estava a chance de tentar salvar o seu povo. — Tenho então permissão para fazer o que quiser?

— Sim! Esse anel foi dado a Hamã, que com ele, tramou contra os judeus. Agora ele lhe é dado para ajudar seu povo. Com ele, você terá plenos poderes para decretar uma nova lei que os favoreça, em meu nome.

— Muito obrigada, Assuero! — Ester curvou-se diante do marido com o coração cheio de gratidão.

— Encontre essa saída, Ester, por favor! Quero continuar a tê-la ao meu lado por todos os meus dias! — pediu o imperador. A rainha o olhou com olhos apaixonados, ainda mais admirada com o gesto de bondade de seu rei.

Mordecai e Ester deixaram a sala do trono e foram caminhar a sós pelo jardim do palácio, buscando um no outro, na natureza ao derredor e no Deus de Israel a inspiração para um novo decreto que pudesse favorecer os judeus. Até que, no meio de uma conversa despretensiosa, Mordecai disse:

— Uma nova lei... Um novo decreto que... Já sei! — e seu rosto se iluminou.

— Fale, meu primo! — Ester reagiu, aflita.

— Se não podemos reverter o decreto de extermínio dos judeus, podemos criar um que nos garanta o direito de lutar por nossa vida!

— E o que o senhor sugere? — a rainha queria entender como isso seria feito.

— Que se permita aos judeus, no dia 13 de adar, que em todas as 127 províncias do reino, que vão desde a Índia até a Etiópia, os do nosso povo possam se unir e se defender de seus inimigos.

— Mas aí vai haver uma guerra! Não há outra maneira? — perguntou Ester, aflita.

— Infelizmente, acredito que seja a única maneira. Pelo menos os judeus poderão se proteger em vez de ficar parados, esperando passivamente a morte chegar.

A ideia também não agradava Mordecai completamente, mas aquela parecia ser a saída mais razoável. Depois de conversarem por horas e avaliarem cada implicação, cogitarem soluções diferentes e alternativas, Ester falou como rainha:

— Tem razão, meu primo, essa é a melhor solução. Então que se escreva essa nova lei e que seja divulgada como edito real em todas as províncias. Que seja publicada entre todos os povos, na língua de cada um deles.

Uma grande equipe de escribas se dedicou à redação do decreto durante a madrugada, para que, nas primeiras horas do novo dia a notícia estivesse a caminho de todas as províncias do império persa. E onde a palavra do rei e sua ordem chegavam, os judeus exultavam de alegria.

Mordecai foi para as ruas novamente, desta vez para orientar o povo a respeito da nova lei.

— No dia 13 de adar, todos os judeus poderão se defender! Não seremos mais vítimas dos inimigos! O rei concede o direito de nos unirmos para destruir, matar e aniquilar toda e qualquer força armada que se levantar contra nós! Temos permissão para nos defender e acabar de vez com todos os que odeiam o povo de Deus!

Todos escutavam Mordecai com muita atenção. Aquele era o homem que fora homenageado pelo rei Assuero pessoalmente, que havia criado e educado a rainha, que atravessara a vida fiel à Palavra de Deus e à cultura de seu povo. Então ele continuou:

— Por isso lhes peço, caros irmãos, que se preparem! Cada um de nós deve treinar para a guerra que está muito próxima! Lutaremos até o fim! Deus está do nosso lado!

Ao falar essas palavras o coração de Mordecai se enchia de alegria e esperança, especialmente diante do sorriso de esperança e do aplauso que explodia em cada filho de Israel.

***

Os judeus do palácio também discutiam a lei. Ruben e Simion lustravam a louça, varriam o chão da cozinha e conversavam sobre o novo decreto.

— A nova lei já se espalhou pela cidade! Logo se saberá por toda Pérsia! — deduzia Ruben.

— Tenho receio dessa guerra — assumia Simion, com medo de ver seu povo dizimado num confronto armado.

— Mas agora há esperança! Pelo menos podemos nos defender. Antes nem isso. Seríamos exterminados como animais doentes pela própria guarda real — disse Ruben, em tom sério.

— Nunca peguei numa arma, Ruben.

— Não deve ser assim tão difícil. E somos muitos por todo império. — disse Ruben enquanto levantava o cabo de sua vassoura contra o amigo. — Vamos defenda-se!

Simion sorriu descontraidamente. Girou o pano de pratos que estava em seu ombro e deu um golpe em Ruben como se fosse um chicote.

— Ei! Essa doeu! — reclamou Ruben, rindo. Em sua brincadeira, deixavam claro que o clima de guerra se aproximava, e ninguém estava livre dele.

***

Mais tranquila com o novo decreto, a rainha conseguiu descansar nos braços de seu amado novamente nos aposentos reais. Sentia-se completa ao lado do rei Assuero, feliz por ter como marido um homem tão generoso e de bom coração.

— É tão bom vê-la sorrindo novamente, Ester.

— Agora, pelo menos há uma esperança para o meu povo.

— Era o mínimo que podia fazer. Fui tão injusto. Perdoe-me por tanta dor e sofrimento que a fiz passar.

— Está tudo bem agora. Por mais que eu tema esse confronto, fico mais tranquila sabendo que os judeus podem se defender.

— Seu povo vai ter de se preparar muito bem para enfrentar os aliados de Hamã. São homens das armas, acostumados com a guerra — o rei franziu a testa em sinal de preocupação.

— E os judeus são homens de fé, meu rei. Estamos acostumados com o livramento do nosso Deus — apesar da situação ainda ser preocupante, Ester tinha um semblante tranquilo pela confiança no que não podia ser entendido.

— Que Deus é esse, Ester? Acha mesmo que um único Deus é capaz de salvá-los? — perguntou, intrigado.

— Se essa for a vontade dEle, sim.

— Admiro muito a sua fé. Você tem me ensinado tantas coisas — o rei tinha um olhar apaixonado e grato pela sua rainha.

— Eu? — Ester riu do comentário do rei.

— Sim. O amor, por exemplo. Um sentimento muito perigoso para um rei.

— Um sentimento perigoso para qualquer pessoa, Assuero — respondeu docemente.

— Nem em uma guerra me senti tão vulnerável e ao mesmo tempo tão fortalecido. E isso me tem feito tão bem.

Ao lado de Ester o rei demonstrava seus sentimentos mais profundos. Não havia jogos como acontecia com Vasti. Ele não vestia máscaras e nem se resguardava temendo o sofrimento. Ester sorria para o rei e lhe acariciava a barba.

***

Começavam ali novos desafios para os judeus. O manuseio da espada e do escudo. A arte de atacar e defender. Comerciantes, marceneiros, camponeses; jovens, adultos, idosos: todos tinham de se tornar soldados dentro de algumas semanas.

— Trezentas armaduras! — Mordecai contou e escreveu em seus registros.

— Sim, senhor Mordecai — Ruben confirmou satisfeito.

— E ótimas hein? Em bom estado de conservação! — ao ver que seu povo teria como lutar dignamente, Mordecai se enchia de alegria.

— As espadas também são de boa qualidade! — avaliava Simion que, apesar de não entender muito sobre armas, já estava ficando mais familiarizado com os preparativos para a guerra.

— E foi o próprio Assuero quem nos presentou!

Era preciso enfatizar a bondade do rei, e Mordecai não se esquecia disso.

—Veja quantas espadas tem aí, Simion! — ordenou Mordecai, que coordenava toda a organização do armamento.

— Nessa caixa aqui são duzentas.

— E na outra, Simion? Quantas tem?

— Essa aqui ainda não contei.

E os judeus trabalhavam duro, organizando todo o material que seria usado na guerra. Eles tinham armas, mas acima de tudo tinha fé. Uma fé firme de que Deus não os deixaria desamparados, de que Ele olharia mais uma vez pelo Seu povo e não os permitiria padecer sob a espada do inimigo.

A primeira notícia que os incentivou foi a de que Aridai, guerreiro treinado nas melhores escolas de sua época, se oferecera para treinar os judeus e preparar instrutores que multiplicassem o treinamento de província em província. Com paciência e dedicação, o jovem ensinou cada golpe e movimento; estratégias de ataque e de defesa.

Em pouco tempo, camponeses que nunca haviam manejado uma espada começaram a manifestar habilidades que não imaginavam ter. Estes eram orientados a liderar novos destacamentos.

Aridai pouco dormiu naqueles dias, trabalhando com enorme dedicação. Ele nunca havia concordado com o pensamento de ódio de sua família e, dali em diante, imaginava poder interromper o ciclo de maldade que Hamã sonhava em perpetuar. Aridai fez da casa dos judeus a sua casa, e ali passava todo o tempo possível a ensinar, para que no dia da grande guerra eles tivessem meios de lutar por sua vida de igual para igual. A notícia não demorou a chegar à sua família.

— Seu irmão passou para o lado do inimigo?! — perguntou Zeres, irritada, a Dalfom.

— É o que parece. Ele está ensinando os judeus a se defenderem.

— Amaldiçoo o dia que esse traidor saiu do meu ventre! — de olhos fechados, andando de um lado para o outro, Zeres sentia a amargura em seu coração pela traição de Aridai.

— Não se preocupe, mãe. Ainda tenho mais oito irmãos para honrar nosso nome. Eles já estão vindo para Susã. Vamos reunir um exército, massacrar os judeus e vingar nosso pai!

— Faça isso, filho! O divino Hamã não pode ter morrido em vão! — disse Zeres, segurando Dalfom pelos ombros.

E como Dalfom disse, foi feito. Pelos quatro dias seguintes, seus irmãos chegaram, vindos de diversas províncias do reino até Susã, onde ajudariam a guerrear em favor de sua raça, em nome de seu falecido pai.

Dia e noite os judeus treinavam para a batalha. Os aliados de Hamã, entretanto, cresciam em número e qualidade de soldados. A aflição do povo judeu aumentava a cada dia.

Não era diferente com Ester. Em seus aposentos, a rainha andava de um lado para o outro pensando no dia em que os judeus teriam de enfrentar o exército inimigo.

— O dia 13 está chegando... Falta pouco agora.

— Sinto minha espinha gelar quando lembro que a batalha está tão próxima! — pela rainha, Quinlá torcia pela vitória do povo judeu, e se angustiava com a proximidade da guerra.

— E os judeus, senhora? Estarão preparados? — Hegai perguntou preocupado.

— Não param de treinar, Hegai. Somos um povo forte, determinado. Quando chegar a hora, cada judeu haverá de saber se defender.

Mesmo aflita, Ester confiava que a dedicação de sua gente poderia sobrepujar o domínio técnico do inimigo.

Os nove filhos de Zeres já estavam reunidos em Susã. Se cada um havia sido pessoalmente incentivado à guerra e ao ódio por Hamã, agora era sua mãe, Zeres, que os preparava para a guerra.

— Meus filhos queridos! Hamã morreu pelas mãos dessa rainha judia! Treze de Adar vem a galope! É a data em que poderemos vingar o sangue de seu pai!

— A desforra está próxima. E será nossa!

Ao lado de sua mãe, Dalfom se colocou no lugar de líder dos irmãos. Ele soava como Hamã, agia como Hamã e havia se tornado um homem tão mal quanto o próprio a quem tanto bajulou enquanto viveu.

***

Aridai, o filho que havia renegado a família e por ela fora renegado, aproveitava os poucos momentos de quietude em companhia de Ana, grávida de nove meses.

— Falta tão pouco para o nosso bebê nascer — disse orgulhosa.

— Quero ser o primeiro a ver o rosto do nosso filho — Aridai abaixou-se para beijar a barriga de Ana e acariciar lhe.

— Estou com tanto medo, Aridai... Com medo que você não volte da batalha de amanhã — mais uma vez o sorriso dava lugar a preocupação no rosto de Ana.

— Por que isso agora? Claro que vou voltar — colocando-se de pé, Aridai olhava Ana nos olhos.

— Prometa que vai ficar bem, Aridai. Que nada de mal vai lhe acontecer! — a tristeza enchia o coração da moça apenas ao imaginar a possibilidade de perder o noivo.

—Vai dar tudo certo.

Ana, entretanto, baixou os olhos e começou a chorar.

— Olhe nos meus olhos, Ana... E, se algo acontecer comigo, quero que nunca se esqueça do quanto te amo.

Mesmo que fosse corajoso e não temesse a morte, Aridai sabia que no dia da batalha ele poderia não retornar para a sua amada.

— Não! Não posso perdê-lo! — disse ela, colocando a mão direita levemente sobre os lábios de Aridai.

—Você nunca vai me perder.

E se beijaram, e ficaram abraçados aproveitando aquele momento. Aridai e Ana romperam a madrugada do dia 13 de adar dormindo abraçados, em família.

***

Treze de Adar. O alaranjado das primeiras notas da manhã tingiam as ruas de Susã, mais desertas do que jamais estiveram. Alguns transeuntes corriam para suas casas olhando para os lados. Outros cerravam suas portas e janelas protegendo mulheres, crianças e velhos.

A rainha Ester havia acordado mais cedo e se isolado em uma área protegida do palácio para orar. Ajoelhou-se, segurou com força o colar que havia ganhado dos pais quando era pequena.

—Treze de Adar. É hoje o grande dia da batalha. Meu Deus, protege o Teu povo! Protege os Teus servos com a Tua luz. Que a nossa vitória seja a Tua vitória!

As ruas agora davam lugar aos judeus, que de um lado se organizavam, e aos amalequitas que, do outro lado, eram em maior número.

— Os judeus já estão se reunindo! — gritava Dalfom, com sede de sangue. — É hoje o dia da purgação! Por Hamã! Por Agague! Pela estirpe amalequita! Expulsemos da terra os filhos de Abraão e destruam o traidor!

Do outro lado da rua os judeus ajeitavam suas armas e barricadas e também trocavam as últimas palavras entre si antes que a batalha começasse.

— Nunca estive numa batalha sem os meus irmãos — Aridai confessou a Mordecai, ambos, assim como todos os judeus de Susã, protegidos com capacetes, escudos e armaduras, enfileirados, prontos para o combate. — E mais do que isso, será a primeira vez que vou enfrentá-los.

— São tantos contra nosso povo! Meu coração parece que vai saltar pela boca — comentou Simion, apavorado diante do grande exército que se colocava diante deles.

— Nós somos muitos também, Simion — Ruben procurou tranquilizá-lo.

— Mesmo assim. Somos loucos de enfrentar esses guerreiros experientes, sedentos por nossa cabeça — agora que a hora havia chegado, Joel tinha um medo forte em seu coração.

— Nós nos preparamos, Joel. Coragem! — Mordecai pediu.

Em sua casa, Zeres esperava pela queda dos judeus por meio da espada de seus filhos e de seus feitiços. Ela fazia oferendas em seu altar, como já havia feito diversas vezes em sua vida. Diante do caldeirão que borbulhava com um líquido viscoso, Zeres jogava com violência algumas ervas e frutas. De olhos fechados ela pediu aos deuses que favorecessem os seus e que os amalequitas saíssem vitoriosos da batalha.

Enfim, os amalequitas avançaram em direção os filhos de Israel, em todo domínio persa. Nas ruas de Susã, capital do império, os exércitos avançaram um contra o outro e as mortes não demorariam a começar. Dalfom tinha um alvo marcado: Mordecai.

— Meu pai morreu na sua forca, Mordecai, mas hoje você morrerá em minhas mãos! — vociferou, enquanto sua espada tilintava contra judeus a alguns metros de distância.

— Morrerei quando Deus quiser, Dalfom! Só Ele tem o poder sobre a vida e a morte! — respondeu.

A luta era intensa, a conclusão de séculos e séculos de ódio e preconceito. Os judeus, que começaram se defendendo, agora também avançavam fortemente contra os inimigos. Mesmo sem tradição de conflito, e em menor número, a certeza de que Deus estava a seu lado lhes multiplicava a coragem e a determinação. Nada podia pará-los.

Em todas as províncias do rei Assuero, os judeus se juntaram para interromper o ódio daqueles que lhes queriam mal.

Todos os governadores das províncias, os sátrapas e os que faziam a obra do rei, auxiliaram os judeus com treinamento e munição. Era o povo da amável rainha Ester, era o povo liberto do cativeiro por Ciro, o Grande, era o povo vitimado pela trama de sangue de Hamã, o primeiro-ministro condenado à forca.

A luta se estendeu em todo o império por dois dias.

Em seus aposentos, Ester orava sem cessar, certa de que o socorro viria para o seu povo.

— Senhor meu Deus, por favor, protege a vida de meus irmãos. Imploro por tua misericórdia para os que são injustamente perseguidos. Dá-nos força para suportar com resignação os horrores da guerra. Ampara-nos em nossa tarefa de salvar o povo judeu, o Teu povo! Somos Teus, Senhor!

Concentrada e absorta, enquanto orava Ester não percebeu que Assuero havia entrado ali a observava com ternura.

— Assuero! Você está aí há muito tempo?

— O suficiente — disse, se aproximando e tocando delicadamente o rosto de Ester. — O bastante para perceber o tamanho imensurável de sua fé, minha rainha.

— Se não confiar em Deus, em quem mais? Só Ele pode salvar meu povo — ela tomou a mãos de Assuero nas suas, retribuindo o carinho.

— Você tem a mim também — os dois se abraçaram. O rei ficou ali ao lado de sua rainha, compartilhando da mesma angústia.

Nas ruas de Susã, a batalha continuava. E ela não terminaria para Dalfom até que ele tivesse conseguido realizar o sonho de seu pai: matar Mordecai. Quando a poeira já confundia a vista, quando muitas famílias já choravam seus mortos, surgiu a oportunidade. Ao cravar sua espada no peito de um judeu, Dalfom virou-se e encontrou o velho , um pouco mais afastado das ruas onde as lutas ocorriam mais intensas.

Correu para lá e, ali os dois lutaram intensamente. Mesmo que Mordecai tivesse muito mais idade e menos domínio da espada, ele reagiu bravamente às investidas de Dalfom. O amalequita deferiu um golpe sobre Mordecai que o fez perder o equilíbrio e cair e perder a consciência ao bater a cabeça nas escadas externas de uma casa. Dalfom estava pronto para acabar com a vida de Mordecai de uma vez, quando Aridai apareceu para frustrar os planos do irmão:

— Pare, Dalfom! Não faça isso!

— E quem vai impedir? Você, traidor? — Dalfom perguntou olhando para Aridai, embora continuasse covardemente com a espada apontada para o velho desmaiado no chão.

Do alto da escada em que Mordecai caiu, Aridai aproveitou a altura e chutou o rosto do irmão com toda força, tirando-o de perto de Mordecai. Os dois amalequitas, então, começaram um furioso combate.

O barulho dos metais afiados e as ofensas trocadas despertaram Mordecai. Com dificuldade, ficou em pé, apoiado na escada. Olhou para o lado e viu Ruben se aproximando. Entretanto, ao voltar-se para a cena, deu de cara com um amalequita. Ainda confuso com seu desmaio, não teve reflexos para desviar de um golpe em seu braço.

— Mordecai! — foi o grito de Ruben, antes de entrar na frente para protegê-lo.

O amalequita não teve dúvida: golpeou Ruben, em vez de Mordecai. Ferido profundamente entre o braço e o peito, o eunuco caiu, sangrando muito. Mordecai aproveitou o desequilíbrio do inimigo. Ao receber Ruben em seus braços, pegou a espada do judeu e, num golpe intempestivo, cortou a cabeça do amalequita. Em seguida, segurou a cabeça do amigo e a banhou com suas lágrimas:

— Ruben! Fale comigo! — pedia Mordecai.

— Que Deus abençoe o senhor e todo o povo judeu — Ruben falava com dificuldade, pálido e esvaindo em sangue. — Diga a Hadassa... que... sempre a amarei!

— Não, Ruben! Não se entregue, você vai ficar bom!

Sem resposta do amigo, Mordecai carregou Ruben dali na esperança de que pudesse vê-lo sobreviver.

***

Embora Rebecca tentasse manter a filha calma em seus últimos momentos de gravidez, era inevitável o barulho dos gritos e dos conflitos nas ruas de Susã. Ana sofria de saber que sua família recém-reconstituída corria riscos, com o pai e o noivo na batalha.

— Ai... Hoje estou com muita dor nas costas — disse, respirando fundo.

— Caminhe, filha. Caminhe de um lado para o outro que a dor alivia — aconselhou Rebecca.

— Estou com tanto medo, mãe. Medo de que nosso povo não consiga sobreviver a essa batalha.

— Também tenho, filha, mas o que precisamos ter agora não é medo, é fé. Fé em Deus e a certeza de que Ele não vai nos desamparar.

Ana começou a caminhar como a mãe havia recomendado e de repente sentiu algo estranho. Suas pernas estavam molhadas.

— Mãe! O que é isso?

Rebecca correu até a filha.

— Chegou a hora, Ana! Seu filho vai nascer! — Rebecca sorria emocionada.

Ana também estava feliz, porém surpresa. Ana sentou-se em uma cadeira enquanto a mãe preparava água quente, uma bacia e outras coisas que pudessem auxiliá-la durante o parto de sua filha. Ela sentia muita dor e logo as contrações ficaram insuportáveis.

— Força, filha! Muita força!

— Ahhh! Não vou conseguir, mãe! Dói demais! — ela urrava.

— Claro que vai conseguir! Vamos! Coragem e fé! Força!

***

Aridai não imaginava que seu filho estivesse vindo à luz, mas lutava também pelo bebê que não conhecia. Sua consciência mandava que ele mais defendesse do que atacasse seu irmão, tentando mais desarmá-lo do que feri-lo. No fundo, estar lutando contra seu próprio sangue lhe doía tanto quanto toda a trama de injustiça e preconceito que combatia. Quando, enfim, conseguiu desviar de um golpe violento e descontrolado de Dalfom, Aridai viu ali a chance de render o irmão contra um muro. Então levou o fio de sua espada contra o pescoço dele.

— Vai me matar, Aridai? — perguntou, arfante, tentando jogar com o sentimento de culpa do irmão.

— Suma — disse, lenta e gravemente. — Suma da minha frente!

Aridai abaixou a espada e se afastou do irmão. Dalfom, então abaixou os olhos, envergonhado, e começou a andar em direção contrária. Tanto um quanto o outro sabiam que aquele era um momento definitivo de despedida. Aridai virou as costas para seu passado e começou a se afastar para sempre de Dalfom.

Era a oportunidade que precisava. Covardemente, Dalfom apanhou a espada e, num salto, cravou a lâmina nas costas do irmão. Aridai, de joelhos, só conseguiu olhar em seus olhos com tristeza e inconformismo. E tombou, rosto ao solo, morto por seu irmão amalequita.

No dolorido e irônico ciclo da vida, depois de horas em trabalho de parto, Ana finalmente deu à luz ao filho de Aridai, enquanto o jovem pai agonizava, assassinado.

— Um menino! Seu filho é um menino, Ana! — anunciava a avó orgulhosa, segurando aquela pequena, insegura e ingênua vida em suas mãos. Em alguns segundos, enquanto admirava o neto e a perfeição da criação, pediu a Deus para que ele encontrasse um mundo menos injusto do que o dela e de sua filha. Então estendeu o bebê para Ana que o pegou exausta, mas feliz e emocionada.

***

No palácio Ester andava de uma lado para outro em seus aposentos aguardando notícias sobre a guerra. Sua aflição aumentava a cada segundo que tinha de esperar. Hegai e Quinlá chegaram aos aposentos da imperatriz para informar-lhe sobre a guerra, porém os passos eram vagarosos.

— E então? — perguntou ansiosa, mas percebendo a expressão triste no rosto dos dois.

— Infelizmente as notícias são terríveis — disse Quinlá de cabeça baixa.

— Morte e destruição por todo lado — ao falar à rainha, Hegai também chorava copiosamente.

— Ah, meu Deus. Orem comigo, meus amigos, orem comigo — assim, Hegai e Quinlá acompanharam a rainha em suas orações.

— Meu Deus! Tem piedade do Teu povo! E de Mordecai... Não deixa que nada de mal aconteça a Mordecai, meu Deus, por favor! Protege-o! Confio em Ti, Senhor! Confio em Ti!

As horas passavam lentas. e à medida que a tarde do segundo dia caía, a lua trazia mais aflição e indefinições. Entretanto, quando estava prestes a ajoelhar-se novamente para orar, Ester foi avisada que o rei Assuero queria lhe falar.

Ela foi apressada até a sala do trono, para saber do que se tratava.

— Chamou, meu rei?

— Sim, Ester. Mandei chamá-la para avisar que a guerra acabou. Seu povo conseguiu se livrar da sentença de morte.

Nos dias em que os inimigos dos judeus esperavam dominá-los, sucedeu o contrário. Assim, durante os dois dias de luta, foram feridos todos os inimigos a golpes de espada. Na fortaleza de Susã os judeus mataram e destruíram 500 homens. Em todo o Império, foram 75 mil mortos.

— Graças a Deus! — a rainha lançou-se nos braços do rei, chorando de emoção. Logo outra preocupação lhe veio à mente: — E Mordecai? Teve notícias dele?

— Está bem, não se preocupe. Um pouco machucado, claro, mas nada que um bom unguento não cure! — sorriu, alegre por dar boas notícias à sua amada.

— Gostaria que não fossem necessárias tantas mortes para defender meu povo, mas acredito que, se assim aconteceu, foi por vontade divina.

— Os inimigos de seu povo foram dizimados, Ester. Mandei enforcar os dez filhos de Hamã — apesar de pesaroso em dar a notícia, o rei acreditava que havia feito a coisa certa.

— Todos eles? Até mesmo Aridai? — imediatamente, Ester se lembrou do noivo de Ana.

Assuero respondeu triste, mas convicto:

— Ficou provado que Aridai também compactuava com as tramas sórdidas do pai. O complô dos eunucos para me matar, por exemplo, foi planejado por Hamã!

— Mas que dissimulado esse Hamã! E ficava posando de melhor conselheiro do rei!

O rei continuou.

— Bigtá e Teres contaram sobre a oferta de Hamã ao comerciante que vendeu o veneno para eles. E Aridai sabia disso e de tantas outras armações e nunca falou nada. Foi conivente.

Agora as coisas faziam sentido para o rei. O motivo da traição dos eunucos lhe roubaram várias noites de sono na época.

— Ele era o grande amor da minha amiga Ana. Mas ele era a favor dos judeus! Lutou ao lado do nosso povo! — argumentou Ester, tentando entender melhor os motivos do rei.

— Também gostava de Aridai, mas nenhum filho de Hamã foi poupado.

Os outro nove filhos de Hamã, filho de Hamedata, o inimigo dos judeus, foram mandados para forca: Parsandata, Aspata, Porata, Adalia, Aridata, Farmasta, Arisai, Vaizata e Dalfom. O corpo de Aridai, também foi levado à forca simbolicamente, como punição por trair o império persa.

Dalfom encarou a morte com expressão impassível no rosto. Não implorou pela própria vida por um momento sequer e foi o primeiro dos filhos de Hamã a ser morto pela ordem do rei. Ele se orgulhava dos judeus que havia matado e por ter conseguido vingar a morte do pai ainda que brevemente. Todos eles foram enforcados na mesma forca do pai, aquela que ele havia construído para o judeu Mordecai.

Zeres não havia se recuperado da morte de Hamã quando soube da execução de todos os seus filhos e da derrota dos amalequitas. Num acesso incontrolável de fúria quebrou primeiro todas as louças, depois todos os móveis que conseguiu em casa. Quando foi encontrada pelos guardas do palácio, estava aos prantos, sozinha, dizendo frases sem sentido, num estado que indicava estar ali havia muito tempo.

***

Com o fim da guerra, Joel pôde voltar para a casa para conhecer seu neto que havia nascido. Mordecai e Simion também foram com ele.

— Filha! — Joel abaixou-se para dar um beijo em Ana, ainda sentada na cadeira em que havia dado à luz. Rebecca então trouxe o bebê para que ele conhecesse.

— É menino — disse Rebecca, baixinho, para o marido.

— Meu neto...tão pequeno. Dá até medo de pegar — as palavras de Joel saíam devagar porque em seu coração passavam muitas coisas. A alegria preenchia sua alma.

Joel tomou o neto nos braços e o levou até perto da janela por onde o sol passava, suave. Olhou bem para o rosto do menino e agradeceu a Deus silenciosamente por mais uma benção recebida.

— Ele se parece com você — Rebecca disse ao marido.

— Faz tão pouco tempo que ele nasceu e já amo tanto o meu bebê, meu filhinho... Nem acredito! — apesar de exausta, Ana não poderia estar mais feliz agora que tinha seu filho junto de si.

— Já escolheu um nome para ele? — Simion perguntou, com curiosidade quase infantil.

— Não. Estou esperando Aridai pra decidir. Alguém sabe onde ele está?

Neste momento, todos se entreolharam sem saber direito como dar a notícia a Ana. A moça percebeu o mal-estar e, mesmo com toda dificuldade, se colocou de pé como se quisesse ficar na mesma altura das outras pessoas, e compartilhar do que elas sabiam. Com o olhar, Joel pediu licença e devolveu o menino para Rebecca para que pudesse conversar com a filha.

— O que foi? Cadê o Aridai? — perguntou, aflita.

— Filha — disse Joel, convidando-a a sentar-se novamente. — Você sabe que por muito tempo eu fui contra o seu namoro com esse moço, mas ele se mostrou ser muito honrado...

Sem saber como continuar a falar, Joel simplesmente não conseguia contar a Ana que Aridai havia morrido, o que deixava a moça ainda mais angustiada. Mordecai meteu-se na conversa para ajudá-lo, e continuou:

— Ele enfrentou a família dele por sua causa, Ana. Lutou ao lado dos judeus por sua causa... Aridai foi um herói! — sem conseguir conter as lágrimas, Mordecai chorou ao relembrar os feitos do rapaz que era apenas nascido amalequita, mas que em seu coração, embora talvez não soubesse, serviu ao Deus de Israel.

Ana se levantou novamente.

— Não pode ser! O Aridai não... — Ana ainda muito fragilizada pelo parto e agora pela dura notícia da perda de seu grande amor, perdeu as forças nas pernas e quase caiu, não fosse por Simion que a segurou e a colocou na cadeira novamente.

***

A guerra deixou suas feridas e cicatrizes que, uma a uma, foram tratadas com o bálsamo da passagem do tempo. Em se tratando de um povo que lutou unido, havia amigos para dividir a dor e, acima de tudo, havia Deus, que nunca os havia desamparado.

Ruben, cujos ferimentos foram tão profundos a ponto de, durante muitos dias, espalhar-se a notícia de que ele não sobreviveria, estava sendo cuidado no palácio por médicos supervisionados pessoalmente por Ester. Simion, seu fiel amigo, e Harbona velavam o sono do rapaz, na esperança de que ele acordasse logo.

— Estou vivo? — foram as primeiras palavras de Ruben ao despertar, ainda confuso.

— Ruben! Que bom que acordou! — comemorou Simion.

— Mas como foi que...? — numa tentativa frustrada de levantar-se da cama, Ruben voltou a deitar-se.

— Fique quieto. Você não deve se levantar — aconselhou Harbona.

— O rei mandou fazer tudo o que fosse possível para salvar sua vida. — ao contar sobre o ato de bondade do rei, Simion sorria.

— Foi uma trabalheira pra remendá-lo, rapaz. Um milagre você ter resistido aos ferimentos! — disse Harbona.

— Preciso agradecer ao grande Assuero — Ruben falou baixinho.

Da porta, eles ouviram uma voz familiar:

— Não será necessário.

O próprio rei havia chegado ao quarto em que Ruben se encontrava, para visitá-lo.

— Grande rei! — Harbona e Simion se curvaram em sinal de reverência. Ruben se agitou com a surpresa mas sentiu dor e tontura ao tentar se mexer.

— Não se exalte, Ruben! A melhor forma de recompensar seu rei é se concentrar em sua melhora.

— Serei eternamente grato, senhor dos senhores! — mesmo com dificuldade, Ruben agradeceu ao rei.

— Que bom ter acordado. Tem alguém querendo muito falar com você — Ester havia contado para o rei Assuero que Ruben era seu amigo de infância.

— Minha rainha — ainda fraco, Ruben se emocionou com a presença de Ester.

— Graças a Deus você resistiu, meu grande amigo! Sobreviveu para celebrarmos juntos a vitória do nosso povo!

O que Ruben não conseguia colocar em palavras dizia pelo olhar, feliz ao rever sua Hadassa.

***

Na sala do trono, o rei Assuero, acompanhado de sua rainha, aguardava a entrada do novo primeiro-ministro para sua nomeação oficial. O cargo estava vago desde que Hamã fora desmascarado. Depois de muito considerar, mais uma vez pesaram a influência de Ester e os recentes eventos envolvendo judeus e amalequitas: Assuero nomeou Mordecai, que já havia provado sua sabedoria, mansidão, senso de justiça e fidelidade.

Mordecai caminhou até o rei, vestido como um nobre, mas simples como sempre em seu coração.

— É com muita alegria que hoje emposso Mordecai como primeiro-ministro de meu império! — disse para que todos ouvissem.

— Espero corresponder a sua confiança, senhor — Mordecai respondeu.

— Não tenho dúvida quanto a isso. Já mostrou que é fiel ao seu reino — Assuero disse, sorrindo.

— O senhor agora é um nobre da Pérsia — disse Harbona ao entregar um cetro para Mordecai. O rei fez um sinal a Mordecai, indicando que poderia aproximar-se da rainha. Ela obviamente queria cumprimentá-lo pela conquista.

— Parabéns, Mordecai. Tenho certeza de que será um excelente ministro!

— E você, Hadassa, minha querida, você foi escolhida para mudar o destino de um povo...

— Hadassa? — o rei perguntou, intrigado.

— Sim, meu rei. Esse é meu nome de nascimento.

— É um belo nome. Tão belo quanto Ester.

— Seus pais teriam muito orgulho da rainha Ester, da mulher de Deus que você se tornou — disse Mordecai emocionado por ter conseguido criar Ester nos caminhos do Senhor.

A cerimônia de nomeação continuou e, como sempre fazia quando estava emocionada, Ester segurou o pingente do colar que carregava consigo desde pequena. Tocando a pedra que a ligava às suas memórias mais antigas, olhando para o homem que a criou sendo empossado ministro, e para si mesma como rainha, sua mente a levou para muito longe, para a casa onde cresceu na vila judaica de Susã, quando ela ainda era uma criança e seu pai estava escrevendo em suas tábuas de barro como de costume, e Lia, sua mãe fiando no tear.

Hadassa entrou correndo dentro de casa para contar a eles uma novidade. Primeiro abraçou a mãe e depois o pai.

— Mas que delícia de abraço! — festejou Lia.

— Também gostei! — disse Abiail, sorrindo.

— É que estou muito feliz! Descobri que Deus me ama! — a menina contava com um brilho nos olhos.

— Essa sim é uma descoberta importante! — comentou, orgulhoso da filha.

— E como descobriu isso? — a mãe se alegrou pela descoberta da filha.

— Eu sei! Estava brincando lá fora quando um raio de sol desceu bem sobre a minha cabeça! Era Deus, mamãe! Era Ele dizendo que me ama!

— Com certeza era Ele, filha. — emocionou-se Lia, assistindo à primeira experiência de sua filha com Deus.

— Deus ama todos os Seus filhos, minha pequena — explicou Abiail. — E nunca se esqueça, Ele estará sempre ao seu lado, guiando seus passos nos momentos mais difíceis, e nos momentos felizes também.

Quando notou Mordecai a seu lado, Ester voltou de seus pensamentos nostálgicos. Ela se aproximou do primo e lhe disse:

— Mordecai, meu pai me disse uma vez que Deus estaria sempre ao meu lado, guiando meus passos nos bons e maus momentos. Foi o Senhor quem iluminou a vitória dos judeus!

— Uma grande vitória, Ester! Uma luta que precisa ser lembrada para todo o sempre! — disse Assuero.

— De fato. Por isso meu primeiro ato como primeiro-ministro será escrever a todos os judeus de todas as províncias do império, aos de perto e aos de longe, ordenando-lhes que todos os anos, guardem os dias 14 e 15 do mês de adar como os dias em que os judeus tiveram descanso de seus inimigos!

— E que se faça sempre uma grande festa para lembrar que embora Hamã escolhesse o dia do massacre do nosso povo, Deus providenciou livramento e mudou a sorte que havia sido decretada sobre nós! — a rainha não continha a alegria que trazia no coração, agradecida a Deus por sempre estar ao seu lado.

— Será a Festa do Purim! — sugeriu Mordecai, lembrando que "pur", na língua hebraica, significa "sortes". —Vamos celebrar com ações de graças porque nossa sorte foi mudada, minha rainha! O orgulho por ter sua menina como rainha fazia Mordecai sorrir e se emocionar

— Que assim seja! — completou o rei Assuero, aprovando a ideia.

E este foi o mês que transformou para sempre a tristeza em alegria, o luto em dia de festa, o pranto em regozijo. Mordecai escreveu para que os judeus comemorassem o Purim com banquetes e honrarias, que mandassem presentes uns aos outros e dessem dádivas aos pobres. E ordenou que os dias em que eles derrotaram seus inimigos fossem lembrados e guardados através das gerações, famílias, províncias e cidades, e que a memória dessa grande vitória nunca tivesse fim entre os de sua semente.

Mordecai, filho de Israel, foi exaltado entre os nobres de toda a Pérsia e colocado como o segundo depois do rei Assuero. Foi um grande defensor dos judeus, e agradável para com a multidão de seus irmãos, procurando o bem de todo o povo, e trabalhando pela prosperidade de sua nação.

Todo o povo judeu foi para as ruas de Susã, para as portas do palácio comemorar a grande festa de vitória sobre seus inimigos. Todos sorriam alegres, com uma satisfação e gratidão dentro do peito que não tinham fim.

Ruben, Simion, Joel, Rebecca e também Ana com seu pequeno filho estavam todos ali, participando com os seus irmãos da grande celebração. Do alto do palácio, Ester e o rei Assuero, ladeados pelo primeiro-ministro Mordecai acompanhavam a comemoração do povo, que era também a comemoração deles. Acenavam cumprimentando os judeus que dançavam, cantavam e faziam uma grande festa.

Ester fez um gesto para que Ana se aproximasse das escadas, a fim de que pudesse vê-lo de perto.

— Ana, minha amiga! Como é lindo o seu filho!

— Entendo agora o que é amor de mãe, Ester!

Quinlá e Hegai também vieram cumprimentar Ana. Quinlá, em especial, sempre fora muito bondosa com Ana, e desejava a ela toda a felicidade do mundo.

— Essa festa é para você, minha rainha — sussurrou o rei para Ester.

— Obrigada! — e os dois se olharam apaixonados.

Com o fim da guerra, e passados os dias das comemorações, muitos judeus estavam partindo de Susã com destino a Jerusalém, assim como pretendiam fazer antes de todo aquele pesadelo ter começado.

Entre os que partiram estavam Joel, Rebecca, Ana e Simion. O eunuco e copeiro real havia recebido permissão do rei Assuero para partir com eles, e ia em busca de uma nova vida na terra do seu povo. Mordecai despediu-se de todos eles com um forte abraço, desejando-lhe muitas felicidades.

— Nem acredito estamos indo para nossa Jerusalém! A cidade santa do nosso povo. Quanto tempo esperei por isso! — Joel confessou emocionado.

— Agora começa uma nova história, meu querido. — Rebecca estava tão feliz quanto Joel.

E assim começaram sua jornada até Jerusalém.

***

Do alto da janela dos aposentos reais, Ester observava a caravana de judeus viajando de Susã a Jerusalém. Assuero se aproximou, aconchegou-a num abraço e lhe disse:

— É impressionante a quantidade de judeus que estão retornando a Jerusalém.

Mais do que amantes, eles haviam se tornado companheiros, confidentes.

— Mas esse é o grande sonho de todos de meu povo. Eu mesma sempre quis ir para a cidade sagrada.

— Ainda bem que não foi! — rei sorriu, arrancando o riso dela também.

E os dois se beijaram, na plenitude da felicidade.

E foi assim que uma pobre moça judia chegou ao posto de rainha e salvou o seu povo. Uma história que permanecerá eternamente na lembrança dos judeus e dos povos de toda a terra.